SOUS LA GARDE DU DUC

UN ROMAN DE LA SÉRIE
DES CHÂTEAUX OUBLIÉS

SOUS LA GARDE DU DUC

Jamie Carie

Traduit de l'anglais par
Carole Charette

Éditeur : François Doucet
Traduction : Carole Charette
Révision linguistique : Féminin pluriel
Correction d'épreuves : Nancy Coulombe, Katherine Lacombe
Conception de la couverture : Matthieu Fortin
Photo de la couverture : © Thinkstock
Mise en pages : Sébastien Michaud
ISBN papier 978-2-89733-056-9
ISBN PDF numérique 978-2-89733-057-6
ISBN ePub 978-2-89733-058-3
Première impression : 2013
Dépôt légal : 2013
Bibliothèque et Archives nationales du Québec
Bibliothèque Nationale du Canada

Éditions AdA Inc.
1385, boul. Lionel-Boulet
Varennes, Québec, Canada, J3X 1P7
Téléphone : 450-929-0296
Télécopieur : 450-929-0220
www.ada-inc.com
info@ada-inc.com

Diffusion

Canada :	Éditions AdA Inc.
France :	D.G. Diffusion Z.I. des Bogues 31750 Escalquens — France Téléphone : 05.61.00.09.99
Suisse :	Transat — 23.42.77.40
Belgique :	D.G. Diffusion — 05.61.00.09.99

Imprimé au Canada

Participation de la SODEC.
Nous reconnaissons l'aide financière du gouvernement du Canada par l'entremise du Fonds du livre du Canada (FLC) pour nos activités d'édition.
Gouvernement du Québec — Programme de crédit d'impôt pour l'édition de livres — Gestion SODEC.

Catalogage avant publication de Bibliothèque et Archives nationales du Québec et Bibliothèque et Archives Canada

Carie, Jamie

Sous la garde du duc
(Un roman de la série des Châteaux oubliés ; 1)
Traduction de : The Guardian Duke.
ISBN 978-2-89733-056-9
I. Charette, Carole. II. Titre.

PS3603.A74G8214 2013 813'.6 C2013-940779-0

Dédicace

À mon fils Seth,

Cette histoire est la tienne. Tu as imaginé les scènes et les personnages avec moi. Nous avons passé des heures à parler de quoi ces personnages avaient l'air et où ils iraient, et tout ce qu'ils verraient et feraient... Ce fut notre meilleure aventure ensemble, quelque chose que je chérirai pour toujours.

Je t'aime tant ! Tu as un si grand potentiel, ton cœur est protégé et est plein de sagesse, et ton être spirituel est la splendeur personnifiée. Tu es un cadeau pour le monde entier et un fils de Dieu qui accomplira Son objectif pour toute l'éternité. Je me sens bénie de pouvoir t'appeler mon fils.

Remerciements

Un merci spécial à Clive Scoular de Killyleagh, comté de Down en Irlande du Nord.

Votre volonté de partager vos connaissances sur Hans Sloane, sur le château de Killyleagh et sur le village pittoresque de Killyleagh a rendu plus riche d'authenticité cette histoire, et encore plus irlandaise.

Je rêve de voir la Terre de la jeunesse éternelle un jour, mais en ce moment, je peux ressentir ce voyage virtuel comme si j'y étais allée. Je vous remercie de votre amabilité, monsieur !

Chapitre 1

Théâtre du roi, Londres – août 1818

Le paradis pourrait se trouver là où est la musique.

Gabriel Ravenwood, duc de St. Easton, ferma les yeux et appuya la tête sur le coussin de velours derrière lui. Un faible sourire apparut sur ses lèvres au moment où il ressentit chacun des muscles de son visage se détendre. Petit à petit, il donna libre cours à une sensation intérieure, atteignant un état de grâce qui le dépassait. Des ondes de baryton et de mezzo-soprano flottaient jusqu'à lui, l'enveloppant et le transperçant jusqu'à ce que le monde – un endroit sombre et gris avant qu'il ne franchisse ces portes – laisse entrer ces notes pleines de vie tout en couleur.

Il se laissa emporter… complètement.

Une grande bouffée d'air, puis la paix absolue. Les sons flottaient jusqu'à lui et le traversaient. Cela le réconfortait d'une façon qu'aucune autre recherche de plaisir ne lui apportait. La musique réussissait toujours à l'emporter. Une sonorité divine qui lui apportait du soulagement. C'était toujours ainsi, et c'était la raison pour laquelle il passait chaque après-midi ici depuis les dernières années.

L'opéra.

Remercions Dieu pour ceci. Remercions Dieu qu'il existe encore quelque chose.

Il leva les doigts sur l'arête de son nez et la pinça.

— Votre Grâce. S'il vous plaît, Votre Grâce.

Gabriel leva son bras dans un léger mouvement décontracté, comme s'il voulait chasser une mouche qui le dérangeait à ce moment-là.

« Allez-vous-en. Tous ; faites juste vous en aller. »

— Votre Grâce. Veuillez m'excuser, mais il y a quelque chose...

Gabriel tourna le visage, encore enveloppé par cette aria, mais il fronça les sourcils. Sa parcelle de paradis lui était retirée subitement et venait de crever comme un gros ballon. Un grand malaise traversa sa bulle de sérénité.

— Ceci est de la plus haute importance, Votre Grâce. J'essaie de vous trouver depuis un certain temps.

Gabriel ouvrit les yeux. Il se releva et aperçut son secrétaire, monsieur Meade.

« Incroyable. »

Le petit homme, qui était son secrétaire personnel, blêmit en entrant dans la pièce et recula d'un pas. Il tenait une lettre à la main. La lettre tremblait comme une feuille au vent, même s'il n'y en avait pas. Il la lui présenta.

Gabriel inspira profondément et redressa brusquement la tête vers la porte de sa loge privée. Il pouvait être interrompu, mais il ne voulait pas gâcher le plaisir des quelque vingt personnes dans la salle.

Une fois rendu dans le long hall au tapis rouge, Gabriel prit la lettre et la retourna.

Le sceau royal.

Un frisson le parcourut. Maintenant, c'était vraiment autre chose.

Qu'est-ce que le prince régent lui voulait à présent ?

Il jeta un coup d'œil à son secrétaire qui haussa seulement les épaules avec un rictus nerveux, et brisa avec précaution le sceau de cire rose.

Un bourdonnement ennuyeux se fit entendre au moment où il déplia le papier épais. Il secoua la tête, essayant de se défaire de la sensation de bouillonnement, et regarda de nouveau le riche vélin. Les mots lui sautèrent aux yeux, puis disparurent. *Lady Alexandria Featherstone… Holy Island… Northumberland… sa tutelle… le duc de St. Easton… parenté…*

Il releva les yeux, déconcerté. Featherstone ? Ce devait être en effet un parent très éloigné. Il ferma les yeux un bref instant et secoua la tête comme s'il voulait chasser la sensation de congestion dans ses oreilles. Il se frotta les yeux et regarda de nouveau la lettre. *Parents disparus… présumés morts… tuteur… seule héritière… Alexandria…* Un éclair de lumière explosa dans sa tête.

« Alexandria… »

Un étourdissement étrange s'empara de lui. Il sentit le papier si doux et si épais se froisser dans son poing. Il secoua la tête et regarda son secrétaire.

— Meade ? Parlez plus fort. Je ne peux… vous entendre…

Il n'était pas certain d'avoir prononcé les mots à voix haute.

Son homme bondit devant en trébuchant. Gabriel s'appuya sur un côté et couvrit ses oreilles de ses mains, essayant d'arrêter le grincement soudain dans sa tête.

« Mon Dieu ! Oh ! mon Dieu ! Qu'est-ce qui m'arrive ? »

Il se sentit défaillir et tomba.

« Alex… an… dria… »

Il s'écrasa au sol, étourdi ; l'impact sur son épaule se traduisit par des vagues de douleur qui se répercutaient de l'épaule à la tête et vice-versa. Les gens se précipitèrent autour de lui, le regardant, l'expression de leur visage variant de l'horreur à l'inquiétude.

— Reculez !

Il dit ces mots rudement, se relevant d'un bras. Il espéra du moins avoir dit quelque chose ; il ne pouvait entendre aucun mot.

Un étourdissement soudain l'empêcha de se relever. Il tenta d'atteindre l'épaule de Meade, juste à côté de lui, mais ne pouvait se concentrer assez longtemps pour la tenir.

— Meade, tenez-vous bien, mon homme.

Les lèvres de monsieur Meade remuèrent, mais le bourdonnement dans les oreilles de Gabriel rendit impossible la compréhension de ce qu'il venait de dire. Ses genoux fléchirent encore et il tomba, s'affalant sur le tapis rouge. La peur s'installa en lui en vagues d'agonie de la tête aux pieds. Quelque chose n'allait pas. Il ferma les yeux et prit de grandes respirations, oubliant ce qui se passait autour de lui.

Somme toute, le nom d'Alexandria Featherstone lui sembla familier. Il se demanda s'il l'avait déjà entendu auparavant ; l'avait-il déjà entendu ? Qui diable était-elle ?

« Alex… »

Ce fut sa dernière pensée cohérente avant que la noirceur l'enveloppe.

Gabriel se réveilla dans sa chambre, la tête reposant confortablement sur plusieurs oreillers de plumes. Il battit des paupières, remarquant l'étrange quiétude de l'endroit. Une gêne remplit sa gorge alors qu'il relevait la tête et tournait d'un côté et de l'autre, essayant d'entendre les sons habituels et trépidants de Londres à l'extérieur de sa maison de ville sise au numéro 31 du carré St. James. Rien. Silence complet.

— Meade ?

Sa voix devait être râpeuse, car il ne pouvait l'entendre. Il s'éclaircit la voix et s'assit, d'un mouvement lent comme s'il se déplaçait dans l'eau.

— Meade ?

Il prononça le nom plus fort, venant de sa gorge et de ses poumons. Rien. Un frisson le parcourut à partir de la base de son crâne jusqu'au bas du dos. Enjambant le côté du lit, il se leva, bascula la tête vers l'arrière et hurla.

— MEADE !

La porte s'ouvrit, et trois hommes, dont son secrétaire qui avait le visage blême, s'empressèrent vers lui. Gabriel serra les dents et se cramponna au couvre-lit comme à une corde. Il les regarda l'un après l'autre. Leur bouche en mouvement l'agaçait.

« Trop vite. Ralentissez. »

Il cria un mot : « arrêtez », mais ils ne cessaient de parler. Que Dieu lui vienne en aide, leur bouche était en mouvement, mais aucun son ne lui parvenait.

— De l'eau.

Il tendit la main au moment où l'un des hommes, son médecin Bentley, reconnut-il en voyant la moustache, le prit par l'épaule et le reconduisit à son lit. Il ne voulait pas aller au lit. Il ne ressentait pas le besoin de dormir. Il voulait que cesse la peur qui lui étranglait la gorge. Il voulait recommencer la journée. Il voulait être assis à l'opéra et noyer son ennui au cœur d'un morceau de musique. Il voulait retrouver sa vie normale, pour l'amour de Dieu — même si c'était une vie ténébreuse.

Le médecin dit quelque chose et montra le lit comme s'il s'adressait à un enfant de trois ans qui refusait de faire la sieste au lieu de lui parler comme un duc de trente-deux ans. Gabriel secoua la tête comme un petit enfant récalcitrant. Il voulait demander ce qui n'allait pas avec lui, mais il ne pouvait leur laisser voir une telle faiblesse. Et ils ne connaîtraient jamais cette peur qui s'accrochait à lui comme la terrible étreinte du démon.

Replaçant sa voix de nouveau et essayant de voir à travers son cerveau embrumé, il se reprit et déclara avec un ton qu'il espérait normal :

— Un verre d'eau, docteur. C'est tout ce dont j'ai besoin.

Ce qu'il avait demandé lui fut mis dans la main par le troisième homme, lord Bartrom, son bon et vieil ami d'enfance, d'aussi loin qu'il puisse se souvenir.

— Merci, vieux copain.

Il fit un signe de tête vers son vieux copain d'une façon aussi normale que possible, puis regarda ailleurs rapidement avant que son ami puisse parler et avala le verre d'eau.

Le médecin le toucha à l'épaule. Il avait un regard plein d'interrogations, avec ses sourcils gris et broussailleux qui lui allaient jusqu'au milieu du front.

Gabriel soupira, plissa les yeux et fixa ses lèvres. S'il se concentrait assez fort, il pourrait peut-être comprendre ce qu'il était en train de dire.

Quelque chose à propos du lit et d'un examen, peut-être ? Le vieil homme pointa ensuite sa bouche et prononça les mots : « Pouvez-vous m'entendre ? Votre Grâce, pouvez-vous entendre ce que je vous dis ? » Il montra des mots sortant de sa bouche.

La peur s'empara de lui de nouveau, le forçant à s'asseoir.

Ils savaient.

Ils le savaient tous.

Le duc de St. Easton était soudainement et inexplicablement devenu sourd comme un pot.

Il stoppa la nouvelle vague de peur avec une farouche détermination. Le docteur Bentley prit fermement le menton de Gabriel et se pencha vers son oreille droite. De l'autre main, il sortit un instrument de métal en forme de flûte et l'inséra dans son oreille. Froid, étrange, inconfortable. Gabriel ferma les yeux et expira le temps que l'instrument se déplace à l'intérieur de son oreille.

Le médecin alla de l'autre côté, ce qui fit ouvrir les yeux de Gabriel. Sans l'usage de l'ouïe, il se trouva perdu… à la dérive… empli de terreur de ne pas être ancré. Il jeta un coup d'œil de côté au vieux médecin, un homme qu'il connaissait depuis sa première fièvre. Gabriel était le troisième fils du duc et de la duchesse de St. Easton. Ses deux frères aînés, Robert et William, étaient morts avant leur deuxième anniversaire, alors si Gabriel ne faisait qu'éternuer…

C'est-à-dire qu'il connaissait depuis très longtemps ce visage qui le regardait dans les yeux. Et c'était la même chose maintenant, même s'il était aussi âgé que trente-deux ans et qu'il avait acquis le duché à la mort de son père depuis un peu moins de deux ans. Maintenant, il était le chef de la famille. Trois sœurs l'avaient suivi et avaient survécu, alors ses parents avaient finalement un peu lâché prise et l'avaient laissé vivre ses exploits et ses aventures de petit garçon. Gabriel regarda de côté les cheveux rêches de son protecteur au même instant où il déplaçait l'instrument dans son oreille et la chandelle, et il eut un souvenir particulier du temps où il s'était enfui sur son voilier *Nap*, diminutif de *Napoléon*, évidemment.

C'était une réplique parfaite d'un voilier à deux mâts. Et il avait vogué. Oh ! comme il avait vogué à travers les eaux agitées des ruisseaux près de la demeure de son enfance, la maison Bradley, dans les collines luxuriantes de la campagne du Wiltshire. Il se sentait presque comme s'il était là de nouveau, se rappelant avec une vive clarté qui lui venait rarement. Pour un moment, il se sentit presque normal.

Il regarda ensuite Albert Bartrom. L'inquiétude que l'on pouvait lire dans les yeux de son ami était, en effet, indubitable et rare. Lord Bartrom était d'un an son aîné et était enclin à projeter des aventures qui pouvaient rivaliser avec un génie de la stratégie. Quand Gabriel manquait de courage, de force d'âme ou de puissance, Albert tendait la main facilement et de manière compréhensive. Toujours présent. Toujours au courant. Toujours prêt à combler le vide. Il l'avait taquiné au moment où il était devenu duc et avait insisté pour le nommer de tous les titres, sauf l'attendu « Votre Grâce ». Non, Albert lui a fait savoir quand il était têtu et insensible, arrogant et dominateur, et toutes les autres remarques. Tout ceci parle d'une vraie amitié, de longue date, qui n'a pas de prix.

Présentement, quand il regarde le visage affligé d'Albert, sa gorge se resserre. Ces hommes, qu'il a connus et aimés toute sa vie, avaient maintenant peur pour lui. Peur du nouveau monde dans lequel ils devraient vivre.

Non ! Il ne laissera rien de mal lui arriver ni à aucun des siens. Il était fort. Il pouvait encore ressentir la puissance qu'il avait toujours eue en abondance le traverser. Il pouvait se tenir. Il pouvait se battre.

« Mon Dieu… »

Le médecin retira l'instrument de métal froid de son oreille. Gabriel se tourna vers lui, sachant que l'expression de son visage était sévère, ressentant sa respiration entrer et ressortir de sa poitrine, mais n'entendant plus le son haletant de celle-ci. Cela l'épouvanta encore plus. Son cœur battait très fort ; le faisait-il ? Il posa la main sur sa poitrine et sentit le toc, toc, toc, mais il n'y avait aucune pulsation dans ses oreilles, dans sa tête.

Il secoua la tête comme s'il pouvait en faire sortir l'état de panique. Il pouvait parler. Il pouvait toujours parler comme un duc.

Il se tourna vers le médecin et demanda des réponses à ses questions.

— Que m'est-il arrivé ?

Bentley regarda derrière lui pour trouver du papier. Après un long moment, un effroyable moment d'attente, ils lui procurèrent de l'encre et une plume. Gabriel serra les dents le temps que le médecin écrive dans un long silence. Il regarda le médecin écrire, sachant qu'il devrait l'entendre, mais ne l'entendant pas. Crik, crik, crik. Il s'imagina l'entendre. Il ferma les yeux et pria pour l'entendre.

Le bord du papier touchait sa main. Ses paupières s'ouvrirent. Il le prit et le tourna du bon côté.

Je ne sais pas ce qui est arrivé, Votre Grâce. Vos oreilles ont besoin d'être examinées par quelqu'un de Moorfields. Ils sont des spécialistes de l'œil et de l'oreille. Je devrai prendre un rendez-vous avec le docteur Saunders ou un autre homme dont j'ai récemment entendu parler : John Curtis. Avec votre permission, évidemment, Votre Grâce. Nous devrons découvrir le fond de l'affaire.

Gabriel regarda dans les yeux bleus pleins d'eau, la mâchoire tendue et les lèvres crispées d'un homme qu'il connaissait aussi bien que son père. Son regard se tourna vers Bartrom, puis vers son secrétaire.

Ils avaient peur pour lui.

Ils avaient tous peur.

Il voulait poser des questions, un million de questions, mais il savait qu'il devait se montrer fort… pour eux. Il devait leur montrer que tout rentrerait dans l'ordre. Qu'il maîtrisait la situation. Tout devait continuer normalement.

— Je meurs de faim, messieurs.

Il fit un sourire, un sourire qu'il savait familier à chacun d'eux. Un sourire qui disait qu'il était en vie et qu'il allait bien. Bien sûr qu'il allait bien.

— Avons-nous manqué le petit déjeuner, d'après vous ?

Chapitre 2

Holy Island, Northumberland, Angleterre — septembre 1818

Cling, cling, cling.

Le vent soufflait un nuage vaporeux d'eau de mer dans le visage d'Alexandria au moment où elle traversait la berge rocailleuse de sa demeure à Holy Island. Elle fit une pause, écoutant attentivement pour découvrir la provenance de ce son malgré le léger tambourinement de la pluie.

Cling, cling.

Le son éveilla son sens déjà aiguisé de la curiosité, sachant qu'il était nouveau ; quelque chose de différent qui n'avait habituellement pas sa place sur la plage. Elle changea de direction vers la droite et grimpa sur un gros rocher, remerciant le ciel de la lueur de la pleine lune. Son esprit fit le tour de toutes les possibilités et son cœur se mit à battre plus fort à la naissance d'une nouvelle aventure. Peut-être que l'objet qui faisait ce son était une vieille bouteille avec une lettre à l'intérieur ? Peut-être que l'auteur d'une telle lettre avait décidé de mettre fin à ses jours et elle serait la seule personne à en connaître la raison. Ou encore mieux, un coffre aux trésors dansant sur l'eau, provenant de l'épave d'un bateau pirate. Ses lèvres généreuses se transformèrent en un sourire en s'imaginant ouvrir le couvercle incrusté de sel de mer révélant des pièces d'or, non – des bijoux scintillants – une émeraude de la taille d'un œuf de rossignol.

Relevant l'ourlet de sa mince robe de nuit pour mieux voir ses pas, elle choisit d'aller vers l'inclinaison rocheuse. La plus grande partie de la plage était linéaire et composée de petits galets ternes et multicolores et d'un peu de sable, mais le son provenait d'un petit affleurement de la pierre. Elle se hâta vers le précipice aux bords irréguliers, se plaça délicatement sur le ventre et regarda la mer sombre plus bas.

Alex retint sa respiration en découvrant la provenance du bruit. Quelque chose de blanc qui roule, qui tourne avec les vagues déferlantes. Elle étira le bras sans se soucier d'arrêter ni de considérer ce qu'elle était en train de faire et tendit la main. Voilà. Ses yeux se refermèrent au moment où le bout de ses doigts touchèrent la surface lisse. Elle s'étira un peu plus, ses orteils se cramponnant au sable comme à une ancre flottante, puis elle prit l'objet dans ses mains. Elle se releva tant bien que mal et leva l'objet pâle et scintillant vers le clair de lune en l'échappant presque sous le choc.

C'était un crâne. Un crâne brisé. La face était intacte comme un masque, mais l'arrière de la tête était manquant.

Alex le retourna dans ses mains ; une centaine de nouvelles questions surgissaient dans son esprit. Était-ce un enfant ? Une jeune femme ? De quel pays lointain provenait-il ?

— Le pauvre, marmonna-t-elle alors qu'elle levait le crâne vers son visage et regardait — les yeux dans les yeux — à travers les orbites vides.

Alex battit des paupières… et battit encore des paupières derrière les vieilles lunettes d'approche au moment où son regard balaya l'horizon brumeux et voilé. Elle s'arrêta. Ce n'était pas possible. Elle laissa tomber lentement le crâne et regarda de nouveau, le souffle coupé.

Un bateau.

Alex le regarda s'approcher, puis grimpa la pente abrupte de la colline rocailleuse menant au château qui était sa demeure. La plus grande partie du château était inhabitable, mais la famille avait préservé et réparé le grand hall et plusieurs petites pièces servant de chambres à coucher. Des siècles auparavant, le château était la première ligne de défense de l'Angleterre du Nord contre les Scots, mais il avait été attaqué par la suite et envahi par les Vikings, de méchants pirates ayant détruit le monastère.

À cette époque, les bateaux étaient légion, sur les rives de Holy Island. Il y a maintenant plusieurs décennies qu'aucun autre bateau que les bateaux de pêche locaux n'avait navigué sur la mer du Nord, et Alex ne pouvait se souvenir d'aucun visiteur venu honorer leur petit village qui ne venait pas de la terre ferme. C'était vrai jusqu'à aujourd'hui. En voyant le bateau devenir de plus en plus gros sous ses yeux, elle savait qu'en effet quelqu'un arrivait, et qu'il demanderait le seigneur et la dame du château.

Cette pensée la fit courir avec détermination vers le vieux et grand hall, puis la fit monter les marches de pierre vers sa chambre à coucher. Elle tenait encore le crâne et le posa sur le seuil de sa chambre pour le regarder. Peut-être que le bateau a quelque chose à voir avec ceci ? Peut-être s'agissait-il de meurtriers venant tous les tuer !

Elle poussa le crâne sous son oreiller au même moment où elle s'empara de l'ancienne épée appuyée contre le mur à côté de son lit. Elle la brandit devant elle, ou plutôt essaya de le faire. Cette chose était si lourde qu'elle ne put fendre l'air que d'un seul coup d'épée avant qu'elle ne retombe d'un bruit sourd sur son lit. Eh bien. Une épée ne ferait que peu de bien contre un bateau plein de pirates meurtriers. Si seulement le canon du château fonctionnait encore.

Chassant cette pensée de son esprit, elle passa sa robe de nuit par-dessus la tête, s'empressa vers son armoire et ouvrit toutes grandes les portes. Elle se tenait déconcertée devant ses modestes robes. Il n'y avait rien qui ressemblait à de l'élégance ou à du raffinement. Si elle se montrait pour les accueillir dans n'importe lequel de ces atours, ils pourraient difficilement croire qu'elle était la dame du château. Toutefois, peut-être devrait-elle se faire passer pour une servante ou pour la châtelaine, et renoncer volontiers au château pour protéger les villageois.

Non. Elle secoua la tête. Elle était une Featherstone, et une Featherstone ne prendrait jamais la voie de la lâcheté.

Une autre idée l'arrêta brusquement. Sa respiration cessa juste à y penser. Oserait-elle ? Arborant un petit sourire, elle se détourna de l'armoire et sortit de la pièce.

La porte de la chambre à coucher de sa mère et de son père était fermée. Un élan soudain de tristesse traversa son cœur. Ils étaient partis depuis si longtemps, cette fois. Aucune lettre reçue depuis des mois. Elle prit une grande respiration et releva le menton. Ce n'était pas le moment de se plaindre.

Elle tourna le bouton de la porte. Les gonds grincèrent dans le silence. Le clair de lune emplissait la pièce par une longue fenêtre étroite. Elle jeta un coup d'œil au lit ; la poussière enveloppait les couvertures. Pourquoi personne ne gardait cette pièce propre ? Cela ne ressemblait pas à Ann, la gouvernante, de se dérober à ses obligations. À moins que les rumeurs s'avèrent. Que ses parents ne reviendraient jamais. Qu'ils avaient connu une malchance et qu'ils étaient… Non. Elle ne croirait pas la devineresse du village et une bande de commères aux mauvais pressentiments. Elle continuerait de prier et de croire en la puissance salvatrice de Dieu. De toute façon, elle le saurait, au fond de son cœur, si quelque chose leur était arrivé ; elle le ressentirait, mais elle ne le ressentait pas.

Échappant à ses pensées, elle courut aveuglément jusqu'à la grande armoire de sa mère et ouvrit les portes. Sa main tremblait légèrement et elle mordit sa lèvre inférieure comme elle atteignait le fond, puis en ressortit une robe défraîchie de satin bleu. Elle était vieille, plus vieille qu'elle âgée de vingt ans, mais encore ravissante. C'était la robe de mariée de sa mère. Alex posa le vêtement contre elle et prit une grande respiration. Elle devrait lui aller à la perfection.

Après s'être occupée de la robe, elle s'assit à la petite coiffeuse de sa mère. Un coffre à bijoux presque vide siégeait sur un coin. Alex le ramena vers elle et ouvrit le couvercle. À l'intérieur, il y avait un petit ensemble de peignes avec des pierres de strass ressemblant à de petites émeraudes et des saphirs bleus le long du bord. Avec aisance, elle fit un chignon, un peu de travers, de ses longs cheveux bruns et le fit tenir avec les peignes.

Elle se pencha vers l'avant et étudia son reflet, espérant qu'elle paraîtrait plus vieille et plus autoritaire que son âge. Des sourcils arqués au-dessus de grands yeux bleu pâle. Un visage ovale avec des lignes classiques, un petit nez droit et des lèvres pleines. Elle pinça ses joues pâles pour leur donner de la couleur et haussa les épaules devant le miroir. Elle avait toujours paru plus jeune que son âge. Elle devrait juste faire semblant.

Il fallait maintenant réveiller Ann et Henry, les serviteurs qui étaient devenus âgés. Alex effectuait la majorité du travail autour du château. Elle devait être astucieuse, sinon elle risquait de heurter leur amour-propre. Ann et Henry étaient plutôt des grands-parents que des serviteurs, pour elle. Dieu seul savait quel serait le choc que son apparence leur causerait cette nuit ! Un rire s'échappa de sa gorge au moment où elle imagina leur visage. Et où Latimere était donc parti trotter ? Son gros chien blanc, un Berger des Pyrénées, la suivait habituellement sur les talons. Il pourrait faire subir une peur bleue aux vilains. Elle enverrait Henry à sa recherche avec un de ces gros os tiré du dîner si le temps le permettait.

À la pensée que le temps était compté, elle se précipita dans le grand hall, puis plus loin dans le château, où les quartiers des serviteurs se trouvaient, près de la cuisine.

— Ann ! Henry !

Elle les appela aussitôt qu'elle s'approcha.

— Réveillez-vous ! Un bateau arrive.

Elle frappa à la porte d'Henry en espérant qu'il l'entendrait. Il ne se passa pas beaucoup de temps avant qu'Ann montre la tête hors de sa chambre, le bonnet de travers, l'inquiétude dans les yeux.

— Lady Alex, nous sommes au milieu de la nuit. Que faites-vous debout ? Vous devriez être au lit, mon enfant.

Ann s'avança dans le hall juste au moment où Henry ouvrit sa porte et les regarda comme un poisson échoué sur la plage.

— Qu'arrive-t-il pour causer tout ce tapage ?

Son expression tourna à la stupéfaction au moment où, à travers ses lunettes, il constata l'attention particulière qu'Alex avait porté à son apparence.

Alex lui expliqua en vitesse.

— Il y a un bateau dans le port. Un vrai bateau. Et il vient vers nous.

— Un bateau ? Qui ça peut bien être ? Qu'est-ce qu'ils peuvent bien vouloir à notre petite île ?

Ann regarda les pieds nus d'Alex et sourcilla.

— Je ne le sais pas, mais nous l'apprendrons bientôt. Dépêchez-vous et habillez-vous. Henry, je voudrais que vous retrouviez Latimere et me rencontriez dans le grand hall. Ann — Alex haussa les épaules, son front plissé par la réflexion — peut-être devriez-vous préparer quelques rafraîchissements, juste au cas où ils ne seraient pas ici pour nous tuer et prendre le château.

Les yeux d'Ann s'agrandirent d'effroi.

— Vous devriez vous cacher, mon enfant. Regardez-vous, habillée comme cela !

Alex n'était pas certaine si Ann la complimentait ou l'insultait. Elle laissa aller un soupir de frustration.

— Ceci est notre demeure, et je ne laisserai personne nous l'enlever. Maintenant, dépêchez-vous, tous deux.

Elle se retourna pour partir et prononça quelques paroles par-dessus son épaule en les quittant.

— J'ai trouvé un pistolet. Apportez n'importe quelle autre arme que vous pourriez trouver !

Remontant ses énormes jupes de satin, Alex gémit à la vue de ses pieds nus et sales. Elle se retourna pour aller prendre sa seule paire de souliers de satin au moment où un lourd martèlement se fit entendre à la porte au-devant du château.

Pieds nus ou non, il était temps de faire face à son destin.

Le cœur battant à tout rompre, le pistolet rouillé qu'elle avait trouvé en retrait du comptoir de la cuisine caché dans les plis de sa jupe, Alex ouvrit la grande porte massive. Elle grinça sur ses vieux gonds, et le vent soufflait fort la brume de mer sur son visage tandis qu'elle regardait l'homme bien habillé se tenant avec deux soldats de chaque côté.

L'homme lui jeta un coup d'œil de la tête aux pieds, puis s'inclina de façon élégante. Enlevant son chapeau et le portant à la poitrine, il s'y agrippa et la regarda, apparemment frappé de stupeur.

Ayant l'air complètement sans défense, Alex ravala un gloussement à sa vue.

— Je suis venu pour voir lady Alexandria Featherstone, dit l'homme dans un mince filet de voix nasillarde qui démontrait qu'il semblait avoir plus peur d'elle qu'elle de lui.

Oh ! quel embêtement. Il ne pourrait jamais croire qu'elle est la dame du château, à présent. Elle aurait dû faire ouvrir la porte par Henry comme n'importe quelle noble dame aurait pensé le faire. Au lieu de cela, elle fit la révérence dans la confusion et leva le bras vers le grand hall sans même lui demander son nom ni la raison de sa visite. Elle était sérieusement en train de tout saboter.

— Attendez.

Elle stoppa son entrée dans le château avec le plat de sa main vers sa poitrine.

— Que voulez-vous à lady Featherstone ?

Il s'inclina de nouveau, les deux hommes de chaque côté de lui se tenant comme des statues avec une expression menaçante sur leur visage.

— J'ai des nouvelles pour milady. Des nouvelles de la plus haute importance.

Il pourrait mentir. Même s'il ne le paraît pas, il pourrait être dangereux. Cette réflexion l'amena à penser à son pistolet. Elle le leva, espérant qu'il ne pourrait voir la rouille dans le faible clair de lune, et le pointa à sa poitrine. Il aurait été grandement plus fortuit si elle avait trouvé des balles pour le pistolet. Les soldats reculèrent… évaluant et tentant de prendre…

— N'y pensez même pas !

Alex jeta aux soldats son plus sincère regard dédaigneux, pointant l'arme vers chacun d'eux à tour de rôle. Au moins, elle avait l'expérience du bluff pour se sortir d'une situation désastreuse. Il y eut un temps où elle fut prise en flagrant délit de campement dans la grange des Yardley, à la recherche du fantôme qu'ils juraient entendre frapper, les gardant éveillés chaque nuit. Puis le temps… Oh ! attendez. Ce n'était pas le bon moment pour penser à ses débâcles.

« Le devoir vous appelle, lady Featherstone », comme si qui que ce soit, ici, l'ait jamais appelé par ce nom ! Elle ronchonna presque.

— Inutile d'avoir peur, monsieur, alors vous devriez rappeler à l'ordre vos gardes, car je vise d'une excellente façon. C'est juste que je viens de me rendre compte que je ne connais même pas votre nom. Pouvez-vous prouver votre histoire ?

Ils la regardèrent pendant un long moment, la mâchoire relâchée. Ensuite, le plus petit homme au milieu fouilla dans sa poche et en retira un gros paquet de papiers. Il pointa le paquet de la tête.

— Mon nom est Michael Meade, secrétaire du duc de St. Easton.

Le cœur d'Alexandria se mit à battre à tout rompre à la vue de ces papiers. Le duc de St. Easton ? Elle secoua la tête, descendant en vrille, bas, très bas. Quelque chose n'allait pas. Cet homme n'était pas venu pour la violer et faire du pillage d'une façon commune. Non. Une sensation noire l'envahit et entoura ses épaules, envoyant des pointes de crainte, explosant à travers sa tête et descendant le long de son dos.

Cet homme était venu avec une autre forme de destruction.

— Milady ?

Cet homme, monsieur Meade, avança d'un pas vers elle et étira le bras vers le pistolet.

— Êtes-vous Alexandria Featherstone ?

— Que voulez-vous, monsieur ?

Cela lui prit tout le calme qu'elle possédait pour pouvoir lui poser la question sans tremblement dans la voix.

— J'ai le regret de vous informer que vos parents, lord et lady Featherstone de Holy Island, Northumberland, Angleterre, sont… présumés morts. La Couronne a attribué votre tutelle à sa Grâce, le duc de St. Easton.

Morts ? Alex tint encore plus fermement le pistolet dans sa main devenue froide. Le pistolet était secoué à partir du bout rouillé, la secousse remontant le bras jusqu'à son épaule. Sa respiration se fit par petites bouffées. Elle secoua la tête.

— Je l'aurais su. Je l'aurais ressenti.

Elle secoua la tête de nouveau.

— Ce n'est pas vrai.

Le pistolet était si lourd. Les doigts, les bras, la poitrine — tout devint engourdi. Elle ne pouvait plus tenir le pistolet. Elle le laissa tomber sur le plancher, où il explosa promptement dans un son massif et se mit à tourner en cercle. Monsieur Meade cria.

Les yeux grands ouverts, ils se sont regardés, encore sous le choc.

Grand Dieu. Il devait y avoir des balles dans le pistolet, après tout.

Chapitre 3

Le silence était écrasant.

La musique. Que Dieu lui vienne en aide, comme elle lui manquait. Ses parcelles de paradis de chaque après-midi étaient devenues un grand trou noir qui l'amenait toujours plus loin vers l'abîme. Les jours s'éternisaient dans un silence infernal et, au plus profond de lui, il se demandait s'il entendrait de nouveau quelque musique. Que deviendrait sa vie ? Il ne pouvait supporter l'idée de l'accepter, il ne voulait pas l'accepter.

Cela faisait maintenant des semaines que Gabriel avait terminé son petit déjeuner en vitesse et envoyé le médecin trouver le spécialiste des oreilles pour ensuite s'enfermer dans sa bibliothèque. Au début, il avait été pris dans un tourbillon perpétuel, réunissant les hommes en qui il avait confiance pour voir à ses affaires pendant que couraient les rumeurs que le duc de St. Easton se préparait pour un long voyage. Ce ne serait pas convenable de laisser ses associés-investisseurs et spéculateurs découvrir un problème, particulièrement une maladie. Non, ce ne serait pas du tout convenable. Alors, il s'était enfermé dans sa demeure et avait essayé de passer à travers ses journées aussi bien qu'il le pouvait, aussi normalement qu'il le pouvait, mais il n'avait pas réussi à tromper ceux qui le côtoyaient. Il pouvait le voir dans leurs yeux — la pitié. Mais ce qui était le plus alarmant était le sombre désespoir d'une vie sans rien entendre.

Il y a eu des moments, quelques précieux moments, où il avait cru avoir entendu quelque chose. Son ouïe revenait. Elle reviendrait. Ensuite, il avait rencontré les médecins spécialistes des oreilles — Saunders et Curtis — les deux étant de pauvres idiots, pour autant qu'il était concerné. Ils l'avaient touché du bout des doigts et donné des petits coups en expérimentant avec leurs machins en métal et leurs appareils de torture pour ensuite lui donner un affreux cornet fait d'écailles de tortue.

— Seulement ce qu'il y a de mieux pour un duc, lui avait affirmé Saunders.

Il avait regardé cet homme, pas tellement plus âgé que lui, et retroussé sa lèvre. Il détestait ce cornet. Détestait le mettre à l'oreille et se pencher vers l'avant, vers la personne en train de parler. Il avait même été tenté une fois de dire : « Quoi ? » Au lieu de cela, il avait mordu dans le mot et même failli se mordre la langue. Cela le faisait se sentir vieux même si, en se regardant dans le miroir, il voyait des cheveux courts et noirs, des sourcils noirs au-dessus de ses yeux verts saisissants, comme le disaient certains, un nez droit, un peu trop étroit de son point de vue et une barbe de deux jours. En somme, il avait l'air aussi confiant qu'à ses meilleurs jours. Le machin ridicule ne fonctionnait pas, de toute façon.

Le mieux que les médecins avaient pu faire était de le regarder avec des lèvres pincées et gribouiller des imbécilités.

– Désolés, Votre Grâce. Nous ne savons que faire. Il ne semble y avoir rien qui cloche avec vos oreilles.

Il les avait renvoyés avec force paroles tranchantes comme s'il lançait des boulets à leurs talons.

Rien qui cloche avec ses oreilles! Gabriel ferma le livre qu'il était en train de lire à son pupitre. S'il n'y avait rien qui clochait avec ses oreilles, alors pour quelle raison il ne pouvait entendre quoi que ce soit. Son esprit criait la question, mais il ne savait vraiment pas s'il l'avait dite à haute voix. Il n'y attachait plus aucune importance. Que les serviteurs aient pitié de lui. C'était la raison pour laquelle il restait enfermé dans cette pièce, refusant de voir qui que ce soit, même ses sœurs et sa mère, mielleuses, qui se mêlaient de ce qui ne les regardait pas. La pensée de voir sa mère affolée lui amena un pincement au cœur, mais il ne pouvait réellement le supporter. Il ne pouvait endurer son chagrin – ses mains moites, ses larmes, le sentiment que tout était perdu pour la famille.

Il ressentit la vibration de sa gorge au moment où il grogna comme une panthère à laquelle il était quelques fois comparé à cause de ses cheveux courts et noirs et ses yeux verts. Il était sur le point de se lever et de faire les cent pas une fois de plus au moment où il vit une chose blanche sur le plancher. Il se pencha et la ramassa. Une lettre, la lettre du prince régent. Il l'ouvrit et la relut. « Cent milles livres annuellement ». La succession des Featherstone était bien pourvue, semblait-il. Qui aurait pu deviner qu'une telle fortune aurait pu se trouver sous les contrées nordiques du

Northumberland, sur une île escarpée, en fait. Il devait y avoir des investissements. Charbon ? Entreprises maritimes ? Il devra savoir si la succession sera administrée par lui-même jusqu'à ce que la fille se marie. Sa Majesté n'avait pas mentionné son âge ou sa situation, typique du prince régent, mais sans connaître les détails, et incapable d'y aller lui-même, il serait obligé d'envoyer Meade auprès de la gamine. Elle pourrait être une enfant en bas âge pour ce qu'il en savait, et ce qu'il ferait d'un bébé ou d'une enfant dépassait son entendement. Peut-être qu'il pourrait la refiler à une de ses sœurs.

Charlotte, l'aînée de ses sœurs, était mariée et déjà occupée avec quatre jeunes enfants. Puis il se souvint du temps où ils étaient eux-mêmes enfants ; elle le régentait toujours et le regardait d'un air sévère, les lèvres serrées, quand il faisait des bêtises. Il en eut le frisson rien que d'y penser.

Il y avait ensuite Mary, douce, réservée et avenante. Elle était mariée, mais il s'était toujours demandé si son mariage était vraiment une union heureuse. Elle semblait disparaître, pour une raison ou pour une autre, quand il était question de lord Wingate. Elle parlait ou souriait rarement. C'était quelque chose dont il devrait s'enquérir. Il ne lui avait pas porté assez d'attention et, comme chef de famille, c'était de son devoir de voir au bien-être de ses sœurs. Oui, il semoncerait Roger, et ils auraient une petite conversation. Il fixerait le jeune homme avec son regard de panthère et le regarderait transpirer.

Le fait qu'il ne pourrait tenir cette conversation le frappa comme un coup à l'estomac. Oh ! oui. Il était *sourd* et *ne pouvait entendre qui que ce soit ni quoi que ce soit.* Il grogna de nouveau, un picotement aux yeux, une boule dans la gorge jusqu'à ce qu'il puisse difficilement respirer. Il n'avait jamais connu autant de frustration : suffocant, étouffant, enrageant… le cœur déchiré — il tint sa tête. Il enfouit son visage dans ses mains, s'accrochant à sa raison qui ne tenait plus que par un fil.

« Alexandria. »

Alexandria Featherstone. Le nom le réconfortait d'une façon ou d'une autre, emplissant sa pensée d'une créature féérique venant d'un monde plein de couleurs où l'on n'est jamais triste. Il allait se concentrer sur elle et allait se distraire jusqu'à ce que son ouïe revienne. Rester concentré sur le devoir qui l'appelait.

Elle était probablement une enfant. Derrière ses paupières closes, il imaginait une jolie petite fille, aux cheveux blond clair et aux yeux bleus, avec un sourire rieur. Elle ne saurait pas qu'il ne pouvait l'entendre. Elle lui sourirait et rirait de ses tentatives pour être drôle et le ferait sentir le cœur si léger qu'il pourrait mieux respirer. Il ne la donnerait pas à Charlotte ou à Mary, ou même à sa plus jeune sœur, Jane. Jane serait parfaite pour elle, car elle n'était mariée que depuis presque un an et tentait d'avoir un enfant à tout prix. Mais non, il l'élèverait lui-même. Il doublerait le montant de sa succession avec des investissements prudents, faisant d'elle la femme la plus fortunée du monde, et il lui trouverait le meilleur parti possible… et elle l'aimerait pour cela. Elle l'aimerait juste comme il était.

« Oh ! Dieu, venez-moi en aide. »

Il avait vraiment perdu la raison avec de telles pensées. Il voulait s'étendre par terre et pleurer, mais il ne pouvait le faire encore. Il avait déjà honte d'avoir dépassé les bornes en s'étendant sur son grand lit et en pleurnichant dans son oreiller de plumes. Cela suffisait.

Il se frotta le visage de ses mains et s'assit droit. Peut-être qu'il essaierait l'escrime, cet après-midi. C'était un sport de face-à-face qui ne devait pas dépendre de l'ouïe. La pensée d'une vive succession de ripostes, puis un élégant coup d'attaque avec le poignet suivi d'un coup de hanche provoqua chez lui une impatience grandissante. De l'activité physique, voilà ce dont il avait besoin.

Il se tourna sur sa chaise pour constater que la porte était entrouverte et que son secrétaire y avait passé la tête. Aussitôt que Gabriel eut établi un contact visuel, Meade se mit à gesticuler et s'avança, les sourcils relevés. Son secrétaire était habile à faire des signes que Gabriel pouvait comprendre, ce qui aurait dû le rendre heureux, mais cela le rendait seulement plus maussade et embarrassé.

— Meade, vous êtes revenu des régions sauvages. Entrez.

La porte s'ouvrit un peu plus et, à la grande surprise de Gabriel, son secrétaire clopina dans la pièce avec une béquille de bois.

— Mais que diable vous est-il arrivé ?

Gabriel regarda les larges bandes de tissu blanc sur la jambe gauche de son homme, juste sous le genou.

Meade sourit et s'assit, prenant le très pratique « livre des mots » tel que les médecins spécialistes de l'oreille le nommaient. Après une attente interminable où il gribouilla avec la plume, Meade tourna la page de côté pour que Gabriel puisse la voir.

« J'ai été atteint d'une balle, Votre Grâce. » Il sourit de nouveau, comme s'il apportait de bonnes nouvelles.

— Atteint d'une balle ?

Gabriel savait que sa voix était tonitruante. Les médecins l'avaient prévenu à propos de l'habitude que plusieurs personnes sourdes acquièrent, mais il ne semblait pas pouvoir s'en départir.

— Qui a osé vous tirer dessus ?

Le sourire s'agrandit, et Gabriel se demanda s'il était en train de rêver.

Après quelques autres gribouillages, il se pencha pour découvrir l'identité du vilain qui avait eu l'audace de tirer sur le meilleur homme à son emploi.

« Alexandria Featherstone, monsieur. Elle avait toute une arme, si je puis dire. »

L'image de son enfant angélique aux cheveux dorés surgit avec une détonation au cerveau.

— Alexandria Featherstone vous a *tiré* dessus ?

Gabriel gesticula vers le livre.

— Racontez-moi tout.

Monsieur Meade acquiesça, semblant pressé de le faire en trempant la plume dans l'encrier. Après un bref instant, il tourna le papier de côté et le poussa devant Gabriel.

« J'ai quelque chose à vous faire lire pendant que j'écris mon histoire. »

Il fouilla dans un cartable et en sortit un papier de couleur crème, le donnant au-dessus du pupitre. Gabriel le tint fermement et le retourna. Un sceau. Un sceau qui n'était pas familier, pressé dans la cire avec une tête de lion opposée à une tête d'aigle, mugissant et au cri perçant, deux croix de chaque côté avec une bannière en en-tête qui disait quelque chose qu'il ne pouvait tout à fait déchiffrer du texte délavé en latin. Le sceau des Featherstone ? De tous les blasons de l'Angleterre, il n'avait jamais rien vu de tel. Ils étaient une vieille famille étrange en fait. Il tira sur le papier et ouvrit la note. L'écriture coulait avec de longs traits élégants d'encre noire. Écriture féminine. Délicate, mais résolue toutefois. Pointue, puis ronde, pointillée et croisée juste au bon angle.

Il en perdait le souffle au moment où la beauté de l'écriture le toucha jusqu'au fond de lui-même, puis rougit, son visage s'emplissant de chaleur. De la sueur perla sur ses tempes et il se pinça l'arête du nez avec les doigts.

« Cesse d'avoir l'air aussi ridicule. »

Mais il ne pouvait nier que quelque chose à l'intérieur de lui se détendait à la vue de cette écriture, la même sorte de réaction qu'il avait pour… la musique.

Il prit une grande inspiration et commença à lire :

Cher Monsieur le duc,

L'avait-elle seulement appelé « Monsieur le duc » ? Gabriel secoua la tête et continua.

Premièrement, je m'excuse d'avoir tiré sur votre secrétaire. Nous avons si rarement des visiteurs, ici, voyez-vous. Je suis un peu embarrassée de l'admettre, mais j'ai cru qu'il aurait pu être un pirate prêt à « violer et piller » – ce genre de choses. Oui, je sais, c'était très écervelé de ma part. Après l'avoir rencontré, aucun homme plus gentil et prévenant n'existe, je suis certaine (et c'était un accident !), alors, je vous en conjure, veuillez accepter mes excuses du fond du cœur. Il m'a assuré qu'il est déjà sauvé et qu'il ne m'en tient pas rigueur, ce pour quoi je lui serai éternellement reconnaissante.

Deuxièmement, à propos des nouvelles, je ne crois pas un seul instant que mes parents soient morts. J'espère bien que Sa Majesté ne se sentira pas outré quand ils se montreront ici, à Holy Island, sans la moindre égratignure et ayant résolu leur dernier casse-tête. Ce sont des mondains qui voyagent à travers le monde, épris de mystères, et qui reviennent rarement à la maison. Des années (et je veux vraiment dire des années) devront passer avant que je ne puisse croire à un si mauvais destin.

Gabriel dut faire une pause et s'essuyer le visage avant que Meade ne le voie. Espérant qu'il n'avait fait aucun bruit révélant sa stupéfaction, et comme les gribouillages de la plume de Meade semblaient signifier qu'il n'en était rien, Gabriel continua sa lecture.

Troisièmement, je vous prie, duc très estimé, de me laisser vivre comme je l'entends ! Je ne serai pas retirée de ma demeure comme une possession à votre guise ! Toute ma vie je me suis sentie bien, ici…

Mmm, quel âge avait-elle ?

…sous les bons soins de nos chers serviteurs et des villageois qui sont comme une famille pour moi. Je pourrais en MOURIR si vous demandiez ma présence à Londres.

Évidemment, je continuerai d'avoir besoin d'une indemnité mensuelle pour subvenir à nos besoins ; mes parents m'ont toujours donné ~~cent~~ deux cents livres par mois pour l'entretien, la nourriture et les dépenses diverses.

Gabriel s'étouffa presque. C'était une somme outrageusement exagérée. Qu'est-ce qu'une femme provenant d'un trou perdu du Northumberland faisait avec cette somme ?

En terminant, je promets de tout cœur de prier pour vous, monsieur. Votre santé, votre bien-être, votre goutte ? J'ai entendu dire que la majorité des ducs souffrait de la goutte. Soyez assuré que votre nom a été ajouté à mes prières du soir. Je considère que je suis bénie par le Tout-Puissant qui me compte parmi ceux dont le sommeil lui échappe.

Votre servante. (Flûte, de quelle façon terminer cette lettre adressée à un duc ? Je n'aime pas beaucoup le mot « servante ». Disons que je ne l'ai pas écrit.) Oh ! mon Dieu, peut-être que je devrais recommencer cette lettre. Le papier est si rare, ici, que nous devrions seulement prétendre que tous les mots rayés ne sont pas là. Hein ?

Avec ~~beaucoup, de grands,~~ de considérables égards,
Alexandria Featherstone, Holy Island

Gabriel se radossa à sa chaise, dans un état de torpeur laissant ses membres de plomb. Était-ce une farce ? Qui était cette créature et de quelle façon avait-elle vécue depuis si longtemps ? *Insondable.* Avant qu'il n'ait le temps d'émettre des doutes, son secrétaire, jubilant — pourquoi était-il si jubilant ? —, lui donna le livre des mots. Il y avait plusieurs pages écrites de son écriture nette et compacte.

— Vous racontez ici la façon par laquelle vous avez été atteint ?

Meade acquiesça.

Gabriel fronça les sourcils.

— Quel âge a-t-elle ?

Meade haussa les épaules et lui montra ses dix doigts deux fois.

— Vingt ans ?

Il tourna une main d'un à côté à l'autre.

— Plus ou moins.

Gabriel se pressa le bout des doigts et poussa un soupir. Assez âgée pour lui trouver bientôt un prétendant.

— De quoi a-t-elle l'air ?

Les yeux de Meade s'agrandirent. Il haussa les épaules de nouveau, d'un mouvement plus vigoureux, comme s'il voulait dire qu'il n'y avait pas porté attention.

— Allons bon. Est-elle au-dessus de la moyenne ? Ordinaire ? Le visage comme un cheval ?

Meade serra les lèvres, puis haussa de nouveau les épaules. Il pointa ses propres cheveux bruns. Un brun tout à fait ordinaire.

— Elle a les cheveux bruns ?

Meade acquiesça, puis fit signe à Gabriel de se lever et de le suivre. Grognant de l'intérieur, mais curieux, le duc le suivit à l'extérieur de la bibliothèque, le long d'un long couloir aux plafonds voûtés et aux parures de bois dorées, puis dans le salon bleu, de la couleur du ciel d'une parfaite journée. Cela avait été le salon de sa grand-mère et c'était la pièce la plus somptueuse de la demeure. Chaque détail avait été méticuleusement pensé. C'était une pièce digne d'une reine. Meade marcha vers le mur bleu pâle et pointa son œil.

— Elle a les yeux bleus ?

Meade acquiesça comme s'ils venaient de résoudre un grand casse-tête.

Merveilleux. La meilleure description à laquelle son secrétaire pouvait arriver était celle d'une jeune femme d'à peu près vingt ans avec des cheveux bruns ordinaires et des yeux bleu pâle.

— Laissez tomber.

Gabriel se retourna et se dirigea vers la bibliothèque pour lire ce qu'il était certain d'être une très bonne histoire : la façon dont Meade avait été tiré.

Chapitre 4

— Eh bien, vous ne pourriez avoir fait plus de dégâts que ce que vous avez fait, lady Alex. Nous sommes dans de beaux draps, maintenant, grommela Ann qui leva les mains en l'air pour la troisième fois.

— Je le sais ! gémit Alex comme elle s'appuyait sur le banc de bois faisant face à l'énorme foyer dans le grand hall. Je ne peux toujours pas croire que j'ai tiré sur le secrétaire du duc ! Croyez-vous qu'il me le pardonnera un jour ? Il doit me prendre pour une tête écervelée.

— Vous devriez être à genoux à remercier que le jeune homme soit si indulgent. Je tremble à l'idée de ce qu'un homme d'un autre acabit aurait pu vous faire, nous faire, nous traînant tous à Londres pour faire face au duc, je dois dire. Vous devriez remercier votre bonne étoile.

— Oui, oui, j'ai prié, et je continue de le faire ! S'il vous plaît, arrêtez de me sermonner. J'ai plaidé la clémence auprès de monsieur Meade, du duc et de Dieu. Qu'est-ce que je peux faire de plus ?

Ann ouvrit la bouche pour répondre, mais Alex leva la main.

— Non, non, j'en ai assez entendu. Nous devrions discuter de ce que nous devrions faire, maintenant. J'ai envoyé une lettre au duc et, aussitôt que les fonds arriveront, je commencerai ma recherche.

La désapprobation passa sur le visage d'Ann. Alex enchaîna avant que ne commence un autre sermon.

— La dernière lettre que j'ai reçue de mes parents provenait d'Irlande. L'homme qui les a engagés a dit qu'ils trouveraient le premier indice à cet endroit. Mais la question demeure, à savoir : où dois-je commencer ma recherche ? Je n'ai aucune idée par où commencer.

— C'est comment vous en savez autant que j'aimerais savoir. Vos parents ne laissaient jamais savoir où ils allaient, à vous particulièrement, après que vous ayez essayé de les suivre.

Ann s'assit sur la seule chaise de la grande pièce, secouant sa tête grise et terminant dans un marmonnement :

— Chasseurs de trésors et aventuriers, saints de la miséricorde. Regardez où cela les a menés, les pauvres… pauvres de nous. Vous laissant seule la plupart du temps, mon enfant. Qu'ont-ils pensé… aller aux confins de la terre ?

— Ann, vous savez qu'ils ne voulaient pas d'enfants, que j'étais un accident.

Alex se détourna, se remémorant sa mère lui disant combien ils étaient heureux de l'avoir eue. Elle le lui disait pour la rassurer, elle le savait, mais tout cela sonnait comme si sa mère avait essayé de se convaincre elle-même, un fait dont Alex ne pouvait s'empêcher de penser. Elle était déterminée à voir le meilleur en eux, qu'ils l'aimaient malgré le fait qu'ils passaient la plupart de leur temps loin d'elle. C'était de sa faute si elle était parfois solitaire, recherchant leur amour et leur attention. Elle était bénie d'avoir des parents si audacieux et aventuriers, bénie que Dieu laisse arriver des « accidents » comme elle.

— Je les ai entendu parler avant qu'ils partent, comme vous le savez bien, Alex rappela à Ann en continuant sa planification. Ils pensaient prendre un traversier à partir de Whitehaven. C'est l'endroit où je vais aller en premier lieu et voir si je peux apprendre quelque chose pour savoir où ils sont allés en Irlande. Mais je ne peux partir sans l'argent du voyage ! J'espère que le duc répondra rapidement. Le temps est compté.

Un coup de réelle frayeur envahit Alex au moment où elle pensait à ses parents ayant des problèmes et ayant besoin d'elle. S'ils n'étaient pas morts, et ils ne l'étaient certainement pas, alors quelque chose ne devait pas tourner rond pour que le prince régent l'ait mise sous tutelle.

— Le vieux duc pourrait réagir de plusieurs façons, milady. Il pourrait penser qu'il est temps pour vous de vous marier. Vous ne seriez plus entre ses mains.

Alex aspira une bouffée d'air.

— Il n'oserait pas.

— Et pourquoi pas, je vous le demande ? Le temps est venu pour vous de vous marier, mais je ne crois pas que vous puissiez trouver quelqu'un près d'ici. J'ai rebattu les oreilles de votre mère depuis des années pour la convaincre que vous deviez passer une saison à Londres, mais elle ne s'en préoccupait pas.

C'était un fait que sa mère se sentait rarement concernée par sa fille et son avenir. D'un autre côté, Alex ne voulait pas d'une saison à Londres, et ne voulait certainement pas se marier. Elle fronça les sourcils. La mainmise que le duc avait soudainement sur elle, comme Ann le lui avait dit, lui vira l'estomac à l'envers.

— Je n'ai pas besoin d'un mari. J'ai l'intention de suivre les traces de mes parents et de prendre mes malles aussitôt que je pourrai convaincre quelqu'un de m'en donner une. J'ai vingt ans, pour l'amour de Dieu, et je ne suis plus une enfant.

— Comme je le disais justement, affirma Ann. Vous pouvez penser que le monde tourne différemment, ici, à Holy Island, et peut-être qu'il le fait, mais ce duc vous voudra à Londres, croyez-en ma parole.

— Oh! laissez-moi tranquille; est-ce que vous devez toujours être si lugubre?

Alex se tourna de côté et soupira.

— Je ne fais que dire la vérité, milady.

Alex avait assez entendu de choses pour un après-midi et se leva pour sortir.

— Je crois que je vais aller voir le genou de Thomas William. Je me sens un peu responsable de sa chute de cet arbre.

Ann rit doucement.

— Il était encore en train de vous espionner, n'est-ce pas?

La chaleur lui monta au visage. Lui et un autre garçon avaient encore essayé de la regarder se baigner. Elle portait alors seulement une chemise... qui était mouillée et lui collait à la peau... Eh bien, elle ferait mieux de trouver autre chose qui la couvrirait mieux, ou ses jours de baignade seraient révolus.

Alex commença à sortir, mais lança par-dessus son épaule, les sourcils relevés :

— N'avez-vous pas le dîner à préparer ?

Ann se frotta les genoux et acquiesça.

— Sûr que je vais le préparer, maîtresse. Vous serez de retour à la maison avant la nuit tombée pour le manger, n'est-ce pas ?

— Évidemment.

C'était typique de leur relation. Alex renvoya ses épaules vers l'arrière et sortit de la pièce. Pourquoi Ann lui rebattait-elle toujours les oreilles à propos de tout et de rien ?

L'air piquant de l'automne lui refroidit les joues au moment où Alex descendit la colline escarpée nommée Beblowe, où le château semblait croître de l'affleurement plat de roches noires. Elle suivit le sentier boueux qui courait le long de la berge de la mer du Nord vers le village. Le sentier était de pierres et rempli de mauvaises herbes, mais Alex connaissait chaque courbe et chaque obstacle, qui étaient plus familiers pour elle que son reflet dans le miroir de sa chambre. Elle gardait le menton relevé au moment où son regard scruta l'horizon bleu sans fin qui l'entourait. Cela était comme être à l'intérieur d'un dôme, pensa-t-elle avec un sourire curieux. Sa demeure. Et à ce moment précis de l'histoire de l'endroit — son île.

Elle se souvint des détails de sa longue histoire parfois sanglante. Holy Island était un petit coin de terre sur le côté est du Northumberland et près de la frontière écossaise. Au VIIe siècle, le moine irlandais saint Aidan a fondé le monastère de Lindisfarne. Il est devenu la base des chrétiens pour des siècles, permettant aux moines qui voyageaient d'aller et venir pour répandre l'évangile en Angleterre du Nord.

Maintenant, le monastère était en ruines, mais il y persistait quelque chose, comme si la terre était bénie, dans la façon dont sa voix faisait écho parmi les grandes arches et les colonnes de pierres effondrées. Elle avait joué là à de nombreuses reprises, parmi les pierres tombales sinistres et quelques grandes croix celtiques, s'imaginant les moines affairés.

Ensuite, il y eut les Évangiles de Lindisfarne, le fameux manuscrit qu'elle rêvait de voir un jour. Un livre illustré des quatre premiers évangiles du Nouveau Testament et l'une des reliques les plus précieusement gardées d'Angleterre ; il est raconté que le manuscrit avait été créé juste ici, au monastère. Ses parents l'avaient déjà vu une fois, au British Museum de Londres.

Des siècles plus tard, l'histoire racontait que les Vikings ont attaqué. Il y avait eu des signes, des présages de mauvais augure, les vents devenus sombres et tourbillonnant au-dessus de l'île, mais personne n'avait été préparé pour les barbares, comme ils les appelaient. Ces hommes sauvages ont pillé et ravagé partout sur les côtes de l'Angleterre, et ici, ils ont assassiné les moines qui n'avaient pas été assez rapides ou capables de s'échapper, ils ont brûlé les vieilles parties faites de bois du prieuré et détruit ce qu'ils pouvaient de la pierre.

Alex prit une pause au moment où le sentier contournait ce qui avait été les jardins du monastère, son regard s'attardant sur les murs effondrés jusqu'aux pierres tombales derrière. Elle prit une inspiration et regarda l'intense ciel bleu, pensant à Dieu et au Paradis, frissonnant et s'enveloppant de sa cape. À quel moment sa vie commencerait-elle pour qu'elle puisse accomplir quelque chose de grand pour Dieu ?

Une chose dont elle était certaine, c'était qu'elle ne pourrait jamais accomplir ce que Dieu avait décidé pour elle si elle vivait à Londres en tant que femme mariée de la noblesse. Elle appartenait à cette île sauvage balayée par le vent. Elle ne pouvait laisser un duc changer sa vie.

Accélérant le pas, Alex arriva au village de l'île. Elle se dirigeait vers la maison de Thomas pour le voir au moment où un cheval arriva à toute allure sur la route. Monsieur Winbleton ! Il aurait du courrier, s'il y en avait eu. Leur village recevait du courrier une fois par semaine seulement, et habituellement, dans sa hâte de voir si ses parents lui avaient écrit, Alex se rendait à Beal, le village le plus près de la terre ferme, par un sentier praticable deux fois par jour seulement, aux moments où la marée était basse, pour savoir réellement si elle avait reçu du courrier. Étant donné que monsieur Meade, le secrétaire du duc, était reparti depuis un peu moins de deux semaines, elle avait peu d'espoir d'avoir une réponse à sa lettre, mais si monsieur Winbleton était ici trois jours plus tôt… Peut-être aurait-elle une lettre importante venant de Londres ?

Alex ramassa ses jupes vert foncé et se dépêcha de traverser la rue vers le marché du village. Il y avait seulement deux tavernes, qui pouvaient se transformer en auberges au besoin, l'église, un cabinet d'apothicaire-médecin-dentiste-entrepreneur de pompes funèbres, et le magasin du village, qui vendait de tout, des vêtements au tissu jusqu'aux produits frais quand les fermiers en apportaient. Cela était aussi l'endroit pour avoir des nouvelles de ce qui se passait sur l'île et à l'extérieur de l'île. Il y avait même un journal hebdomadaire apporté de Londres, qui faisait le tour de l'île. En tant que dame du château, on l'offrait toujours à Alex, une offre à laquelle elle résistait habituellement, préférant attendre qu'il soit corné et maculé d'encre. Mais quand ses parents ont été portés disparus, tout le monde, incluant Alex, avait insisté pour qu'elle ait les premières nouvelles. « Que deviendra la petite maîtresse sans ses parents ? » Elle les avait entendus se le demander plus d'une fois. Eh bien, ils ne le sauront pas, car elle part à leur recherche.

Accompagnée de cette réflexion et opinant de la tête, elle entra dans le magasin au son familier du tintement des clochettes.

Quelqu'un disait : « Que faut-il faire, alors ? » au moment où elle entrait, humant les odeurs de pain frais et d'épices variées. C'était madame Peale, la femme du patron.

Ils l'ont tous regardée et ont retenu leur langue à sa vue.

— Lady Alex ! Nous nous demandions justement que faire de cette lettre qui vous est adressée. Elle vient tout droit de Londres, et d'un duc !

Le cœur d'Alex se mit à battre à tout rompre et sembla remonter jusqu'à sa gorge. Dans sa hâte, ses pas résonnèrent très fort sur le plancher de bois creux. Elle tendit la main et sourit à madame Peale.

— Comme c'est fortuit ! Je suppose que vous devriez me la donner, ne pensez-vous pas ?

Madame Peale hocha la tête, faisant danser ses boucles brunes. Elle n'était pas beaucoup plus âgée qu'Alex, mais ses parents lui avaient laissé, ainsi qu'à son nouveau mari, le magasin au moment de leur mariage, lui conférant un statut élevé, un statut tout à fait à son goût.

— Oui, évidemment, je le disais justement à Roman.

Son mari la regarda d'un œil désapprobateur, mais resta muet. La prise de bec rétablit le sens de la normalité pour Alex et envoya une vague de calme à son dos, permettant à nouveau à ses jambes de fonctionner correctement. Elle leur fit un sourire contenu, tendit la main de nouveau et agita les doigts.

— Ma lettre, s'il vous plaît.

Roman fit passer le vélin épais dans ses mains.

— Le papier est si doux, murmura madame Peale avec de grands yeux et des cils battants.

Elle se pencha vers Alex comme si elle voulait la lire avec elle, mais Alex l'agita devant eux, puis l'éloigna.

— Ce n'est rien qui pourrait être excitant, je suis certaine. Une vieille — très vieille — relation, ce duc. Il a probablement entendu parler de la récente aventure de mes parents et se demande s'ils vont réussir.

Alex leur envoya un mièvre sourire et se retourna vers la porte, disant par-dessus son épaule :

— Rien qui pourrait nous inquiéter, vous savez.

Elle fit au revoir de la main, puis se retourna pour aller vers le soleil radieux de cette journée automnale.

Elle ne réfléchit pas et se dépêcha, presque au pas de course, de se rendre aux abords du village. Il y avait un petit rond de gazon où quelqu'un avait placé un banc en face du puits du village. Au fil des années, il était devenu un puits pour faire des voeux, le plus souvent par les enfants de Holy Island. Alex y avait jeté sa part de pièces au cours des années, mais n'y était pas allée récemment. Ce semblait être de toute façon l'endroit idéal pour lire la première lettre du duc.

Les mains frissonnantes et le cœur battant, elle la retourna et étudia le sceau en cire turquoise du duc de St. Easton. Une licorne sur un côté, et un taureau de l'autre. Au milieu se trouvait un bouclier avec une grande couronne au-dessus. Une licorne… le symbole lui apporta des images de pureté, de rêves et quelque chose de magique à l'esprit. Le taureau était fort, plein de richesse et de puissance mâle protectrice. Elle fit courir ses doigts doucement sur l'impression de cire. Quel mélange unique de dons. Cela semblait puissant et un peu intimidant.

Après une grande respiration, elle brisa la cire avec son ongle. Elle déposa le sceau dans la poche de sa robe, espérant le sauvegarder pour l'étudier plus tard et ouvrit l'épais papier à lettres de couleur crème. Elle toucha du bout des doigts les plis de la plus belle papeterie qu'elle ait jamais vue et releva la page pour lire.

10 septembre 1818
Du bureau du duc de St. Easton, Sa Grâce,
Gabriel Ravenwood

Alex inspira et retint son souffle au moment de lire l'adresse. La façon par laquelle quelqu'un comme lui avait affaire à elle dépassait l'entendement !

Madame,

Je regrette profondément la cause de nos récentes présentations, et je suis aussi surpris que vous de notre lien ancestral. Suivant les ordres du prince régent, j'ai passé un temps considérable à enquêter la réclamation de la mort de vos parents et de la succession. (Ne mettez plus jamais par écrit ce que vous avez dit à propos de notre monarque adoré, me comprenez-vous ?) J'étais stupéfait des deux côtés. Premièrement, vos parents n'ont eu aucun contact avec quiconque nous connaissant depuis presque un an. Ceci ne vous surprend-il pas ? Vous mentionnez que vous ne croyez pas qu'ils soient morts, et je suis certain que ce sont des nouvelles difficiles à accepter, mais un an est très long pour avoir des parents portés disparus. S'il vous plaît, veuillez m'aviser si vous êtes au courant de quelque chose que je ne sais pas. Entre-temps, je crois qu'il serait avisé, comme le prince régent le croit approprié, que je prenne en charge votre succession ainsi que votre bien-être.

Ceci m'amène à la deuxième surprise de mon enquête dans les affaires des Featherstone. Il semblerait que vos parents aient caché, accumulé, peut-être, une très grosse fortune. Je vous le dis seulement dans le but de vous protéger des chasseurs de fortune, si cela devenait connu. Vous, ma chère lady Featherstone, êtes la seule héritière des terres et des sommes d'argent qui, je dois vous le confesser, égalent presque ma fortune. Ma chère, je suis l'un des plus riches Anglais, en ce moment. Soyez prudente.

En ce qui concerne votre indemnité, je suis présentement préoccupé par d'importantes affaires. Si ce n'était pas le cas, je devrais vous faire venir à Londres. Pour le moment, demeurez là où vous êtes, prenant soin de cette île et de vos troupeaux de moutons (oui, j'ai enquêté sur vos activités). J'ai inclus une partie de l'argent que vous avez demandé pour l'entretien de votre château. Si vous avez besoin d'une plus grosse somme, écrivez-moi, évidemment, mais je dois dire que n'importe quel bon gestionnaire ferait très bien, et ferait même grimper les profits avec ce que je vous ai envoyé. Voyons ce que vous serez capable d'en faire.

Votre serviteur,

St. Easton

La main d'Alex trembla et sa vue devint trouble comme elle lisait les mots froids et insensibles, encore et encore, les billets tombant de ses genoux sur le sol.

Il n'avait pas dit ces choses !

Ses parents morts et lui, seul tuteur à sa fortune ? Une très grande fortune ? Pourquoi ne le savait-elle pas ? Elle regarda sa robe, ressemblant plus à une robe de servante que ce qu'une grande dame porterait. Pourquoi ne lui avaient-*ils* pas dit ?

Oh ! Elle regarda vers le ciel et secoua la tête. Il n'y avait qu'une chose dont elle était certaine après une journée comme aujourd'hui : elle méprisait le soi-disant connaissant, tout-puissant duc de St. Easton.

Elle se dépêcha d'entrer à la maison pour lui répondre.

Cher Monsieur le duc,

Je vous remercie pour les mots aimables et l'addition d'une somme d'argent pour notre garde-manger. Je m'excuse aussi que vous soyez tellement préoccupé par ce qui doit être une horreur, les événements sociaux, et de faire des affaires de votre côté que vous ne puissiez faire mieux qu'une lettre avec vos instructions et de donner quelques livres à une femme seule soudainement héritière de sa famille. Je vais faire de mon mieux pour étirer l'indemnité qui couvrira les frais d'entretien du château. Soyez-en assuré, j'essaie de tout comprendre et je vous garde dans mes prières. Le fait de prendre soin de moi est considéré au plus haut point. Je vous confesse un manque de connaissances en ce qui concerne les responsabilités d'un tuteur. Mais je suis certaine que l'attention que vous portez à mes besoins est suffisante. Le prince régent lui-même serait d'accord s'il en entendait parler. Je remercie Dieu pour vous, Votre Grâce, car je n'ai plus personne à moi. Et je continue à prier pour vous. Étant de ma famille, maintenant, je dois vous aimer avec toute ma patience et mon amabilité.

Votre pupille,
Alexandria Featherstone

Les lèvres d'Alexandria se courbèrent dans un sourire de satisfaction en repliant la lettre, faisant couler de la cire de la chandelle du chevet de son lit sur le pli, et pressant son propre sceau, le sceau des Featherstone, dans la cire.

Il était peut-être un duc.

Mais il n'avait aucune idée à qui il avait affaire, maintenant.

Chapitre 5

— Oncle Gabriel ! Oncle Gabriel, venez voir !

Sa nièce, âgée de cinq ans, les cheveux blonds comme un duvet de dent-de-lion, se tourna et le regarda avec un air de chérubin.

Il fit une pause, se tourna vers elle comme au ralenti. Mais ce ne fut pas Felicity qu'il vit, ce fut son père. Il paraissait différent, brillant et paisible. Il sourit à Gabriel, une sorte de sourire… un sourire qu'il n'avait jamais vu sur le visage de son père de son vivant. L'instant présent le prit à la gorge et le laissa désespéré, sans attaches, empli d'une vague tristesse.

Il se réveilla en sueurs, frissonnant de désolation. Il se releva, son regard faisant le tour de la pièce. Est-ce que son père était ici ? Serait-ce possible ? Non, évidemment. Il regarda vers le bas avec un grand soupir. Il n'y avait personne d'autre que lui dans la pièce. C'était un rêve, juste un rêve.

Avec un grand soupir, il s'appuya sur ses oreillers, passa sa main dans ses cheveux noirs et courts. Quel rêve étrange. Sa nièce qui lui parlait. Ce sentiment de « famille ». Et son père en paix, au repos, comme ça ? Était-il au paradis ? Il semblait impensable que son père ait pu être l'homme dans son rêve. Hugh Ravenwood, le sixième duc de St. Easton, avait toujours été un homme sans passion, stoïque, sombre, mais toujours responsable, toujours là pour eux. Il y avait quelque chose de confortable dans tout ça. Une vague de chagrin envahit Gabriel, le prenant par surprise. Son père ne lui avait pas consciemment manqué depuis très longtemps. Cela devait être son état de faiblesse, la nouvelle vulnérabilité ressentie avec sa « condition » actuelle.

Il se leva avec un soupir, marcha jusqu'à la cuvette remplie d'eau et plongea ses mains dans l'eau fraîche laissée par son serviteur. Il aspergea un peu son visage pour se réveiller, puis fit courir ses doigts sur son menton mal rasé. Une ombre surgissant du fond de la pièce vacillait sur le mur. Cela devait être son valet éveillé par le bruit du petit matin. Il lui tourna le dos.

Il n'avait pas besoin d'aide.

Et il n'avait certainement pas besoin de compagnie.

Ignorant son valet et sa toilette du matin, il prit son habit de cavalier et enfila les vêtements. Se sentant comme un enfant qui se sauve de ses parents, il traversa la pièce, les bottes dans les mains, ses pas feutrés ne faisant aucun bruit pour ne pas réveiller les serviteurs autour. Du moins, il espérait qu'il avait été silencieux.

Au moment où il fut à l'extérieur, il fit un petit sourire narquois, enfila ses bottes et inspira profondément l'air frais du matin. Une voiture arriva avec fracas. Il la regarda passer sans l'entendre, mais ressentit les vibrations provenant du pavé de pierres rondes, des talons de ses bottes jusqu'aux os de son corps. Il savait ce qu'il aurait dû entendre et fit mentalement le lien, alors il eut l'impression qu'il l'avait entendu. Il était presque capable de se convaincre... mais la voix de la raison, ou celle du désespoir, il ne savait pas laquelle, se moquait de lui.

« Tu n'as rien entendu. »

C'était vrai. Il avait seulement vu un éclair de bois noir laqué, se souvenant seulement de ce qu'il aurait dû entendre.

Un instant de désespoir sombre le traversa.

« Tu ne seras jamais plus le même. Il faut y faire face. Ceci est ta vie, maintenant. Tu as changé... tu es brisé... différent. »

Il devait combattre. Il ne pouvait accepter ces pensées de faiblesse. Il devait trouver une nouvelle façon de vivre normalement.

— Non ! murmura-t-il.

Gabriel Ravenwood, un des hommes les plus puissants d'Angleterre, regarda autour de lui avec anxiété pour voir si quelqu'un l'avait entendu. Il agrippa la rambarde d'une main, donna un coup sur son nouveau chapeau qui était plutôt de style tuyau de poêle que tricorne, et commanda à ses jambes de marcher. Cela ne faisait rien s'il ne pouvait rien entendre, non, cela ne faisait rien... cela ne devait rien faire...

Il descendit la rue à la hâte vers son repaire habituel des mardis matin, les fameux cours d'escrime de Roberé Alfieri. Ils avaient un rendez-vous hebdomadaire, et Gabriel ne voulait attirer plus de commérages par ses absences. Il ouvrit la barrière sans entendre le clic-clac du loquet. Sans entendre le son mat de la barrière se fermant derrière lui. N'entendant rien, mais sentant un rythme dans ses pieds en marchant vers la porte. Cela était étrange de ne pas entendre ses pas résonner dans l'allée de pierres rondes, mais il n'y pensa plus.

Les gens de son entourage qui connaissaient son affliction l'avaient avisé de ne pas sortir seul. Il les avait rassurés en disant qu'il le pouvait et qu'il le ferait. Maintenant, il devait faire face à cette réalité. Grande inspiration... arrêt. Grande inspiration. Il éleva la main vers le heurtoir. Attention. Il ne s'était jamais préoccupé de cogner, auparavant.

« Ne pas dévier de la normale. Sois normal. Agis normalement. Peut-être te croiront-ils. »

En prenant une grande inspiration, entouré d'un vent silencieux faisant danser les feuilles d'automne autour de lui, il ouvrit la porte et se tint là, clignant des yeux comme un nouveau-né, sur le seuil de ce qu'était maintenant sa vie.

Sans perdre de temps, il enfila son habit d'escrimeur et entra dans la grande salle de bal où Roberé mettait en scène ses batailles. Cela lui sembla familier... rassurant, d'une certaine manière, d'être enveloppé de cuir, d'avoir le visage emprisonné dans un masque et de ressentir le poids de son épée sur le côté. Il dégaina son épée, appelée « petite épée » vu son poids léger et sa courte lame, et comparée à la rapière, et se réchauffa en faisant des esquives devant un partenaire imaginaire. Il devait imaginer le son familier du *swoosh,* comme il devrait imaginer le *cling* au moment de s'engager avec Roberé. Où était-il ? Il ralentit, se rendant compte qu'il respirait trop fort, se retournant souvent d'un côté à l'autre, car il ne pouvait entendre son adversaire, son instructeur entrer dans la pièce.

C'était une grande pièce au toit voûté, un ancien palais royal. Maintenant, il avait plusieurs fonctions, dont celle d'héberger des animaux de cirque aux étages supérieurs, où le public affluait pour les voir. Des salles de rencontres dans les deux étages inférieurs servaient à divers clubs et groupes, et l'aristocratie s'était approprié la salle de bal pour entraîner l'élite. Gabriel s'entraînait ici depuis plusieurs années, avec le seul homme en Angleterre qui pouvait lui enseigner quoi que ce soit, Roberé Alfieri, un Italien avec une histoire et une réputation variée. Personne ne savait qui il était vraiment, mais après l'avoir vu manier chaque sorte de lame, de la dague au glaive, personne ne s'en préoccupait. Gabriel avait l'intention de le battre à la petite épée depuis la dernière année.

Du coin de l'œil, Gabriel vit un mouvement d'éclair et il se retourna vers le maître-escrimeur alors qu'il entrait dans la pièce par une porte de côté. Il était vêtu de noir, portait une chemise très ajustée et une culotte, des bas noirs et des souliers à semelles souples. Son épée à la main comme si elle ne pesait rien, il arborait son habituel sourire diabolique au visage. Il dit quelque chose, mais était trop loin pour que Gabriel puisse tenter de lire sur ses lèvres, ce qu'il ne maîtrisait pas bien encore.

Ignorant le commentaire, il piqua de l'avant avec ruse, le rassurant que rien n'avait changé.

— Bonjour, Monsieur Alfieri. J'ai bien peur que je n'aie une journée très occupée de planifiée.

Il releva son épée en saluant.

— Après vous ?

Roberé arqua un sourcil, un regard de curiosité dans les yeux qui mit Gabriel mal à l'aise. Roberé inclina la tête en approuvant. Une seconde plus tard, il fonça vers Gabriel, et le combat s'engagea.

Une succession de vives esquives débuta, se déplaçant d'un côté à l'autre de la salle de bal. Mais Gabriel savait que ce n'était que des exercices qui les préparaient aux mouvements plus avancés. Il prit de profondes respirations et se concentra sur la sensation métal contre métal au lieu d'entendre les *clings* habituels et le tintement ressemblant à des clochettes qui accompagnent ce sport. Comme la musique, l'escrime avait un tempo, chaque mouvement était un temps, puis deux temps quand une attaque était esquivée. Deux temps encore quand il ripostait. Il se permit un petit sourire.

Il pouvait toujours le faire.

De la sueur perla au milieu de son dos et sur une joue. La vibration de l'épée de son adversaire rencontrant la sienne devenait une nouvelle expérience sensorielle, remplaçant le son. Sa vision sembla s'aiguiser d'une manière ou d'une autre, comme s'il pouvait ralentir le mouvement de la lame qui s'avançait pour un bref instant, et riposter plus vite et avec plus de dextérité. Les deux commençaient à respirer bruyamment et profondément en se déplaçant autour de la pièce.

Un coup soudain de Roberé toucha son épaule. Gabriel s'accroupit, tourna et se releva avec un coup de son côté. Roberé l'esquiva et riposta avec de petits coups rapides, plus vite que ce qu'il avait jamais fait, dans le souvenir de Gabriel. L'homme était incroyablement rapide. Trop rapide.

La peur s'empara de lui, le portant à s'incliner devant l'adresse de son maître. Puis, quelque chose s'éleva à l'intérieur de lui, le plus grand désir qu'il ait jamais eu de battre cet homme et de prouver que tout allait bien avec lui. Un grognement sortant du plus profond de sa gorge, il se concentra sur la cadence du mouvement, dansant de nouveau avec les coups puissants et laissant tomber la lame qui avançait vers lui, se concentrant plutôt sur son jeu de pieds. Cela commençait à donner des résultats. Il faisait reculer Roberé à travers la pièce, presque au mur.

Soudainement, une étincelle jaune éclata dans les airs avec le son de la rencontre des épées. L'étincelle s'étira pour former une ligne, puis, comme si elle explosait, se transforma en gouttelettes de couleur dans sa vision périphérique. Elle s'éteignit avant qu'il ne soit certain de l'avoir vue, mais le choc métallique suivant en créa d'autres. Plusieurs vives esquives et il semblait qu'ils se tenaient sous des gouttes de pluie jaunes qui disparaissaient avant qu'il ne puisse voir leur trajectoire. Il devenait distrait et maladroit.

Roberé en profita pour prendre l'avantage. Il donna un coup… fort… et plaça le tranchant de sa lame sur la gorge de Gabriel ; les deux haletaient. Gabriel ouvrit grands les yeux avec choc et confusion. Les couleurs disparaissaient aussi rapidement qu'elles étaient apparues. Roberé s'avança vers le visage de Gabriel et sourit, pressant son épée juste assez fort pour pincer la peau comme il le lui avait déjà fait à maintes reprises.

Roberé fit un sourire.

– Est-ce que vous vous inclinez, Votre Grâce ? demanda-t-il.

Gabriel se recula et s'inclina.

– Bien fait, Monsieur Alfieri.

Roberé dit quelque chose d'autre, mais Gabriel ne pouvait vraiment comprendre, alors il hocha la tête de nouveau.

— Je dois partir, maintenant. À la prochaine.

Il n'attendit pas de réponse, se retourna seulement pour partir, espérant que l'homme n'avait rien répondu. Espérant qu'il n'était pas trop étrange ou impoli.

Qu'est-ce qui venait juste de se passer ? Il ne savait vraiment pas quoi en penser. Et d'y penser lui fit ressentir une nouvelle sorte de peur, un fourmillement le long de l'épine dorsale. Il se pinça l'arête du nez, prit une profonde inspiration, puis se concentra à placer un pied devant l'autre au lieu de se tenir comme un bouffon sur la pelouse.

L'air était vif et venteux, séchant la sueur de son visage au moment de retourner à la maison. Habituellement, les mardis, il arrêtait à son club pour s'enquérir des dernières nouvelles après sa leçon d'escrime. Impossible, aujourd'hui. Combien de temps lui sera-t-il possible de continuer cette comédie ? Il devrait quitter Londres pour un certain temps. Retourner à la maison Bradley dans le Wiltshire et se cacher jusqu'à ce que son ouïe revienne.

« Que va-t-il m'arriver si elle ne revient pas ? »

Il ignora la question, réfléchissant plutôt à sa pièce favorite à la maison Bradley ; la salle de musique. Au fil des années, il avait engagé quelques-uns des plus grands compositeurs, de Beethoven à Clementi, et des chanteurs d'opéra de partout dans le monde pour venir jouer pour lui. C'était la seule chose qu'il n'avait jamais réussi à maîtriser — la musique. Il avait essayé d'apprendre le pianoforte et le violon, sans succès. Il avait pris des leçons de chant de fameux professeurs pendant une longue période de temps — et il regardait leurs visages grimacer. La seule chose qu'il aimait plus que tout le rendait maintenant misérable. Il pouvait tenir le rythme, mais pas plus.

Réfléchissant au rythme, il ressentit la cadence du combat d'épées l'envahir. Ces stries et points de couleur. Qu'étaient-ils ? Devrait-il ignorer ce qui était arrivé ? L'anxiété gagna son estomac. Le fait que cela pouvait avoir un rapport avec son cerveau le fit réfléchir. Les médecins n'étaient bons à rien, du moins, un grand nombre d'entre eux. Il avait étudié la biologie et les autres branches connues de la science. Quelque chose n'allait pas avec son cerveau, et non ses oreilles. Il en était certain… au fond de lui-même. Mais il ne voulait pas que ce soit la réalité. « De grandes et profondes respirations. Juste continuer de respirer. » Pas la peine de broyer du noir qui ne fera que le rendre fou !

Il accéléra l'allure quand sa maison de pierres brunes fut en vue. Il aperçut ensuite le carrosse de sa mère devant sa maison. Ainsi, la duchesse douairière était ici pour le surveiller. Cela était étonnant qu'il ait réussi à s'esquiver pour si longtemps. C'était à prévoir qu'elle entendrait parler de la tragédie par les commérages des serviteurs. Merveilleux. Juste ce dont il avait besoin.

L'idée de faire demi-tour et d'aller à son club, ou ailleurs, lui traversa l'esprit, mais il prit une respiration vivifiante et avança péniblement. Il valait peut-être mieux d'en finir dès maintenant.

Quelques instants plus tard, il marchait à travers le grand hall et donnait son chapeau et sa cape à son majordome.

— Sa Grâce a appelé ?

Hanson s'inclina et hocha de la tête.

— Elle est dans le salon du devant.

Il pointa la direction de la pièce et parla lentement pour que Gabriel puisse lire sur ses lèvres.

— Voudriez-vous que l'on vous apporte du thé ?

Il fit le geste de tenir une tasse de thé et de la porter à ses lèvres, poursuivant en faisant semblant d'en prendre une petite gorgée. Cela l'exaspérait, cette façon dont les serviteurs s'y prenaient pour accommoder sa « condition », mais cela l'aidait à les comprendre.

— Oui, en effet. Mais je crois bien qu'elle doit avoir déjà sonné pour cela. Vérifiez pour des rafraîchissements, voulez-vous bien ?

— Oui, Votre Grâce.

Il s'inclina et traversa le hall en direction des cuisines.

Gabriel se tourna vers le salon, prit une respiration fortifiante et entra. Il s'arrêta brusquement au moment où sa mère se leva, la main à la bouche, son visage devenu blême comme si elle voyait un revenant, et ses sœurs, deux d'entre elles au moins, courant et se lançant sur lui. Sa sœur aînée, Charlotte, fondit en larmes de l'autre côté de la pièce.

Il était content, pour une seconde, de ne pouvoir les entendre.

— Pas besoin de tous ces braillements, entonna-t-il de sa plus belle voix de duc.

Le son de sa voix les a seulement incitées à continuer. Mary s'accrocha à son bras tandis que sa plus jeune sœur, Jane, le regarda de sa place de l'autre côté et demanda :

— Peux-tu m'entendre, Gabriel ? Peux-tu entendre quoi que ce soit ?

C'en était trop. D'un geste délicat, mais ferme de ses mains, Gabriel les repoussa.

— S'il vous plaît, mes dames, asseyez-vous et discutons de ceci sans toute cette hystérie. Je vous assure que je me sens parfaitement bien.

Mary hocha de la tête et prit la main de Jane, la ramenant vers le canapé rayé bleu et doré. Sa mère s'effondra sur sa chaise, essuyant ses joues avec un élégant mouchoir. Puisque Charlotte semblait incapable de bouger, Gabriel, en une seule enjambée, lui donna son propre mouchoir, l'amena vers un fauteuil Louis XIV et la pressa de s'asseoir. Elle semblait être sur le point de devoir respirer des sels, un fait alarmant, car Charlotte était la plus vigoureuse de ses sœurs.

Gabriel leur tourna le dos pour se ressaisir, marcha vers le côté et se versa un verre d'eau du pichet. Il espérait que personne n'était en train de parler. Il espérait qu'elles attendaient patiemment qu'il commence son explication. Se retournant vers elles, son regard errait sur chacun des visages anxieux. Sa mère, une grande dame élancée qui portait toujours les marques d'une grande beauté, était rarement encline à pleurer. Elle s'était ressaisie, le dos droit comme un piquet, son long cou exposé, le menton relevé, elle le scrutait avec des yeux intelligents. Charlotte frottait encore ses yeux, mais faisait de son mieux en tant qu'aînée pour montrer l'exemple de la bonne façon d'agir même en des circonstances extraordinaires. Mary, la plus gênée du groupe, possédant un cœur si délicat qu'elle ne pouvait que difficilement voir se faire écraser un insecte, encore moins de voir son frère souffrir, le regarda avec des yeux tristes et effrayés. Et Jane, la plus enjouée, celle que tout le monde aimait… Gabriel regarda ailleurs, ne voulant voir les lèvres tremblantes de Jane, et éclaircit sa voix.

Seigneur, elles étaient toutes comme des épaves.

— Je présume que vous avez entendu parler de ma, hum, « condition ».

Sa mère dit quelque chose, mais il leva la main.

— Laissez-moi vous expliquer ce qui est arrivé, puis vous pourrez poser vos questions.

Sa mère serra ses lèvres.

— J'étais à l'opéra, comme d'habitude, il y a environ trois semaines. Monsieur Meade, vous vous souvenez de mon secrétaire, est venu dans ma loge avec une lettre provenant du prince régent. Quelque chose à propos d'une tutelle dont j'ai hérité.

Il balaya tout cela du revers de la main, ne voulant pas entrer dans les détails.

— Au moment où je lisais la lettre, une grande douleur m'a parcouru, puis un gros étourdissement, ici.

Il toucha son front du bout des doigts.

— Beaucoup plus tard, j'ai constaté que je ne pouvais plus entendre. Il y avait un bourdonnement au début, puis plus rien.

Il allait d'un bon pas sur le tapis épais en face d'elles.

— Depuis ce temps, j'ai consulté, évidemment, les meilleurs médecins, et essayé plusieurs traitements. Rien n'a fonctionné *jusqu'à maintenant*.

Il se retourna vers elles et posa son regard sur chacune d'elles.

— Mais maintenant, je suis convaincu que mon ouïe reviendra. Ceci est une condition temporaire que nous devons taire. Entre-temps, je m'améliore pour lire sur les lèvres si vous parlez lentement, mais pas trop, juste assez lentement et en prononçant bien chaque mot. Aussi, je fais l'usage du livre des mots. Il est préférable que vous écriviez ce que vous voulez dire ou ce que vous vouliez me demander. Étant donné que vous êtes là toutes les quatre, je suggère que nous utilisions le livre.

Il leur sourit, essayant de détendre l'atmosphère.

— Je sais combien vous aimez parler toutes en même temps.

Jane fondit en larmes de nouveau.

Mary s'agrippa au bras du canapé.

Charlotte tira sur son mouchoir encore une fois et se cacha le visage.

Sa mère regarda droit devant elle et articula en silence :

— Le bal ? Tu dois y aller. Tu en es l'hôte !

Elle désigna la pièce.

Le bal. *Excellent.* Il avait oublié qu'il avait accepté de tenir un des événements des plus courus de la saison en espérant que sa mère arrêterait de lui rappeler constamment qu'il devait se marier et avoir un héritier. Un bal ici, dans sa maison, devrait la convaincre qu'il y réfléchissait du moins, même si, jusqu'à maintenant, il n'avait pas rencontré beaucoup de femmes qui l'inspiraient un tant soit peu.

Son esprit s'est vidé au moment où une vague de panique l'a envahi d'une chaleur cuisante.

Comment allait-il être capable de tenir un bal ?

Le lendemain matin, Meade lui tendit une lettre au-dessus du pupitre avec les mots suivants, mots qui lui firent sauter un battement de cœur :

— De votre pupille, Votre Grâce. Lady Alexandria Featherstone.

Il prit le pli et renvoya Meade. Pourquoi souhaitait-il qu'il n'y ait personne autour de lui au moment de lire la lettre ? Il n'en était pas certain, mais Meade connaissait ses moindres gestes et quitta la pièce rapidement.

Gabriel leva la lettre sous son nez, inhalant un léger parfum de lavande provenant de la page. Il l'ouvrit et lut le ton sarcastique. Elle lui faisait des reproches. Elle était vexée. Cela était compréhensible. Elle le détestait, un peu ; le porteur de mauvaises nouvelles et celui qui était au-dessus d'elle. Il n'était pas surpris, mais en fut touché néanmoins. Elle était blessée... éplorée. Et même dans cet état, elle promettait de prier pour lui, de l'aimer comme s'il était de la famille. Cet énoncé en disait plus long sur elle que tout ce qu'il avait lu jusqu'à maintenant. Il soupira, une étrange tiédeur le remplissant de l'intérieur. Il permettrait qu'elle montre son tempérament. Il la laisserait prier pour lui. Dieu sait qu'il en avait besoin.

Il sortit sa plume et, avec une grande respiration, la tint immobile au-dessus de la page.

Ma chère lady Featherstone,

Votre réticence de vous soumettre à mon autorité est très compréhensible et très mal avisée. J'ai pris mon rôle de tuteur avec des intentions des plus sérieuses. J'accomplirai mon devoir envers vous d'une façon qui vous apportera la sécurité et le confort. En effet, vous devez me faire confiance. Je vais veiller sur vous et sur vos biens avec la même attention que je porte à ma propre famille et à moi-même. Il n'y a pas de plus grande promesse que je puisse vous faire.

Cela prendra quelque temps, j'en suis sûr, pour connaître la façon de procéder entre nous. En attendant, s'il vous plaît, continuez vos lettres. Je les trouve rafraîchissantes et je veux être mieux renseigné sur vous. Et, s'il vous plaît, continuez vos prières. J'en ai besoin maintenant et plus que jamais.

Je vous envoie mes bien amicales pensées,

St. Easton

Il la relut, puis, satisfait, laissa sécher l'encre, la plia et la scella avec son sceau ducal. Il regarda le sceau, le métal encore tiède au contact de la cire, et se demanda si elle ne serait jamais impressionnée par un duc.

Chapitre 6

Elle faisait la bonne chose.

Évidemment qu'elle faisait la bonne chose.

Alex monta dans la diligence réservée et se plaça sur le siège élimé pendant que le cocher attacha ses malles sur le toit de la voiture. Elle tenait un mouchoir sur ses genoux rempli de pain et de fromage, et elle inspira profondément. Déjà, les choses n'allaient pas comme elles avaient été planifiées. Elle secoua la tête et regarda par la fenêtre le village de Beal, réfléchissant à la petite fortune qu'elle avait donnée à monsieur Howard, un homme de peu de mots et à la mine renfrognée, pour la conduire aussi loin que Carlisle.

Il n'était pas heureux de la voir voyager seule, mais elle n'avait pas eu d'autre choix, n'est-ce pas ? On avait besoin d'Ann et Henry pour s'occuper du château, des moutons et des villageois pendant qu'elle serait partie, et elle ne pensait pas qu'un long voyage ardu leur ferait du bien. Elle avait été tentée d'amener Latimere pour la protéger, mais avait fini par changer d'idée. Elle ne savait pas pendant combien de temps elle serait partie ni quelle sorte de transport lui serait disponible. Son chien pourrait lui apporter certaines restrictions, et elle se doutait bien que monsieur Howard n'aurait pas voulu de chien dans son carrosse, surtout une aussi grosse bête poilue. Elle aurait dû ajouter plusieurs pièces de monnaie pour obtenir sa coopération en ce sens.

Quelques minutes plus tard, le carrosse vibra et commença à descendre la côte. C'était une vieille voiture, grosse et lourde, se balançant sur la route défoncée. Alex regarda derrière, vers son île. La marée était haute et avait recouvert la route, alors il était maintenant impossible de revenir à la maison pour plusieurs heures, même si elle le voulait ou si le courage lui manquait. Non pas qu'elle le désirait. Elle devait retrouver ses parents. Personne d'autre n'était à leur recherche. Il lui revenait de les rescaper de tout ce qui aurait pu leur faire du tort.

Elle s'imaginait les sauver, puis les ramener à la maison de son tuteur, à Londres, pour prouver qu'ils avaient tous eu tort. Le duc bégaierait et retirerait ses lunettes pour les regarder tous les trois d'un air interrogateur. L'image d'un gros et vieil homme avec une canne la fit sourire. Puis la fit sourciller. Depuis qu'elle avait reçu sa dernière lettre, elle avait eu un moment pour réfléchir. Il ne semblait pas être si vieux et si gâteux, tel qu'elle l'avait imaginé. Il semblait confiant et… aimable. Est-ce qu'il se souciait vraiment d'elle ? Est-ce qu'il voulait réellement qu'elle écrive de nouveau et continue ses prières ?

« Cher Seigneur, qu'importe ce qu'il veut dire en implorant mes prières, j'espère que Vous l'aiderez. J'espère qu'il pourra ressentir Votre amour pour lui dans les épreuves de la vie et que Votre amour lui donnera de la force, du courage et lui apportera la paix. Et aidez-moi à me souvenir de prier pour lui ! Je n'ai pas prié beaucoup, dernièrement, comme Vous le savez ! Maintenant, je me sens plutôt coupable à ce propos. Et aidez-moi à retrouver mes parents. Amen. »

Elle n'était pas certaine de ce qu'il fallait dire pour pouvoir écrire plusieurs lettres. Dans son tourbillon émotionnel, elle avait sorti une vieille édition du livre *Correspondances londoniennes de Magee,* la « bible » de l'art de correspondre, et le feuilleta pour avoir des indices sur une façon d'écrire si convaincante que Sa Grâce voudrait lui envoyer encore plus d'argent. Le livre avait fait scandale avec ses allusions sur la façon de jouer de coquetterie, ce qu'elle ne faisait pas et dont elle n'avait aucune expérience. Faire la cour à un homme pour obtenir une plus grosse somme de sa part ? Pas dans ce siècle ! Elle ferait ce qu'avait fait la veuve, dans la Bible — celle qui avait des problèmes au sujet de terres lui appartenant, qui s'est présentée devant le juge en étant constante, douce et persistante.

Alors, elle lui écrirait une autre lettre lui racontant l'histoire du pauvre mouton et celle du puits qui est maintenant à sec. Ce qui était vrai. Peu importe que ce puits en particulier ait été à sec depuis la dernière décennie, ils pourraient toujours avoir besoin d'un nouveau puits, n'est-ce pas ? Juste quelques centaines de livres de plus et elle pourrait rester aussi longtemps qu'elle le voudrait en Irlande. Elle se toucha le menton du bout des doigts en réfléchissant. Si seulement elle connaissait quelqu'un, là-bas. Elle allait avoir besoin d'aide. Elle appuya sa tête et pria pour recevoir cette aide.

Les doux rayons du soleil du matin s'intensifièrent au fur et à mesure que l'après-midi avançait, réchauffant l'intérieur du carrosse. Alex appuya la tête contre la fenêtre et regarda défiler les collines des Cheviot Hills. La plus grande partie du gazon avait tourné au brun, mais il y avait encore quelques taches de verts pâturages. Les collines ondulaient, mouvement qui les rendait paisibles et sereines. Les moutons blancs éparpillés sur la colline au loin paissaient paisiblement. Alex sourit. Son petit troupeau lui manquerait. Vingt-trois, en tout, et elle les avait tous nommés, connaissait leur caractère différent et les traitait plutôt comme des animaux domestiques que comme des animaux d'élevage. Un fait qu'Ann déplorait, levant les mains avec frustration quand Alex avait le front d'en emmener un à l'intérieur du château parce qu'il était malade ou blessé. Il n'était pas inhabituel d'entendre un bêlement de sa chambre. Alex gloussa et ferma les yeux pendant que le carrosse la berça et l'amena dans un sommeil léger.

Quand elle se réveilla, il faisait sombre. L'air frais disait aussi que la nuit était tombée et qu'il faisait assez froid pour lui engourdir le nez. Elle le frotta de ses mains froides et s'étira. Se demandant à quelle distance ils étaient de Carlisle, elle cogna contre la vitre de la fenêtre avant pour attirer l'attention de monsieur Howard. Le carrosse ralentit, puis s'arrêta.

Alex descendit et étira ses bras, regardant autour pour trouver un endroit où se soulager. Il y avait un petit bosquet pas trop loin. Cela devrait faire l'affaire.

— Monsieur Howard, sommes-nous près de Carlisle ?

— Ouais, milady. À moins d'une heure d'ici, si je ne me trompe pas.

— Eh bien, je vais prendre juste une minute, là.

Elle pointa vers les arbres et baissa vivement la tête, espérant que la raison serait évidente. Comme il ne disait rien, grognant tout juste en se retournant, elle poussa un soupir de soulagement et marcha péniblement à travers l'herbe dense. Des nuages traversèrent la demi-lune reflétant des ombres sinistres se déplaçant sur le sol. Alex frissonna et se dépêcha. Le carrosse semblait maintenant chaud et confortable comparé au paysage balayé par le vent qui l'entourait.

Elle venait juste de se retourner au moment où le martèlement des sabots de chevaux venant derrière eux la figea sur place. Lentement, le cœur battant presque aussi fort que le bruit de ceux qui approchaient, elle se tourna et scruta la lumière mate. Des drapeaux blancs flottant au vent et des formes sombres étaient tout ce qu'elle pouvait voir.

— Milady ! Vite ! Remontez dans le carrosse ! lui siffla monsieur Howard.

Sortant de sa torpeur, Alex se tourna et revint par le chemin qu'elle avait emprunté. Dans un grand élan, elle sauta à l'intérieur et referma la porte, mais voulant voir ce qui se passait, elle entrebâilla celle-ci et cria au cocher :

— Que devrions-nous faire ? Qui est-ce ?

— Chut ! Taisez-vous !

Ce fut sa seule réponse, mais il mit les chevaux en branle et ils continuèrent à descendre la route étroite vers ceux qui venaient, dans un mouvement lent des roues. Alex ferma la porte de nouveau et s'appuya sur son siège, priant pour que les bandits de grands chemins ne volent pas tous ses effets personnels. Elle n'était même pas encore sortie de l'Angleterre ! Ce serait vraiment injuste si cela devait arriver.

Un cri leur parvint de quelque part au-devant. Alex entrebâilla la porte et pressa son oreille dans l'ouverture.

— Arrêtez-vous, je vous en donne l'ordre au nom du prince régent.

Son cœur accéléra. Le prince régent ?

— Nous sommes les soldats du prince régent et nous patrouillons sur cette route. Où allez-vous ?

— J'ai été engagé pour mener milady à Whitehaven, monsieur. Nous espérions arriver à l'auberge de Carlisle avant la nuit tombée, mais, hélas ! la route est difficile et nous arriverons un peu plus tard que je ne l'imaginais.

— Une lady ?

L'homme sembla curieux et intrigué.

— Qui est cette lady, et où va-t-elle ?

Le bruit des chevaux approchait. Alex ferma délicatement la porte du carrosse, pour la voir s'ouvrir de nouveau un moment plus tard. Une lueur soudaine surgit devant au moment où un autre soldat alluma une lanterne et la fit passer à celui qui était déjà devant la porte.

— Alors, où allez-vous, milady ? demanda-t-il, le sourcil arqué.

Alex s'arma de courage et s'assit droit, aussi grande qu'elle pouvait le paraître, adoptant une mine supérieure en fixant de haut le soldat. Elle avait pratiqué ce regard particulier dans le miroir plusieurs fois et n'avait pas encore trouvé l'occasion de l'utiliser. Ce devait être exactement le bon moment pour l'essayer.

— Je suis lady Alexandria Featherstone, de Holy Island, et j'ai des affaires qui m'attendent à Whitehaven. Et vous, monsieur ? Vous avez mentionné notre cher prince régent, pour qui j'ai les plus grands égards et de l'amitié. À quel rang servez-vous Sa Majesté ?

C'était une triste vérité que les mensonges ont toujours sorti de sa bouche avec aisance, aussi facilement qu'un barde racontant une histoire à dormir debout. Elle ne semblait pas pouvoir s'en empêcher.

La bouche de l'homme se transforma en un sourire à la fois insidieux et admiratif. Il fit la révérence avec un grand geste du bras, les traits de lumière jaune de la lanterne ondulant partout dans le carrosse.

— Je suis le lieutenant Haggerty, du douzième régiment des Dragons légers. À votre service, milady.

Alex inclina légèrement la tête.

— Merci, lieutenant.

Elle examina son visage pour trouver des indices. Était-il vraiment un ami ? Il avait les cheveux foncés et une grosse moustache qui retroussait aux extrémités d'une façon presque comique. Son visage était mince, presque trop mince, lui donnant l'air émacié, mais ses yeux noirs la réconfortèrent. Il semblait regarder à travers sa cape et essayait de juger de sa silhouette.

— Je vous prie de me dire, lieutenant, à quelle distance se trouve Carlisle ? Je vous confesse être exténuée et j'ai besoin de trouver une auberge aussitôt que possible.

— Ce n'est pas loin. Environ trente minutes d'ici. Mais, milady, voyagez-vous seule ? Où est votre dame de compagnie ? Vous devriez au moins avoir une servante avec vous ?

La désapprobation dans sa voix était lourde d'accusations. Son regard s'abaissa à nouveau, puis fit le tour du carrosse, comme si la servante invisible devait se cacher.

— Elle est tombée malade à la dernière minute et j'ai été forcée de voyager seule. J'ai monsieur Howard, par contre. Un vrai serviteur et un vrai gardien. Il est très adroit au pistolet, et a battu tous les hommes de Beal aux poings.

Son cocher fit un son étouffé en entendant ce mensonge.

— Je vois.

Le lieutenant semblait voir à travers elle. Alex releva le menton d'un autre cran et fut directe.

— Nous devons vraiment continuer notre route, monsieur.

— Lady Featherstone, comme je peux le constater, vous n'avez aucune idée des dangers de ces routes à la nuit tombée. J'insiste pour que vous me permettiez de vous accompagner jusqu'à la ville. Je suis certain que votre *ami*, le prince régent, voudrait ma tête si des ennuis vous arrivaient.

Bonté divine ! Il ne la croyait pas du tout. Alex pencha la tête et fit naître sur ses lèvres un faux sourire.

— Très bien. Ceci est très aimable à vous.

Elle s'avança et agrippa la poignée de la porte, la lui claquant fermement au nez.

Aussitôt qu'il ne fut plus en vue, la noirceur envahit l'intérieur du carrosse. Elle poussa un profond soupir et s'appuya contre le siège avec un gémissement.

Tenant sa parole, le lieutenant Haggerty mena la petite compagnie de soldats jusqu'à la ville. Ils traversèrent la barrière de la ville, virent une structure de pierres massives qui était probablement une abbaye ou un ancien château, puis dévalèrent la rue pavée jusqu'à la partie importante de la ville. Le vieux carrosse tremblota, puis s'arrêta en face d'un gros bâtiment. La lumière jaune provenant des fenêtres formait des carrés jaunes dans la rue, et elle pouvait entendre un archet glisser sur les cordes d'un violon.

L'enseigne accrochée au-dessus de la porte se lisait : « Auberge Black Friars ». Alex n'était pas certaine qu'elle devait se fier au choix du lieutenant, mais elle était réellement trop affamée et trop fatiguée pour s'en faire. Pourvu qu'ils lui donnent à manger et lui offrent un lit, elle s'en accommoderait.

La porte du carrosse s'ouvrit avant qu'elle n'ait la chance de l'ouvrir elle-même, et le lieutenant se tenait là, vêtu d'un uniforme rouge éclatant. Elle lui fit un sourire las et lui permit de prendre sa main gantée dans la sienne pour l'aider à descendre.

— L'endroit semble assez occupé, monsieur. Pensez-vous qu'ils auront une chambre disponible ?

— J'en suis certain, milady. Seriez-vous assez bonne de me permettre de vous escorter à l'intérieur et de faire la transaction en votre nom ?

— Merci, lieutenant Haggerty, mais je suis parfaitement capable de prendre les arrangements pour ma chambre. Je ne veux pas vous être redevable d'une telle manière.

— D'aider une belle dame comme vous serait pour moi le plus grand des honneurs. Je vous en prie.

Il se pencha au-dessus de sa main, qu'il tenait toujours dans la sienne, et déposa un baiser sur le dos de celle-ci.

Alex en eut le souffle coupé et retira sa main de la sienne.

— Vous m'avez fait un grand honneur en m'escortant, monsieur. Aucune autre assistance ne sera requise.

Les dents serrées, elle se retourna et se dirigea vers l'auberge sans regarder en arrière, monsieur Howard sur ses talons.

Monsieur Howard se pencha vers elle et murmura :

— Désolé, milady, mais je connais ces types. Vous devez leur donner ce qu'ils demandent, sinon, vous en serez navrée.

Alex lança un long regard de souffrance par-dessus son épaule. Sans surprise, les soldats les suivirent jusque dans l'auberge. Le lieutenant Haggerty, en tête, ne semblait pas du tout heureux.

— Il n'obtiendra pas ce qu'il veut, murmura-t-elle, mais assez fort pour être entendue par le cocher, qui toussa et regarda ailleurs.

Il y avait un long comptoir avec un homme se tenant derrière à un bout de la pièce. Alex s'empressa vers lui et prit les dispositions pour avoir un repas pour monsieur Howard et pour elle-même, et paya pour deux lits avant que le lieutenant n'ait le temps de traverser la foule et ne soit à côté d'elle.

— Vous vous êtes esquivée, milady. Permettez-moi de partager votre table pour le dîner.

— Pourquoi, lieutenant? Je croyais que vous deviez avoir des affaires plus urgentes à voir que de me tenir compagnie. Est-ce que les routes sont sécuritaires sans vos patrouilles?

Il eut l'audace de la toiser et de toucher sa joue.

— Rien ne me ferait plus plaisir que de vous garder en sécurité. J'ai bien peur que les auberges d'Angleterre ne soient pas des endroits sûrs pour une femme seule. Je devrais dîner avec vous, puis placer un garde à votre porte… Je devrais peut-être monter la garde moi-même.

Une véritable frayeur remonta en spirale le long du dos d'Alex. Il avait l'air sérieux et menaçant, de la même façon que de retirer une rapière de son fourreau était menaçant.

Alex recula pour être hors de sa portée et se tourna vivement de côté.

— Vous me faites trop d'honneurs, monsieur.

Son regard furtif autour de la pièce implorait de l'aide, si elle en avait besoin. Elle vit un grand homme aux gros bras ; un groupe de jeunes gens bien habillés ; puis l'éclairage lui permit d'apercevoir un vieil homme avec de longs cheveux blancs.

Il s'appuyait au dossier de sa chaise avec une aisance élégante, un pied au-dessus du genou, son coude soutenu par la table à côté de lui, menton dans la main. Elle regarda dans ses yeux bleus et intelligents et marqua un temps d'arrêt sans le vouloir. Il y avait de la gentillesse et de l'assurance dans ces yeux, mais au moment où son regard se posa sur le lieutenant Haggerty, il durcit comme des billes de verre bleues, et toute sa personne se transforma comme un ressort bien enroulé, prêt à bondir. Elle avait le désir un peu fou de courir vers lui et de se recroqueviller derrière sa chaise, mais elle ne le connaissait pas du tout. Elle pourrait tomber de Charybde en Scylla. En regardant droit devant, elle suivit l'aubergiste jusqu'à l'arrière, dans une pièce plus tranquille, le cocher, le lieutenant Haggerty et plusieurs autres soldats la suivant à la trace comme un essaim d'abeilles dont elle ne pouvait se débarrasser.

« Seigneur, envoyez des anges pour me protéger. »

Elle envoya au ciel sa prière silencieuse en s'asseyant, le lieutenant Haggerty s'asseyant à côté d'elle sur le banc étroit.

Le premier service de soupe aux lentilles et de pain frais était chaud et sentait délicieusement bon, mais elle ne savait de quelle façon elle pourrait réussir à l'avaler avec le nœud qu'elle avait dans la gorge. Elle trempa sa cuillère, gardant les yeux rivés à son bol, et essaya d'ignorer la cuisse du lieutenant qui semblait se rapprocher de plus en plus de la sienne. Par le temps que le second service soit arrivé, sa jambe touchait aux plis de sa jupe et son bras effleurait à l'occasion le sien. Elle jeta un petit coup d'œil de côté, pour voir s'il s'en était rendu compte. Ce fut une erreur. Sa main s'avança et agrippa sa cuisse comme un étau douloureux.

Elle en eut le souffle coupé. La chaleur lui monta au visage.

— Lâchez-moi tout de suite, siffla-t-elle.

Personne ne semblait se rendre compte de leur conversation. La salle était bondée et ils étaient tous occupés à attaquer le poulet rôti que l'on venait de leur servir.

Sa main se retira, mais lentement et avec sensualité. Le cœur d'Alex battait à tout rompre, comme s'il voulait sortir de sa poitrine. Elle devait se sortir de là.

Se levant soudainement, elle inclina la tête vers la table et annonça :

— Je suis très fatiguée et je vais me retirer, messieurs. Je vous remercie de votre compagnie et de m'avoir escortée, mais je dois vous souhaiter une bonne nuit.

Plusieurs hommes se levèrent et s'inclinèrent, lui souhaitant la bonne nuit au moment où elle filait vers sa chambre, mais le lieutenant avait la mine renfrognée. Avec un peu de chance, il laisserait tomber et serait parti le lendemain matin. Mais elle n'était pas si naïve pour le penser vraiment. Il semblait très déterminé à faire quelque chose, mais quoi, elle n'en était pas certaine ; ce dont elle était certaine, c'est qu'elle devait lui échapper. La pensée qu'elle pourrait avoir de sérieux ennuis, qu'elle pourrait être forcée de revenir à Holy Island ou toute autre possibilité, ou même qu'elle soit emprisonnée pour avoir voyagé seule, lui fit se mordre la lèvre inférieure en remontant les marches vers sa chambre.

Sa chambre se trouvait à être au-dessus du bistro et était certainement bruyante, mais, remerciant le ciel, il y avait trois autres femmes occupant les deux grands lits. Elle voulait volontiers se pelotonner contre la grande femme nommée Trina, qui lui sourit avec deux dents manquantes et prenait presque toute la place. Volontiers !

Avec un peu de chance, une telle compagne la garderait en sécurité jusqu'au matin.

Chapitre 7

— Votre Grâce.

Meade entra dans la chambre de Gabriel où George, son valet, était à mettre la touche finale à sa cravate. Il s'arrêta sur le seuil de la porte et attendit, le temps que Gabriel enfile son gilet et vérifie son apparence dans le miroir de plain-pied.

— Bon choix, George.

Gabriel murmura ses éloges en faisant attention de ne pas parler trop fort, faisant rougir le jeune homme jusqu'au cou, dans un plaisir embarrassé. Il était habillé d'un gilet de couleur crème avec des broderies de la même couleur sur les revers, d'une chemise blanche et d'une cravate. L'expression « blanc comme neige » lui vint à l'esprit en étudiant les plis parfaits sous son menton. Au-dessous, il portait un pantalon bleu foncé entré dans les bottes, marque du plus récent style français, plus léger que ses pantalons de jute habituels pour pouvoir danser.

Non qu'il croyait vraiment le faire.

Ses sourcils foncés s'abaissèrent sur ses yeux de la couleur de l'émeraude en un air renfrogné. Cela ne le dérangeait pas de danser, même avec des débutantes. C'était la musique qu'il aimait. Il aimait tout ce qui concernait la musique. Mais comment allait-il pouvoir danser sans être capable d'entendre le morceau ? De quelle façon Beethoven s'y prenait-il pour composer sans entendre les notes ? Il devait essayer. La partie serait jouée avant même d'avoir commencé, s'il n'essayait pas de danser.

Gabriel s'éloigna du miroir, ignorant la peur qui rendait ses mains moites. Il demanda à Meade de le suivre dans sa chambre à coucher et se retourna vers lui.

— Où en sommes-nous, Meade ? Est-ce que mes sœurs sont arrivées ? Le bal est commencé depuis plus d'une heure.

Meade inclina la tête très bas.

— Oui, Votre Grâce.

Il sortit le livre des mots.

Gabriel eut un léger mouvement d'impatience à la vue des pages remplies de l'écriture nette de son secrétaire. Sa haine pour le livre des mots était bien connue, mais quand il y avait plus de quelques phrases à communiquer, cela était plus efficace malgré sa nature fastidieuse. Son regard scruta les instructions et les recommandations pour la soirée. Il approuva et remit le livre entre les mains de Meade. Oui, oui, il savait très bien quoi faire. Le plan, plusieurs petites simulations pour être exact, pour que le duc réussisse l'exploit de paraître normal devant une foule de plus de deux cents personnes était simple en soi. Il était tout de même risqué, et même un peu ridicule, mais il devrait fonctionner.

Il allait fonctionner.

— Allons-y. Après vous.

Gabriel sortit de la pièce, la tête droite, le cœur serré.

Avant qu'il n'ait atteint le grand escalier, sa plus jeune sœur, Jane, s'empressa à ses côtés. Elle le prit par le bras et lui sourit. Est-ce qu'elle retenait ses larmes ? Bon Dieu, juste ce qu'il avait besoin, maintenant. Des minauderies à gérer. Mais dans son cœur, il ne pouvait le croire. Sa mère et ses sœurs étaient au courant de son plan, et il savait que sa soeur ne faisait que collaborer pour amortir les chocs et le protéger. Il détourna son regard du visage aimant, des grands yeux bruns pleins de compassion, et avala… avec difficulté.

La demeure était paisible pour tenir une fête. Sa fête silencieuse. S'il n'avait vu lui-même la date sur les cartons d'invitation, il n'aurait pu dire qu'il y avait qui que ce soit ici.

La sensation d'être dans un rêve l'envahit en descendant le long escalier, au milieu du grand hall silencieux et au seuil de la salle de bal. C'était comme s'il ne pouvait entendre qu'une seule chose, le tic… tic… du temps au ralenti. L'air devint plus lourd à respirer. Ses mains commencèrent à trembler. Il essayait de se ressaisir. Ceci n'était pas réel. Cela ne pouvait l'être. Il frappa ses mains ensemble devant sa poitrine et les força à cesser de trembler.

Jane le regarda avec inquiétude ; il pouvait le ressentir dans la façon dont elle était tendue et que sa main s'agrippait autour de son bras, mais il l'ignora. S'il regardait son visage, il pourrait se briser en deux, juste ici devant tout le monde. Non. Il ne pouvait pas. Il se tint à l'entrée de la grande salle de bal, voyant la cohue de gens, leur bouche allant si vite, la chaleur de leur visage en sueurs, des couples animés tournoyant en silence. Les musiciens de l'orchestre étaient penchés au-dessus de leur instrument, ayant plutôt l'air de travailleurs aux champs que des artistes. Où était la beauté ? Où était-elle allée ?

« Mon Dieu. »

Il regarda Jane, le regard implorant silencieusement.

« Nous pouvons le faire. »

Ses lèvres et ses yeux le disaient, et il se souvint de qui il était.

Un duc. Le duc de St. Easton, pour être exact.

Après la première heure, il commença réellement à s'amuser. Cela était facile de flotter de groupe en groupe, approuver, dire bonjour, faire les plaisanteries habituelles, puis continuer. Il gardait à la main un verre de champagne, mais n'y touchait point ; il devait rester alerte face au danger. Comme s'il essayait de s'échapper d'un champ miné, il évitait les gens qui l'auraient questionné jusqu'à la mort sur des sujets sans conséquence. Lord Rowland voulait parler de politique postnapoléonienne ; Randoff Yeatley, de chevaux ; et son beau-frère, de la valeur du dernier investissement. Les filles avaient fait du bon travail pour garder le secret et, chacune leur tour, se tenaient dans son entourage, dans chacun des groupes auquel il parlait, s'empressait de le tirer d'affaire en inventant quelque obligation urgente dont il aurait dû s'occuper. Cela allait vraiment plutôt bien.

Une pression à l'arrière de son bras le fit se retourner, un fade sourire imprimé sur le visage. Blanche Rosenbury, la comtesse de Sherwood. Riche, puissante à sa façon et très, très belle. Son regard se posa sur sa robe d'un bleu profond qui montrait ouvertement son corsage. Il prit une toute petite gorgée de son verre, un regard d'admiration attendu touchant ses yeux.

— Lady Rosenbury, je suis heureux de vous voir.

Elle inclina un peu la tête, de cette façon séduisante qu'elle maîtrisait avant même d'être débutante, et battit des cils en fausse modestie. Gabriel regarda intensément ses lèvres roses espérant être capable de les lire, mais elle regardait trop bas et de côté. Comme elle continuait de parler, il commença à paniquer. Où était Mary ? Il avait vu sa sœur deux minutes auparavant. Étant incapable de savoir ce qu'elle disait, il y est allé d'un simple « hum » et chercha autour la robe d'un orange éclatant de sa sœur. Elles avaient décidé qu'il était mieux de porter des couleurs éclatantes au cas où il aurait besoin de les trouver ; mais où diable était-elle passée ?

Un éclair orange au-dessus de son épaule le fit se retourner dans cette direction. Là. Wingate l'avait coincée, évidemment. L'homme ne semblait pas lui donner du lest pour qu'elle puisse se déplacer aisément sans qu'il soit toujours au-dessus de son épaule. « Condition » ou pas, il aurait à s'en occuper.

Une petite tape sur son bras lui fit reporter le regard sur la tête fumante de rage. Les yeux de lady Rosenbury laissaient voir des étincelles de colère au moment où elle se perdait en bavardages qui sortaient de sa bouche aux lèvres peintes.

Gabriel fit la moue comme s'il avait subi un affront et secoua la tête.

— Comme vous le dites, madame.

Il se tourna et s'esquiva, espérant qu'il n'avait pas donné son accord pour quelque chose.

Dans sa hâte et sa confusion à savoir où aller par la suite, il trébucha presque. Comme il se redressait, jetant un coup d'œil autour pour voir si quelqu'un s'en était rendu compte, il se retrouva parmi un groupe de jeunes gens. Ils s'inclinèrent immédiatement, un en particulier faisant ressortir sa jambe et s'inclinant dans une posture exagérée de respect. Gabriel haussa les sourcils en regardant le dandy. C'était un groupe duquel il pouvait s'en tirer. Ils s'accrocheraient à tous les mots sortant de sa bouche.

Monsieur Meade apparut dans son champ de vision, prêt à faire les signes convenus si nécessaire. Un doigt signifiait « oui », deux doigts signifiaient « non ». S'il frottait l'arête de son nez, la discussion portait sur les chevaux. Un petit coup sur les cheveux au-dessus de l'oreille gauche signifiait une discussion sur les investissements, et s'il toussait, cela signifiait les paris, s'il toussait encore plus, cela signifiait les échanges de chevaux.

Gabriel regardait les lèvres du jeune monsieur Hyde, en adoration devant lui. Il dit quelque chose qui ressemblait à « votre humble serviteur » et s'inclina de nouveau, puis posa une question. Gabriel ne put la lire sur ses lèvres et regarda monsieur Meade. Malheureusement, Meade, les yeux grands ouverts, était en état de panique. Il fit un mouvement en retenant ses bras, puis les plaça en position comme s'il embrassait quelqu'un. Que diable cela signifiait-il ? Avant que trop de temps ne s'écoule, Gabriel regarda de nouveau monsieur Hyde et lui fit un sourire, les lèvres serrées.

— Très bien, dit-il, ressentant la chaleur lui monter aux joues et se demandant si tout irait bien.

Un regard perplexe traversa le visage du jeune homme, mais avant que Gabriel n'ait le temps de se rendre compte de la gravité de sa méprise, un autre jeune homme s'avança avec un commentaire.

Gabriel fixait les lèvres du jeune homme et comprit alors la bizarrerie de la chose. La plupart du temps, quand il essayait de déchiffrer ce que quelqu'un venait de dire en lisant sur les lèvres, la personne en question connaissait sa difficulté. Mais pas ici, pas maintenant. Fixer la bouche de quelqu'un ne respectait pas l'étiquette et pouvait même amener la personne à se poser des questions. En même temps qu'il réfléchissait à tout cela, il se rendit compte qu'il n'avait pas porté attention et qu'il n'avait aucune idée de ce que le jeune homme disait. Le regard désespéré, il jeta un coup d'œil rapide à Meade. Merci, Seigneur, il avait une quinte de toux. Ce devait être les chevaux.

— Avez-vous vu le nouveau cheval de lord Grant ? demanda-t-il.

Il enchaîna rapidement avant qu'il ait à lire une réponse.

— Le meilleur étalon que j'aie vu depuis longtemps. Vous devriez tous visiter ses écuries et le voir avant qu'il ne l'amène dans le Surrey.

Les hommes pâlissaient autour de lui ; l'un toussa dans sa main, apparemment pour cacher un sourire, tandis qu'un autre avait l'air réellement effrayé. Gabriel jeta un coup d'œil à Meade et vit que son secrétaire était livide également. Il avait gaffé encore une fois. Il était temps qu'il se retire.

Juste à ce moment, un groupe de jeunes femmes passa par là. Il ne connaissait aucune d'entre elles, mais cela ne faisait rien. Il était l'hôte et pouvait se présenter. Souriant avec toute la confiance qu'il pouvait rassembler, il s'excusa auprès du groupe.

— Je suis prêt pour la danse, jeunes gens. Et je vois une charmante complice juste ici. Si vous voulez m'excuser ?

Ils approuvèrent tous de la tête, et il leur fit une petite révérence et s'en alla, disparaissant dans la foule. Il devait danser maintenant. Une jeune femme plus nerveuse que lui serait un bon choix. Il scruta la foule et vit alors le groupe. Il se dirigea vers elles. Quatre femmes de différents niveaux d'attraction. Toutes dans leur première ou seconde année de débutante, et encore merveilleusement naïves. Parfait.

Il se tenait près du groupe et attendit… un… deux… trois.

L'une d'entre elles eut le souffle coupé par la surprise et les autres tournèrent la tête vers lui. Justement la réaction qu'il espérait. Il fit un autre pas vers leur groupe, ne les regardant pas directement et, alors, comme s'il venait juste de les apercevoir du coin de l'œil, il tourna le visage vers elles et inclina la tête.

— Mesdames.

Elles le dévisagèrent, ce qui était parfait.

— Voyez-vous ma sœur, là-bas ?

Elles regardèrent vers l'endroit qu'il pointait, puis firent un signe de tête, toujours l'air hébété et un peu effrayé.

— Comme vous pouvez l'imaginer, ma sœur et ma mère insistent pour que je me trouve une femme à épouser. Affaire fastidieuse, mais je pensais les calmer pour le moment en dansant. Y a-t-il une volontaire ?

La petite blonde battit des cils, sa respiration vive faisait sauter son corsage si rapidement que Gabriel cru qu'elle allait s'évanouir. Une autre blonde un peu plus foncée le regarda comme s'il était une statue qui prenait vie et lui demandait pour danser. Mais la brunette, non la plus belle, avança d'un pas hardi et eut le courage de toucher sa manche.

— Je vais danser.

Elle leva le menton d'un air déterminé.

Gabriel lui fit un sourire de façade et présenta son bras. Il espérait qu'elle avait suivi des leçons.

Une fois sur le plancher de danse, il commença à se sentir nerveux de nouveau, mais était déterminé à ne pas le montrer. Il prit la jeune fille dans ses bras à une distance appropriée et regarda l'orchestre. Aussitôt que l'archet toucha les cordes du violon, il commença à se déplacer avec la foule de danseurs sur le plancher. Un, deux, trois ; un, deux, trois ; un, deux, trois ; tournez. Ce n'était pas si difficile. S'il se concentrait, il pouvait ressentir les vibrations de la musique assez fort pour lui donner le rythme. Stupéfiant, en effet, comme ces vibrations voyageaient dans les airs. Ou peut-être était-ce le plancher qui vibrait, il n'en était pas certain, mais ce semblait être suffisant.

Tournant et tournant encore, ils valsèrent ensemble sur les notes de la valse. Si la jeune femme dans ses bras a essayé de lui parler, il ne s'en était pas rendu compte. Il était trop occupé à s'assurer de ne pas faire de faux pas. Quand la valse fut terminée, il reconduisit la jeune fille à ses amies, qui commencèrent à babiller, leur visage exprimant l'excitation, dès qu'il commença à s'éloigner.

Il avait besoin d'une interruption, d'une pause, en raison de cette fatigue émotionnelle et mentale qui était encore nouvelle pour lui. Il se fraya un chemin parmi les groupes de connaissances qui lui souriaient et le saluaient jusqu'aux portes françaises au bas de la salle de bal et se faufila à l'extérieur dans le jardin. L'air de la nuit apaisa ses joues en flammes. Il inspira des bouffées d'air, la fatigue l'envahissant. La pensée du repas de minuit qui arrivait lui noua l'estomac. Beaucoup trop de conversations. Il ne pouvait le faire. Il allait échouer et s'était déjà possiblement donné en spectacle. Trop risqué. Il devait inventer une excuse. Il devait se retirer. Il enverrait une note à Meade et le laisserait s'en occuper.

En réfléchissant à la note, il se dit qu'il pouvait faire le tour jusque de l'autre côté de la maison et entrer par une autre série de portes qui menaient à la bibliothèque. Se sentant étrangement comme un voleur dans sa propre maison, il suivit de près la pierre brune et se déplaça parmi les ombres pour atteindre les portes sous la lumière d'un éclat de lune. Là. Elles n'étaient pas verrouillées. Merci Seigneur.

Il entra et alluma une chandelle. S'asseyant à son pupitre, il tira sur une feuille de papier et écrivit quelques instructions. Il plia le papier et s'apprêtait à sonner un serviteur lorsqu'il vit une petite pile d'enveloppes sur un coin de son pupitre. Avec toutes les préparations pour le bal, il avait oublié de vérifier son courrier.

Il parcourut les enveloppes, faisant des piles selon leur importance. C'est alors qu'il la vit. Une lettre de Holy Island. Une lettre de la créature audacieuse et impossible qui était sa pupille. Son cœur fit un bond de plaisir et ses lèvres se changèrent en sourire. Il la retourna et fit sauter le sceau, rapprochant la chandelle pour pouvoir la lire. Où en était rendu son charmant petit garçon manqué, maintenant ?

Mon cher duc,

Je ne sais par où commencer pour expliquer toutes les difficultés que cette pauvre créature (c'est-à-dire moi-même), privée de ses parents et seule au monde excepté vous-même et vos conseils, a soudainement fait l'expérience. Juste ce matin, je suis sortie du château pour découvrir de nouveaux désastres. Est-ce que je vous ai parlé du château de l'île et du monastère ? Non ? Cher monsieur, il n'y a guère que deux pierres côte à côte pour nous couvrir. Les ravages hostiles du temps nous ont laissés démunis, sauf un mur occasionnel et un toit tombé en ruines pour nous garder au sec. C'est pourquoi juste l'autre jour, j'ai dû engager ~~deux~~ trois hommes pour réparer un autre horrible trou dans le toit. Le toit dégoutte et coule constamment, nous ne savons plus que faire. Ce que j'ai réellement besoin, ce sont des travailleurs, et monsieur, vous devez savoir qu'un bon charpentier, un bon maçon et un bon forgeron coûteront une fortune. J'ai tant de travail à leur donner ! J'en perds le sommeil. Me tournant dans mon lit et réfléchissant de quelle façon je pourrais joindre les deux bouts avec mon indemnité. Ne suis-je pas la maîtresse de maison, maintenant ? Ne mériterais-je pas les fonds pour rendre cet endroit finalement habitable ? Je vous implore, Votre Grâce, de reconsidérer le partage de la fortune que mes parents m'ont laissée. Même s'ils ne semblaient pas se préoccuper de cette île solitaire (ils étaient rarement là assez longtemps pour goûter au peu de confort qu'apportent des pierres qui fuient), j'ai vécu et je vis toujours ici, forgeant mon avenir du mieux que je le peux. Il y a tant de choses nécessaires. Devrais-je en faire la liste pour vous ?

De bons artisans devraient carder la laine des moutons et en faire des vêtements pour nos hivers froids. Je ne peux me souvenir de la dernière fois où j'ai eu une robe et une cape qui me gardaient au chaud. Je porte encore des vêtements à la mode... de la dernière décennie, je peux vous en assurer. Mes serviteurs portent des haillons, la plupart du temps. Monsieur Meade peut sûrement témoigner de la tenue vestimentaire des serviteurs de ma maisonnée.

Le puits. Nous avons commencé à en creuser un nouveau le mois dernier, mais sans succès, et le lac est très loin. Pensez-y, mon cher duc, de l'eau fraîche... qui peut mettre un prix là-dessus ?

Mes serviteurs ont également besoin de provisions – nourriture, vêtements et d'autres choses nécessaires. Ma pauvre gouvernante est si vieille que je dois faire le ménage du château moi-même. Je sais que vous devez être sous le choc de lire ceci, et je vous implore d'envoyer des fonds pour entraîner une nouvelle servante également. Votre généreuse indemnité ne tenait certainement pas compte de toutes les personnes dont je suis responsable. À titre de pupille du puissant duc de St. Easton, vous devez me vouloir bien approvisionnée et bien représentée.

Je vous laisse avec une pensée.

Cet endroit possède une beauté ancienne et sauvage qui est incomparable, et c'est ma demeure. Mes parents, bénies soient leurs âmes, avaient un amour fugace pour lui, mais je vais vivre ici toute ma vie selon les volontés du Seigneur. J'aimerais, avec votre aide, le rendre comme il aurait dû toujours être. Cela coûtera sûrement une petite fortune, mais je vous prie de me donner le temps pour le rendre comme je l'ai toujours imaginé.

Le temps et l'argent.

Votre plus fidèle servante,

Alexandria Featherstone

P.-S. Je prie du fond du coeur pour vous. Trouvez du réconfort dans le fait que l'amour de Dieu ne faillit jamais. Même dans les pénibles épreuves de la vie, cher monsieur, vous pouvez compter sur Lui pour vous aider à les surmonter. Si vous souhaitez me faire le grand honneur d'être votre confidente, sachez que je vais tendre l'oreille et mon épaule pour partager votre fardeau. Ayez foi en Dieu, Votre Grâce. Il vous portera.

Gabriel s'appuya au dossier de sa chaise et ferma les yeux, imaginant son visage, l'imaginant prier pour lui. Son indication qu'il avait besoin de ses prières avait pincé une corde en elle, il pouvait le percevoir. Et son encouragement d'avoir foi en Dieu lui fit prendre conscience qu'à part avoir prié pour le rétablissement de son ouïe, il n'avait pas réellement foi en l'amour de Dieu. Si l'amour de Dieu ne faillit jamais, alors pourquoi se sentait-il comme s'il avait failli ? Peut-être se confierait-il à Alexandria. D'être capable de raconter à quelqu'un comment il se sentait, combien il était affligé, transformé. Il avait besoin de quelqu'un comme elle. Et elle avait besoin de lui. Elle avait besoin d'argent, oui, mais elle avait besoin de lui. Il imaginait le château en ruines, la condition épouvantable du monastère du XIVe siècle, les pauvres villageois avec leur puits asséché et leurs maigres moutons.

Il devait aller la voir.

Passer outre le fait qu'il soit sourd. Il y avait tant de choses dans ses lettres qui lui disaient qu'elle n'y porterait pas attention. Qu'elle accepterait son aide avec le sourire et les bras ouverts.

Il y avait quelque chose en quoi il pouvait être utile, quelque chose qu'il pouvait arranger.

Il y avait une femme qui pourrait l'accepter juste comme il était.

Chapitre 8

Alex sortit du lit, essayant de ne pas réveiller celle avec qui elle l'avait partagé, enroula sa cape autour de ses épaules et ramassa ses bottes. Marchant délicatement, elle prit son sac sur la seule chaise de la pièce, le passa par-dessus l'épaule et ouvrit la porte, qui grinça légèrement, puis marcha sur la pointe des pieds jusqu'au corridor. Elle s'assura une dernière fois qu'elle avait toujours sur elle sa bourse remplie de pièces de monnaie avant de fermer la porte. Parfait, la bourse était toujours dans la poche de sa robe. Elle ferma la porte dans un petit clic, puis descendit les marches jusqu'à la salle commune de l'auberge.

Aucun signe des soldats. Merci ! Seigneur. Elle s'était levée tôt pour essayer de leur échapper au cas où ils auraient passé la nuit à l'auberge. La dernière chose dont elle avait besoin était de croiser ce lieutenant. Maintenant, elle devait trouver Missy. Elle avait demandé à la femme de chambre, Missy, celle qui leur avait apporté du bois de chauffage la veille, de lui trouver un cheval qu'elle achèterait. Alex irait à dos de cheval pour le reste de son voyage, car son cocher, monsieur Howard, avait des affaires urgentes à régler dans une ville voisine et devait la quitter aujourd'hui. Cela ne la dérangeait pas. Elle s'en tirerait bien toute seule. Le voyage était seulement de quelques heures pour se rendre à Whitehaven et à la côte ouest de l'Angleterre, où elle prendrait un traversier jusqu'en Irlande.

Un petit frisson la parcourut en pensant à l'Irlande. Elle n'avait jamais été plus loin que Alnwick, où elle avait visité une fois le fameux château Alnwick, et elle était maintenant sur le point de quitter le pays. C'était un casse-tête pour elle de savoir à quel endroit exactement, en Irlande, elle devait commencer ses recherches, mais elle avait un indice. Elle tira de sa poche une lettre défraîchie, repliée plusieurs fois, et la relut.

Très chère Alexandria,

Mon cœur est désespéré de constater que nous avons été éloignés de toi si longtemps cette fois ! À vrai dire, votre père et moi n'avions aucune idée de l'étendue de l'enquête quand le mystérieux monsieur Tweed (ce n'est pas son vrai nom, évidemment !) nous a engagés pour trouver notre dernier trésor. J'ai bien peur que le temps passé ici nous ait fourni seulement quelques indices, et c'est pourquoi nous serons partis plus longtemps que d'habitude. Je trouve du réconfort à la pensée que vous êtes une jeune fille indépendante et pleine de ressources. Vous ferez bien en continuant votre entretien du château, à faire des recettes et des mixtures de toniques et de cosmétiques, en plus de veiller sur ces chers Henry et Ann. Je dois me dépêcher, car votre père me dit que la diligence de la poste est prête à partir.

Nous t'aimons, ma chérie !

Mère

Alex soupira. C'était l'une des lettres les plus courtes de sa mère, c'est certain. La façon dont sa mère avait fait référence aux petits passe-temps d'Alex semblait un peu condescendante, mais Alex se dit qu'elle se faisait des idées. Sa mère était toujours ravie d'essayer une nouvelle crème pour le visage ou un tonique pour les cheveux quand elle était à la maison. Qu'importe que l'un de ses toniques ait fait virer au vert les tresses blondes de sa mère. Elle n'avait pas été trop fâchée, disant même qu'elle les laverait plusieurs fois par jour et qu'elle porterait un chapeau en attendant. Et elle était merveilleuse avec un chapeau, n'est-ce pas ?

Alex soupira de nouveau. Pourquoi sa mère lui causait-elle toujours de telles émotions conflictuelles ? Et pourquoi devait-elle l'excuser constamment ? Katherine était très centrée sur elle-même, et Alex n'attendait plus autre chose de sa mère depuis longtemps, même s'il y avait des moments où elle pleurait, la nuit, cachée dans son oreiller, croyant qu'elle n'avait personne d'assez proche pour partager tout son amour.

La notion « d'accident », qui ne méritait pas qu'on lui porte attention, lui fit sécher ses larmes et se sermonner, car elle était chanceuse, après tout. Elle était très, très bonne pour compter les faveurs qui lui étaient accordées.

Elle regarda encore la lettre défraîchie, puis la retourna soudainement. Il y avait un indice ici, un indice important. Elle l'approcha de son visage en jetant un coup d'œil à la tache sur l'enveloppe. C'était très pâle, mais il y avait un cachet de la poste qui indiquait Belfast. Elle avait étudié la vieille mappemonde à la bibliothèque avant de commencer ce voyage et avait été soulagée de voir que c'était tout près, juste de l'autre côté de la mer d'Irlande, puis vers Belfast

Lough. Elle commencerait là, et espérait trouver quelqu'un qui aurait vu ou parlé à ses parents. Maintenant, il était temps de se rendre à Whitehaven de façon sécuritaire.

Au moment de marcher à l'extérieur, elle regarda tout autour pour voir s'il y avait des soldats en vue. N'en voyant aucun, elle fit le tour de l'auberge jusqu'à l'arrière et eut un soupir de soulagement en voyant la femme de chambre se tenir près de l'auge remplie d'eau, tenant les brides d'un gros cheval brun. Alex s'empressa d'aller vers elle.

Au moment de traverser la cour, elle vit un éclair rouge du coin de l'œil. Deux soldats se tenaient au coin opposé, fumant un cigare. Ils devaient être avec le lieutenant. Elle revint vers le coin de l'auberge, espérant, contre toute attente, qu'ils ne l'avaient pas vue, et fit un signe de la main à la femme de chambre en murmurant :

— Amenez le cheval par ici.

Missy regarda les soldats et fit un signe de tête, comprenant ce qui se passait. Par des mouvements nonchalants, elle donna une tape au cheval et le conduisit de l'autre côté de l'auge, vers Alex.

— Est-ce que le cheval est pour moi ?

Alex regarda le grand animal avec de la gratitude ainsi que de l'excitation.

— Je dois me dépêcher de partir avant que ces soldats ne me voient.

La jeune femme approuva et se pencha vers l'avant.

— Il appartient à un de mes amis. Je le reprendrai plus tard, ce soir. Quand vous serez arrivée à Whitehaven, laissez-le chez mon frère. Il s'appelle Paul.

Elle pressa un morceau de papier froissé dans la main d'Alex.

— Voici son adresse et une note pour lui. Il s'occupera de Sorrel jusqu'à ce que j'arrive.

Alex approuva et mit la note dans sa poche.

— Merci, Missy.

Elle donna quelques pièces de monnaie à la femme de chambre.

— Je vais vous aider à monter.

Elle plaça ses mains en étrier, les doigts entrelacés, et regarda Alex.

Alex ramassa sa jupe et plaça son pied chaussé dans les mains de la femme de chambre. Le cheval remua sous son poids, faisant battre son cœur plus fort.

— Mille mercis ! murmura-t-elle.

Elle tourna de côté, s'éloignant des hommes dans la direction opposée. Elle pressa les talons dans les côtés du cheval, et il avança au petit galop.

« S'il vous plaît, mon Dieu. Faites que je ne tombe pas de cette grande bête ! »

Une heure plus tard, Alex commençait à avoir de sérieux doutes à propos de toute cette affaire pour retrouver ses parents. Le cheval était nerveux et facilement effrayé. Le claquement d'une petite branche, le gazouillis des oiseaux, un rongeur sur le côté de la route. Seigneur, aidez-la, le cheval s'était cabré à la vue de la petite bête. Bon, juste un petit peu, mais cela l'avait presque jetée par terre ! Maintenant, elle n'avait d'autres choix que de se tenir en selle avec les cuisses serrées et de tenir les rênes de cuir d'une poigne de fer, les jointures blanches. Son corps en entier lui faisait mal, ses muscles tendus d'anxiété. Est-ce qu'elle se rendra vraiment à Whitehaven ?

Le son des sabots martelant la route de terre la fit s'arrêter. Est-ce que ce pourrait être les soldats ? Les yeux grands ouverts, elle scruta la route à l'avant et à l'arrière. Là-bas, derrière elle, il y avait plusieurs chevaux faisant lever un nuage de poussière. La panique s'empara d'elle et elle se tortilla, cherchant une place pour se cacher. Elle regarda à gauche et à droite, mais tout ce qu'elle voyait était une charmante petite vallée jonchée de fermes. Pas un arbre ni un bâtiment en vue.

Elle pourrait essayer de les semer, non ? Bêtise. C'était tout ce que c'était. Pourquoi n'avait-elle pas pensé d'apporter un pistolet ?

En vérité, elle n'avait pas réfléchi à ce que le fait de voyager seule impliquerait. Elle était si habituée d'être seule, bien qu'elle soit entourée de gens qu'elle connaissait et aimait, qu'elle ne s'était pas imaginé être seule avec des étrangers, possiblement dangereux. Cela était très différent.

N'ayant d'autres choix que de se montrer effrontée, elle redressa le menton, envoya ses épaules vers l'arrière et continua son chemin. Son cheval, cependant, avait d'autres plans. Aussitôt que les autres chevaux se rapprochèrent, il devint plus agité, faisant des pas d'un côté à l'autre dans une danse étrange et ignorant sa prise sur les rênes.

— Arrête… woh, siffla-t-elle entre ses lèvres au moment où un groupe de soldats arrivait et s'arrêtait près d'elle.

Elle les regarda, et aperçut le redoutable lieutenant Haggerty.

Le cœur battant, elle imprima un sourire à ses lèvres et se tourna pour lui faire face.

— Lady Featherstone !

Son visage en prit tout un coup.

— Que faites-vous à voyager seule par les grands chemins ? Pourquoi n'avez-vous pas attendu que je vous escorte ?

Alex tenta de cacher qu'elle implorait le ciel pour avoir de l'aide.

— Mon cher lieutenant. Quelle surprise ! Il est... bon de vous rencontrer de nouveau, dit-elle avec des mots étouffés.

— Mais, milady, vous n'avez pas répondu à ma question. Vous ne pouvez pas vous promener seule sur les grands chemins ! Ce n'est pas sécuritaire ni convenable pour une femme de votre rang... votre...

Il ne termina pas sa phrase, comme s'il était horrifié de le faire.

Alex baissa la tête et lui offrit son plus joli sourire.

— Comme vous le dites, monsieur. Mais, hélas, mon cocher est tombé malade, et je dois me rendre à Whitehaven. J'ai un bateau à attraper. Je crains que j'aie à insister. Ce n'est pas tellement loin, n'est-ce pas ?

Le visage du lieutenant vira au cramoisi et alors, semblant se remettre de sa surprise, il plissa des yeux en la regardant. Elle réfléchit à la conduite du lieutenant la nuit précédente, et sa très grande frayeur figea le sang dans ses veines. Mais comment se débarrasser de lui ?

— Étant donné que vous avez si peu d'égards pour votre réputation, lady Featherstone, je vois que je dois insister pour vous accompagner à Whitehaven.

Avant qu'elle n'ait le temps de protester, il se retourna et vociféra des ordres à ses hommes.

— Continuez vos patrouilles sur les routes, à l'est de Carlisle. Je vous verrai de nouveau dans quelques jours.

— Monsieur, ce n'est pas néces...

Il releva sa main gantée et tourna vivement la tête vers elle.

— Non. Plus un mot. J'insiste.

Une frayeur profonde l'envahit. Elle avait offensé cet homme et il voulait lui donner une leçon... peut-être pire encore. La pensée de ce que *pire encore* signifiait lui donna le frisson, mais elle était déterminée à ne montrer aucune frayeur. C'était exactement ce qu'il désirait. Tandis que les autres hommes s'en allaient, les laissant seuls sur une route peu passante, elle avait la gorge serrée et était très effrayée.

Aussitôt que les soldats ne furent plus en vue, le lieutenant ricana. Alex le dévisagea, la frayeur lui emplissant l'estomac. Avant qu'elle n'ait le temps de faire quoi que ce soit, il s'avança et agrippa les rênes du cheval d'Alex.

— Lâchez-le ! hurla-t-elle.

Elle agrippa l'autre côté des rênes et essaya de les libérer, mais il était trop fort.

— Vous n'êtes pas un gentleman ! Lâchez mon cheval !

L'homme aux cheveux foncés éclata de rire, sa moustache se transformant en sourire qui donnait la chair de poule.

— Et vous n'êtes pas une lady, voyageant seule comme une vulgaire catin. Restez assise !

Sorrel ne prenait pas mieux qu'elle ce jeu de tir à la corde. Il glissa d'un côté, puis de l'autre, essayant d'arracher les rênes de leurs mains.

— Ahhh !

Soudainement, le cheval se cabra et fit voler Alex vers l'arrière, dans les airs, pour atterrir sur le dos, le souffle coupé. Elle était étendue, tout étourdie, incapable de respirer, se demandant si elle était blessée. Peut-être que ça y était. Peut-être qu'elle ne respirerait plus et qu'elle allait mourir, juste ici et maintenant. Elle ne saurait jamais ce qui était arrivé à ses parents.

Non ! Elle s'assit de nouveau avec un petit halètement, puis un autre, et un autre. L'étourdissement la gagnait, mais elle le combattait, secouant la tête et essayant de se lever pour courir. Le lieutenant n'était plus sur sa monture et venait vers elle.

— J'en ai assez de ces sottises. Il est temps de vous faire la leçon.

Elle le regarda, puis regarda derrière lui. La lumière du soleil l'éblouissait. Elle devait voir des choses. Elle battit des paupières plusieurs fois. Non, il était toujours là.

Un homme se tenait au milieu de la route, une longue poutre de bois sur les épaules avec un seau d'eau suspendu de chaque côté. Il portait une longue cape qui traînait sur ses bottes poussiéreuses et marchait vers eux. Il tenait à la main une pomme d'un vert éclatant et, comme dans une vieille histoire, il prit une bouchée, puis la jeta de côté nonchalamment.

Le bruit de la pomme tombée par terre fit sursauter le lieutenant. Il se retourna vers l'étranger et fit quelques pas vers lui. Il toucha à son pistolet, laissant sa main sur celui-ci.

— Restez où vous êtes, monsieur. Ceci ne vous concerne pas. Continuez votre chemin.

— Est-ce que vous êtes d'accord avec ce qu'il vient de dire, mademoiselle ?

Il dirigea son regard intense vers Alex.

Elle se releva tant bien que mal et recula.

— Non, je ne suis pas d'accord. Je ne connais pas cet homme. Il m'a fait des menaces. S'il vous plaît..., aidez-moi.

— Ce ne serait pas sage, vieil homme.

Le lieutenant fit un autre pas en avant et sortit son pistolet.

— Je n'ai aucun problème à vous renvoyer au Créateur.

Alex regardait avec un mélange de crainte et de fascination tandis que, avec la grâce d'un chat, il sauta sur le lieutenant. Avant qu'elle ne se rende compte de ce qui venait de se produire, plus vite que ce que ses yeux pouvaient apercevoir, il balança un côté de la poutre de bois et toucha le lieutenant au bras, faisant tomber son pistolet du même coup. Encore plus rapidement et avant que le lieutenant ait pu retrouver l'équilibre, il balança l'autre côté de la poutre et frappa avec le bois et un seau plein d'eau sur l'autre côté du lieutenant, le recouvrant d'eau.

Alex fit quelques pas chancelants vers la scène. En s'approchant, elle reconnut le visage de l'étranger. C'était l'homme de la nuit passée. Celui de la salle commune qui avait regardé le lieutenant avec ses yeux bleus et durs. Qui était-il ?

Elle fut remplie d'admiration en le voyant retirer la poutre. Il avait l'air vieux, mais se déplaçait avec la force et la vitesse d'un jeune homme. Elle le regardait avec étonnement au moment où il envoya sa cape vers l'arrière et sortit une épée à la forme étrange, mais redoutable. Le soleil reflétait sur le métal, la clarté éblouissante nuisant à la vue d'Alex. Il fendit l'air d'un son qui lui était propre, jouant avec le lieutenant, le faisant piétiner, danser et suer.

Le lieutenant tenta de sortir son épée de son long fourreau, mais elle semblait coincée et il était trop occupé à essayer d'éviter l'épée de son sauveur pour bien la saisir.

Il y avait une grâce furtive dans le travail silencieux du vieil homme. L'épée parlait pour lui. Fendant l'air, il touchait ici et là, en haut, puis en bas. Cela semblait un jeu d'enfant, tandis que le lieutenant se tordait de douleur. Des rougeurs commencèrent à apparaître sur ses épaules, ses bras et ses cuisses, et alors, d'un mouvement rapide qui prit Alex par surprise, il tint le bout de sa lame à la gorge du lieutenant.

— Vous allez rentrer à la maison, maintenant, dit l'homme mystérieux d'une voix profonde avec un petit accent.

Le lieutenant hocha la tête d'un petit mouvement rapide, les yeux agrandis par la panique, sans battre des paupières.

— Et je ne crois pas que vous aurez besoin de votre cheval.

L'homme donna un coup de pied au lieutenant, qui atterrit sur le sol. Il mit ensuite son pied botté sur la poitrine du lieutenant et se pencha vers lui.

— Si jamais je vous prends encore à importuner cette jeune dame, nous finirons ce que nous avons commencé, compris ? Hélas ! je n'envoie pas les hommes à la légère à leur Créateur.

Sa voix était comme son épée, de velours mortel, douce et forte. Il pencha la tête et fit un sourire sans joie.

— Allez-vous-en !

Le lieutenant approuva l'entente. À l'instant même où le pied de l'homme s'enleva de sa poitrine, le lieutenant se leva et recula. Il se retourna, les vêtements en lambeaux, et courut dans l'autre direction.

Alex couvrit sa bouche de sa main gantée pour cacher son hilarité au moment où le lieutenant s'enfuyait la queue entre les jambes.

L'homme remit son épée dans son fourreau alors qu'il avançait vers elle. Il la regarda un long moment, avec des yeux où l'on pouvait discerner de l'intelligence, ce qui fit hésiter Alex entre se dérober ou se lever pour lui rendre son regard. Il retira son chapeau qui révélait de longs cheveux gris, fit la révérence d'un mouvement exagéré, mais fait si gracieusement qu'elle ne put s'empêcher de sourire.

— Merci, murmura-t-elle. Qui êtes-vous ?

Il replaça son chapeau sur la tête et tira deux pommes de sa poche. Il en frotta une sur le devant de son gilet, puis la lui donna.

— Vous pouvez m'appeler Montague. Il semblerait que je serai votre guide jusqu'à Whitehaven, aussi fou que notre cher lieutenant puisse l'être, il a raison. Ce n'est pas sécuritaire pour mademoiselle de voyager seule.

— Oh ! je suis certaine que ce ne sera pas nécessaire.

— Vous ne pensez pas ?

Il la regarda, attendant qu'elle l'admette.

— Peut-être que ce serait mieux. Je vous remercie, gentil monsieur.

Il tendit la main et prit son bras délicatement.

— Pouvez-vous manger votre pomme et monter à cheval ? Je trouve que c'est une habileté bénéfique, de manger en tenant les rênes. Peut-être que nous pourrions en donner une bouchée à votre bête effrayée. Peut-être que cela le calmerait également.

Alex approuva, se rendant compte qu'elle avait commencé à trembler.

— Oui, je trouve l'idée de manger une pomme assez alléchante, présentement.

Il l'aida à monter, puis lui tendit la pomme.

— Je le pense aussi. Après vous, lady Featherstone ?

Elle renifla d'un son enfantin, prit ensuite une grosse bouchée, le jus acide lui descendant le long du menton. Le cheval resta docile au moment où Montague lui donna la pomme. Elle avala bruyamment et prit quelques respirations pour se calmer au moment où ils commençaient à marcher. Le cheval aussi semblait enclin à suivre cet homme qui tenait ses rênes, encore plus docile qu'il ne l'avait jamais été avec Alex.

— Nous allons passer à ma maison pour prendre des provisions. Ensuite, nous irons à Whitehaven. Ce n'est pas très loin, milady.

Alex hocha la tête, ayant la sensation que le fardeau d'être seule et seule responsable de son succès venait d'être levé de ses épaules. Il était comme un ange envoyé d'en haut pour lui venir en aide.

De quelle façon avait-il su ce dont ils avaient besoin tous les deux ?

Et de quelle façon avait-il appris son nom ?

Chapitre 9

Le matin suivant le bal, Gabriel se réveilla trempé de sueurs. Il se retourna, puis s'assit, faisant courir ses doigts dans ses cheveux collés sur la tête, tirant sur sa chemise de nuit collée à la poitrine et au dos. Qu'est-ce qui n'allait pas avec lui ? Peut-être était-il seulement anxieux à l'idée de voyager. Il devait emmener Meade, évidemment, et ce serait plus rapide d'y aller par voie de terre que par la mer. Il y avait tant de planification à faire. À cette pensée, un peu d'anxiété mêlée à de l'excitation lui noua l'estomac.

À quoi ressemblait-elle ?

Qu'est-ce qu'elle penserait réellement de lui ?

Devrait-il cacher sa condition, ou serait-elle la première à qui il le dirait de son plein gré ? L'image qu'il se faisait d'elle, malgré sa faiblesse une fois qu'elle aurait découvert ce que c'était réellement, n'était pas aussi mauvaise que celle où elle se sentait désolée pour lui. Il prit une profonde inspiration et ferma les yeux un moment. Ceci était sa vie, maintenant, et il devait continuer à la vivre, qu'importe sa réaction. Elle avait besoin de lui.

Il balança ses jambes au-dessus du lit et se leva. Un étourdissement soudain lui monta à la tête, faisant tourner et basculer la pièce. Il retomba sur son lit en expirant, comme si sa respiration était soufflée à l'extérieur de sa poitrine, et planta ses deux mains de chaque côté du matelas de plumes pour l'aider. Des respirations lentes et profondes. Il se concentra sur ses respirations.

Mais quelque chose n'allait pas. Quelque chose n'allait vraiment pas.

La porte de sa chambre s'ouvrit ; ce devait être son valet. Il tourna la tête. Trop rapidement. Une autre vague d'étourdissement le reprit.

— Allez chercher Meade, ordonna-t-il à son valet.

— Oui, Votre Grâce. Tout de suite.

Gabriel releva la tête malgré la nécessité de ne pas bouger pour limiter la sensation d'étourdissement. Venait-il d'entendre parler son valet ? L'espoir l'envahit, si grand qu'il arrêta de respirer, craignant de mal interpréter le moment. Le son avait été faible comme s'il était sous l'eau, mais il y avait eu un son, néanmoins. Il voulait se lever et aller rejoindre son valet, l'attraper par l'épaule, le faire tourner et lui demander de parler de nouveau, mais il se sentait si étourdi et nauséeux. Au lieu de cela, il appela :

— George, attendez, revenez !

Son valet se retourna, alarmé, et s'empressa vers lui.

— Votre Grâce, je vous en prie, retournez au lit. Vous avez l'air pâle. Vous sentez-vous sur le point de vous évanouir ?

Gabriel lui permit de redresser ses oreillers et de tirer le couvre-lit sur ses jambes. Il ferma les yeux, essayant d'arrêter la sensation en voyant la pièce qui tournait.

— George, je crois que si vous parlez clairement et assez fort, je pourrai comprendre ce que vous dites.

— Monsieur !

L'excitation dans la voix de son valet se reconnaissait.

— Je me sens terriblement mal. Étourdi, l'estomac à l'envers, particulièrement quand j'ouvre les yeux. La pièce bascule de l'avant à l'arrière. Appelez les médecins et Meade. Dites-leur de se dépêcher.

George avança la main et agrippa son bras dans un geste de réconfort.

— Dieu soit loué, Votre Grâce. C'est un miracle !

Gabriel secoua la tête au moment où les mots se rassemblaient. Un miracle. C'est ce pour quoi il avait prié, implorant Dieu aux petites heures de la nuit, quand personne ne pouvait voir le poids de la perte qu'il éprouvait quant à ce nouveau destin. Oui. Un miracle. Dieu l'avait entendu. Il avait réellement répondu à ses prières. Ou peut-être était-ce les prières d'Alexandria ? Il serait capable de l'entendre !

La peur hantait sa foi naissante. La peur disait que ça ne durerait pas. Il savait que quelque chose n'allait pas. Si son ouïe revenait, même si elle demeurait de cette étrange façon, comme congestionnée, il serait éternellement reconnaissant. Mais s'il ne pouvait ouvrir les yeux sans avoir la sensation de tomber sur le plancher, c'était pire encore. Quelle pensée misérable que celle-ci. Mais le fait que quelque chose était en train de changer, remuant de l'intérieur, devait être un bon signe. Meade ferait mieux de se dépêcher. Gabriel serra les poings et inspira bruyamment par le nez. Il devait voir les médecins.

Attendre les médecins lui sembla durer une éternité. George apporta du café et des rôties, puis du thé, et une tasse de chocolat chaud, essayant d'attiser son palais, mais juste de penser à quoi que ce soit dans son estomac le faisait se retourner à l'envers. Il pouvait seulement s'en tenir à un état d'équilibre précaire en demeurant assis droit, les yeux fermés.

Soudainement, il entendit la porte cogner contre le mur. Il l'avait *entendue* !

— Votre Grâce, est-ce vrai ? Pouvez-vous m'entendre ?

La voix de Meade était un cri d'exultation à travers l'énorme pièce.

Gabriel tendit une main, les yeux toujours fermés.

— Je vous entends comme si vous étiez à dix mille lieues sous les mers, mais je pourrais m'y faire.

Il ne put s'empêcher de faire un grand sourire.

— Le seul problème, maintenant, concerne ces étourdissements accablants. Je ne peux ouvrir les yeux sans avoir des haut-le-cœur. Demandez à ces médecins de l'oreille de Moorfields de venir ici ; était-ce Saunders et Curtis ? Et dites-le à Bentley. Le médecin de famille ne voudrait pas être tenu à l'écart et n'obtenir aucun crédit si je guérissais.

De la sueur perla sur son front après cet effort.

— Et apportez-moi un pot de chambre au cas où je serais malade. Mon Dieu, aidez-moi, ces étourdissements sont encore pires que de ne pas entendre.

Mais il avait un sourire dans la voix en donnant ses ordres. Il entendait de nouveau ! Les autres symptômes étaient temporaires, évidemment. Personne ne souffrait d'étourdissements permanents. Était-ce possible ?

Meade dit quelque chose, mais pas assez fort et trop embrouillé pour qu'il le comprenne, et il n'osa pas ouvrir ses yeux tout de suite.

— Dites-le encore, Meade. D'une voix forte et claire.

— J'ai dit : tout de suite, Votre Grâce. Restez assis calmement, et je vais aller chercher les médecins.

L'homme criait probablement, mais Gabriel ne s'en faisait pas. Il pouvait l'entendre. Un grand sourire illumina son visage. Il commença à rire avec joie, mais le mouvement fit empirer la sensation de tomber, comme s'il avait sauté d'une grande falaise et tombait, encore et toujours. Il s'agrippa à la couverture avec ses deux poings comme pour cesser de tomber.

Moins d'une heure plus tard, trois médecins étaient à son chevet, penchés au-dessus de lui, en train de le palper et d'insérer un objet de métal dans ses oreilles. Ils parlaient entre eux, mais il pouvait comprendre un mot ici et là, même s'ils parlaient tout bas et rapidement. Il essaya de chasser sa contrariété en même temps qu'il combattait la peur. Il semblait qu'il ne pouvait entendre qu'au moment où une seule personne parlait à la fois, et seulement si elle parlait très lentement et de façon claire. Finalement, il en avait assez.

— Je vous en prie, docteurs. Quel est le diagnostic ?

Il savait qu'il parlait trop fort, mais il n'y porta pas attention.

Il plissa les yeux et les regarda par les fentes. Ils arrêtèrent tous de parler en même temps et reculèrent. Le docteur Bentley s'éclaircit la gorge et lui sembla crier en parlant.

— Il semblerait que votre ouïe soit quelque peu revenue, Votre Grâce. Nous continuons à nous consulter sur la nature vertigineuse de votre situation actuelle. Le docteur Saunders recommande une infusion de thé faite de tilleul, à prendre trois fois par jour. Cela pourrait vous aider si vous avez de l'eau derrière l'oreille.

De l'eau derrière l'oreille ? Gabriel se remémora l'anatomie de l'oreille et de ce qu'il avait lu à propos des vertiges. Il avait fait une étude sur l'anatomie il y a quelques années, une branche de la science qu'il avait étudiée quand il était dans la vingtaine, allant même jusqu'à visiter la fameuse collection *La Specola,* à Florence. Il réfléchissait au fonctionnement délicat de l'oreille interne et de l'oreille externe. Il était possible qu'un diurétique l'aide. Il était prêt à essayer à peu près n'importe quoi, évidemment.

– Oui, oui, allez me chercher du thé. Meade envoyez quelqu'un chez l'apothicaire à toute allure. Achetez tout, si vous le devez.

Il tourna la tête vers les médecins dans un mouvement lent et en faisant attention.

– Combien de temps dureront ces étourdissements infernaux ? Et est-ce que mon ouïe ira en s'améliorant ?

Le docteur Curtis s'avança. Il était un jeune homme arborant une coiffure à la Napoléon, des vagues de cheveux peignés vers l'avant, coiffure qui faisait rage en France, et il était très propre dans son habillement.

– Nous ne le savons pas, Votre Grâce. Des cas comme le vôtre sont rares. Cependant, cela semble prometteur et, entre-temps, vous pouvez utiliser un cornet pour faciliter le passage du son.

Un cornet. *Merveilleux.* Comme un vieil homme. Mais il ne devrait pas se plaindre. Il devrait être à genoux à remercier Dieu de ce qu'il pouvait entendre. Et si le thé aidait à dominer les étourdissements et les nausées, eh bien, il se sentirait presque aussi bien que s'il était normal. Assez bien, par la grâce et la miséricorde de Dieu. Il irait de nouveau à l'église. La plupart des sermons le rendaient somnolent et l'ennuyait, mais il porterait maintenant attention à chaque mot.

Et l'opéra ! Le simple espoir de penser qu'il pourrait entendre la musique de nouveau le mit dans un état d'euphorie. Il frotta son visage d'une main, espérant que ses lèvres ne tremblaient pas. Juste à cette pensée, son cœur se mit à battre d'excitation. Il prendrait son cornet pour l'opéra sans porter attention à ce qu'il avait l'air. Cela en vaudrait la peine. Il irait dès cet après-midi s'il pouvait se sortir de ce lit infernal et marcher !

Mais il ne pouvait quitter le lit. Les étourdissements continuèrent pendant trois jours, quelques fois si intenses qu'il en vidait son estomac. Il maigrissait et était déshydraté, une nouvelle source de frayeur. De plus, il devait réussir à garder les liquides, incluant l'infusion de tilleul qui le faisait courir au pot de chambre plus souvent qu'il ne pouvait le compter, ce qui n'aidait pas son corps à garder assez de liquides. C'était un cycle qui ne fonctionnait pas. Prendre un diurétique pour l'oreille interne, puis ne pas être capable de garder assez de nourriture pour lui donner de la force. Il s'affaiblissait… il pouvait le sentir. Petit à petit, sans énergie. Il se mit à penser qu'il pouvait en mourir.

Le quatrième jour, les étourdissements cessèrent aussi vite qu'ils étaient apparus. Il se réveilla un matin et constata qu'il pouvait tourner la tête sans que la pièce se mette à tourner elle aussi. Il y avait un bourdonnement dans ses oreilles qui rendait l'ouïe difficile, mais tout de même, il pouvait entendre si la personne qui parlait le faisait lentement, en prononçant bien et assez fort. Cela était loin d'être normal, mais c'était une amélioration.

Après deux autres jours où il fut bien nourri, ses forces commencèrent à revenir. À la fin de la semaine suivante, il commençait, lentement, à réintégrer sa routine. Le moment était venu de faire un essai. Avant même qu'il ne puisse considérer s'il avait l'endurance requise pour voyager à travers la moitié de l'Angleterre jusqu'à Holy Island et rendre visite à sa pupille récalcitrante, il pensa qu'il devait assister avec succès à l'opéra. L'endroit où le cauchemar avait commencé.

L'air de la nuit était frais et il passa son manteau sur ses épaules, le cornet dans l'une de ses poches, puis il se dirigea vers le grand carrosse arborant les armoiries de St. Easton sur le côté. La devise, *sa devise,* apparaissait en français, formée de lettres toutes en volutes, sous la licorne et le taureau. «Foy pour devoir», disait-elle. Il marqua une pause en y réfléchissant. Il connaissait certainement ce qu'était son devoir. S'installant à l'intérieur du carrosse, il appuya la tête contre le haut du siège et ferma les yeux. Le carrosse commença à descendre la route avec de légères secousses vers le théâtre royal, sur le chemin Drury.

L'anticipation, le maigre espoir, la crainte de faire face aux gens, et le moment où il découvrirait s'il pouvait entendre la musique pour vraiment l'apprécier, tout cela était difficile. Le carrosse arriva devant le grand bâtiment et s'arrêta. Il n'attendit pas que son cocher lui ouvre la porte, mais sauta plutôt en tenant son chapeau qui partait au vent, empressé, presque désespéré d'en finir avec tout cela.

La foule était petite, un calcul délibéré, car il était assez tard. La tête baissée, il s'empressa de traverser l'élégante salle de réception vers un escalier derrière, évitant le grand escalier où quelques-uns des membres des plus élégamment vêtus de la haute société flânaient encore, espérant voir et être vus. Il rencontra un serviteur en montant, mais ignora le regard inquisiteur. Il descendit le hall sombre où étaient les loges des plus riches, flanquées au balcon d'où l'on pouvait voir la foule plus bas. Presque rendu. Juste au moment où une bouffée de satisfaction emplit sa poitrine, une connaissance s'avança dans l'allée.

Il releva les yeux assez rapidement pour éviter de s'écraser sur l'homme. Il y avait une dame élégante à son bras, mais son nom lui échappait.

— Votre Grâce, il est bon de vous revoir. Cela fait quelque temps qu'on ne vous a pas vu à l'opéra. Nous commencions tous à nous inquiéter.

Gabriel regardait ses lèvres et tenta de continuer avec le bavardage habituel.

— Lord Berwin.

Il inclina la tête pour l'homme, puis pour la dame.

— J'ai été plutôt occupé, dernièrement, mais j'ai bien hâte d'entendre la performance de ce soir.

L'homme eut l'effronterie de lui taper sur l'épaule, ce qui déclencha un bourdonnement dans ses oreilles et bloqua encore plus le son. Le désespoir et la colère l'envahirent, faisant monter la chaleur à ses joues. Il expira et regarda l'homme de façon à ce qu'il comprenne de ne plus le toucher dorénavant.

Berwin sembla le saisir et se fondit en excuses tout en reculant. S'inclinant devant Gabriel, il tourna la femme de côté et fila, faisant claquer sa queue de pie.

Gabriel pressa les doigts sur l'arête de son nez et prit une grande respiration. Sa loge. Il avait juste besoin de s'asseoir dans la quiétude de sa loge.

Quelques moments plus tard, il s'installa dans l'ombre, à l'arrière de la petite enceinte. Il sortit le cornet et le posa sur ses genoux. Chaque muscle de son corps était tendu au moment où le rideau se leva et que la femme sur la scène ouvrit la bouche pour chanter. C'était vague et monotone.

Il se frotta les tempes, puis le point de douleur entre les yeux. Dieu aidez-le. Sa tête commençait à lui faire mal et son cœur se mit à battre. Qu'arrivera-t-il si cela survient de nouveau ? Il fixa la scène, enthousiaste à l'idée d'entendre la beauté des notes de musique, enthousiaste à l'idée que l'expérience produise la même émotion que d'habitude.

« Mon Dieu, j'ai besoin de tout cela ! »

Le son était de plus en plus monotone, comme s'il tombait dans un long tunnel étroit. Il diminuait de plus en plus. Gabriel pressa le cornet plus profondément dans son oreille, le désespoir le saisissant. Il perdait l'ouïe de nouveau. Il quitterait cet endroit encore sourd.

« Oh ! Mon Dieu. »

Il saisit le cornet dans son poing, pressant très fort. D'une manière détachée, il le sentit se briser dans sa main. Il ouvrit la main et regarda les écailles de tortue. Elles tenaient dans la paume de sa main, avec de belles teintes de bleu vert, quelques morceaux tombés sur le plancher.

« Mon Dieu. Ne laissez pas cela arriver. »

Il devait sortir de là. Courir.

Il venait juste de se lever, la panique à la gorge, au moment où il vit quelque chose du coin de l'œil. Il retomba sur sa chaise, ayant peur que sa tête n'éclate comme la dernière fois où il avait assisté à l'opéra.

Il ferma les yeux et prit de longues et profondes respirations. Il ne ressentait pas de douleur. Il ne pouvait entendre plus que de faibles notes de musique, mais il n'y avait aucune douleur. Il battit des paupières en ouvrant les yeux. Des raies de lumière, puis de minces stries de couleur — bleu, violet, vert — traversaient sa vision. Il battit des paupières, les couleurs dansant au rythme de la musique. Cela provenait de la scène, de l'orchestre et de la femme qui chantait. Les couleurs firent des vagues ondulantes, dansant entre elles, telles des jets de couleur vivante.

« Mon Dieu, que m'arrive-t-il ? »

Une peur étrange et inconnue l'envahit. Si beau. Ce n'était pas la même chose que d'entendre la musique, mais… cela était terriblement beau.

Chapitre 10

Le vent d'octobre soufflait des rafales d'air frais sur son visage et à l'intérieur de sa cape au moment où Alex suivait la courbe de la route vers Whitehaven. C'était une ville côtière reconnue pour son charbon et son port, de ce qu'en savait Alex. Les bateaux faisaient le commerce du charbon, du tabac et du rhum d'ici, ce qui rendait la petite ville florissante. Elle sortit la note avec l'adresse que Missy lui avait donnée et jeta un coup d'œil de côté vers son compagnon de voyage.

Il n'avait pas beaucoup parlé depuis qu'il l'avait sauvée. Il avait seulement trotté à côté d'elle, sur le cheval du lieutenant, comme s'il l'avait monté depuis toujours, et qu'ils étaient de bons amis. Elle était hésitante à briser le silence la première, mais il n'y avait rien à perdre alors elle afficha un sourire éclatant et lui montra la note.

— Je dois retourner ce cheval à un homme du nom de Paul Keys. Sa sœur me l'a loué pour ce voyage.

— Ah!

Il posa ses yeux d'un bleu saisissant sur la note, puis de nouveau sur la route.

— J'ai l'adresse ici, mais je dois avouer que je n'ai aucune idée de l'endroit où le trouver...

Elle regarda l'adresse gribouillée.

— Il est écrit 43, rue Lowther. Connaissez-vous Whitehaven ?

— Assez bien.

Il lui fit un petit sourire bref, presque sans rire, qui fit apparaître des rides sur son visage.

— C'est bien, je redoutais le moment où je devrais le chercher. On ne sait jamais quel est le meilleur endroit où arrêter et poser des questions dans une ville qui ne nous est pas familière.

Elle lui sourit en essayant de l'encourager à lui répondre.

Il la regarda, d'un long regard persistant cette fois.

— Pourquoi faites-vous ce voyage ? Cela doit être quelque chose de très important pour que vous preniez tous ces risques en étant seule.

Alex fit un signe de tête, regardant ses mains gantées. Il la prendrait pour une idiote. Elle devrait donner une explication raisonnable de son voyage aux gens, mais son esprit ne trouvait aucune autre excuse que la vérité.

— En fait, j'ai reçu une lettre disant que le régent et quelques autres personnes croient que mes parents sont... qu'ils ont péri.

Elle déglutit avec peine et le regarda.

— Je crois que je vais essayer de découvrir si c'est vrai.

— Vous avez des raisons de croire que ce n'est pas vrai ?

— Eh bien, oui. Vous voyez, mes parents sont souvent loin de la maison à vivre une aventure ou une autre. Ils sont en quelque sorte des chasseurs de trésors, des limiers, comme on pourrait dire. Les gens les engagent pour retrouver des choses ou résoudre un casse-tête... C'est vrai! affirma-t-elle au moment où les sourcils de l'homme se rapprochèrent d'un air intrigué. Ils sont assez reconnus pour cela.

— Hmmm. Et depuis combien de temps sont-ils partis, cette fois ci?

Alex se mordit la lèvre inférieure.

— Une année. Oui, cela est plus long que d'habitude, mais ils m'ont envoyé des lettres. Et... Je sais simplement qu'ils sont en vie. Ils ont peut-être des problèmes. Ils ont peut-être besoin de moi.

— Alors vous vous en allez seule à leur recherche?

Dis de cette façon, cela semblait irréfléchi et même ridicule. Elle n'avait même pas une arme ni la connaissance de la façon de l'utiliser si elle en trouvait une par magie.

— Je n'avais pas d'autres choix, murmura-t-elle vers ses mains.

— Quand avez-vous reçu la dernière lettre?

Alex grimaça.

— Il y a dix mois environ.

Elle s'empressa de dire le reste.

— Le cachet de la poste est de Belfast, en Irlande. Je pourrais y trouver des indices pour savoir ce qui aurait pu leur arriver. Ils doivent avoir parlé à des gens; je sais que je peux découvrir ce qui leur est arrivé. Je... je dois essayer. Je ne peux m'en retourner et seulement attendre sans rien faire. Je ne le peux pas.

Ses yeux étaient noyés de larmes.

Montague s'éclaircit la gorge.

— Eh bien, vous vous êtes rendue jusqu'ici, n'est-ce pas?

Elle renifla et fit face au vent et à la ville.

— Oui, je suppose que je l'ai fait.

Il ne dit plus rien pendant plusieurs minutes, puis soudainement :

— J'ai un neveu qui habite à Dublin. Peut-être que ce serait un bon moment pour lui rendre visite.

Alex se retourna vivement vers lui, les yeux grand ouverts. Est-ce qu'il lui offrait de voyager avec elle ? De la garder en sécurité ? C'était comme si Dieu lui avait envoyé un vieil ange guerrier pour veiller sur elle.

— Je suis certaine que votre neveu serait des plus heureux de vous revoir.

Elle lui fit un sourire éclatant, ce qui lui fit se râcler la gorge et regarder de l'autre côté.

Un petit frisson de plaisir la parcourut. Il était tout à fait d'accord !

Ils tournèrent dans une petite rue étroite, Montague lui faisant signe de le suivre, et arrivèrent bientôt à ce qui semblait être une petite boutique vieillotte. Elle avait de grandes fenêtres au rez-de-chaussée, et des plus petites à l'étage, probablement l'appartement où le propriétaire vivait. L'enseigne sur le bâtiment se lisait : « Keys Pottery », avec le numéro 43 en-dessous. Ce devait être l'endroit où habitait le frère de Missy.

Ils sautèrent de leur monture, veillant à ce que les chevaux soient bien attachés au poteau, puis entrèrent par une porte verte. L'intérieur était un peu sombre et quelques secondes furent nécessaires pour que la vue d'Alex s'adapte à la pénombre. Une fois que ce fut fait, elle sourit. Il y avait des étagères et des comptoirs sur chaque mur, avec des rangées complètes de bols, de tasses, de pichets et de pipes. Un grand nombre avait un dessin de bateau voguant sur l'eau dans de jolies couleurs. Comme elle souhaitait pouvoir rapporter quelque chose à Ann. Elle serait sûrement pâmée d'admiration devant le grand pichet arborant des oiseaux prenant leur envol.

Une voix l'interrompit.

— Puis-je vous aider ?

Elle releva les yeux pour apercevoir la copie masculine de Missy. Des cheveux foncés et ondulés et de grands yeux bruns. Elle lui sourit.

— Je cherche monsieur Paul Keys.

Il rougit et jeta un coup d'œil de côté.

— Ce serait moi.

— Oh ! merveilleux. Vous voyez, je viens juste d'arriver de Carlisle, et votre sœur m'a loué un cheval pour faire la route. Son nom est Sorrel et il appartient à un ami de votre sœur. Elle m'a demandé de l'emmener ici, à vous, car je continue ma route vers l'Irlande.

Paul jeta un coup d'œil à Montague qui se tenait près d'elle.

— Voulez-vous que je garde un cheval ?

— Juste pour quelques heures. Votre sœur viendra le chercher plus tard ce soir, quand elle aura fini son travail de la journée. C'était très gentil de sa part, car mon carrosse a brisé.

Elle marqua une pause, se rendant compte que son histoire avait changé, et essaya de se souvenir si elle avait dit quelque chose de différent à Montague.

— C'est que mon cocher est tombé malade et devait aller à la ville voisine par affaires et…

Elle leva les mains dans les airs comme une gourde. Elle devait réellement cesser d'inventer des histoires si facilement !

— De toute façon, elle m'a loué ce cheval et a dit de vous le ramener. Cela ne vous dérange pas ?

Le fait que ses cils aient commencé à battre un peu plus vite lui conféra un air misérable, mais elle attendit, laissant le silence s'installer d'une façon que personne ne lui avait montré mais qui semblait toujours fonctionner.

Paul rougit un peu plus et regarda partout dans la pièce.

— Je serais heureux de vous le reprendre, mademoiselle.

— Oh ! quelle idiote je suis !

Alex tendit la main.

— Je suis Alexandria Featherstone et — elle se retourna vers Montague et gesticula vers lui avec sa main gantée — voici mon aimable escorte, monsieur Montague.

Elle lui envoya un beau sourire et releva les sourcils.

— J'aimerais bien pouvoir acheter quelque chose de votre boutique. Vous avez de si beaux objets ! Mais, hélas ! je dois voyager pour quelque temps et je ne devrais rien ajouter à mes bagages si je le peux.

— Merci, mademoiselle Featherstone. Peut-être sur le chemin du retour ?

— Oh oui. C'est une très bonne idée. Je devrai m'en souvenir.

Paul hésita.

— J'ai quelque chose de plutôt petit.

Il se retourna et s'en alla, sa grande taille passant par une porte, puis tournant le coin, et il revint avec quelque chose dans la main. Il ouvrit la main et lui montra un petit canard blanc avec deux petits canetons jaunes.

— Oh ! comme ils sont jolis ! Les avez-vous faits vous-mêmes ?

Du coin de l'œil, elle surprit Montague qui roulait les yeux, les bras croisés devant lui.

— Oui, et je voudrais vous les offrir. Ils ne prendront pas beaucoup de place.

— Je ne peux que simplement les prendre. Combien coûtent-ils ?

— J'insiste.

Il tint le trio jusqu'à ce qu'Alex lui permette de les déposer dans sa main.

— Merci beaucoup. Vous êtes trop aimable, monsieur.

Il lui sourit, se détournant ostensiblement de Montague.

— Peut-être qu'ils vous rappelleront d'arrêter ici sur le chemin du retour ?

— Oh ! oui. Ce fut un plaisir, monsieur.

Ils se dirigèrent vers la sortie et laissèrent Sorrell au jeune homme qui la regardait passionnément. Elle monta sur le cheval du lieutenant, et Montague se hissa derrière elle. Elle s'appuya sur lui et envoya la main à Paul, lui disant au revoir jusqu'à ce qu'il ne soit plus en vue. Puis elle s'exclama :

— Quel gentil jeune homme !

— Hum.

Alex regarda devant, ignorant le commentaire. Juste un peu plus loin, elle pouvait entrevoir de l'eau. Ils étaient si près. Après avoir parcouru deux autres pâtés de maisons vers le port, elle entendit à peine murmurer Montague :

— Gentil jeune homme, hmmm ? Le vrai danger, ce sont les hommes qui perdent la tête après l'avoir rencontrée. Elle n'a pas besoin de protecteur. Une muselière ferait très bien l'affaire. Une muselière et une poche de patates sur la tête.

Alex en eut le souffle coupé.

— Une poche de patates ! Vous n'oseriez pas ? Peut-être que votre neveu ne serait pas heureux de votre visite, après tout. Peut-être qu'il est occupé !

Montague lui fit un petit pincement à l'avant-bras.

— N'oubliez pas à qui appartient le cheval que nous montons. Vous pensez qu'il ne reviendra pas le chercher ? Je me demande dans quelle humeur il sera quand il vous rencontrera la prochaine fois.

À ces paroles, une frayeur soudaine envahit le cœur d'Alex.

— Excusez-moi. Peut-être ai-je agi avec un peu trop de précipitations. J'apprécie beaucoup votre compagnie. Merci, Montague. J'essaierai de ne pas attirer l'attention.

— Ce serait sage, ma chère. Chaque fois que vous êtes en mission de quelque importance ou si secrète soit-elle, vous devez apprendre à vous fondre dans le paysage.

Alex laissa les mots s'imprégner en elle, sachant que c'était vrai.

— Montague, de quelle façon avez-vous appris ces choses ? Et comment avez-vous appris à si bien vous battre ?

— J'ai été soldat pendant plusieurs années, murmura-t-il de sa voix profonde. Et j'ai voyagé par affaires à travers le monde pour le roi. Cela m'a pris plusieurs années pour maîtriser ma nature et entraîner mon corps à la soumission. Mon but est le même que celui de l'apôtre qui a dit : « Ne vous modelez pas sur ce monde-ci afin de vous renouveler, mais transformez-vous en renouvelant votre esprit, afin de discerner quelle est la volonté de Dieu, ce qui est bon, agréable, parfait. »

Alex réfléchit aux Écritures. Elle n'était pas certaine que de se dépêcher à retrouver ses parents était la volonté de Dieu ; pour dire la vérité, elle avait eu peur de le demander à Dieu et d'entendre quelque chose qu'elle ne voulait pas. Mais ce que Montague venait de citer des Écritures semblait être beaucoup plus gros que de demander à Dieu une réponse spécifique. Qu'importe ce qu'elle ferait ou qu'importe l'endroit où elle irait, Dieu utiliserait la situation pour la mettre à l'épreuve, pour lui montrer le droit chemin, ce qui est bon et acceptable. Elle n'avait qu'à ne pas se conformer à ce monde et renouveler sa pensée.

— De quelle façon une personne peut-elle renouveler sa pensée pour démontrer la volonté de Dieu ?

— À travers les Écritures et les essais.

Montague gloussa.

— Votre voyage devrait vous donner plusieurs occasions de vous mettre à l'essai.

— Oh là là ! murmura Alex. Je ne suis pas certaine que j'aime ce que je viens d'entendre.

Montague s'esclaffa de nouveau. Il n'ajouta rien, mais donna juste un petit coup dans les flancs du cheval qui les amenait vers le port et le traversier qui les mènerait de l'autre côté de la mer d'Irlande.

Le traversier *Saint Patrick* voguait sur la mer d'Irlande, bondé, sous un temps froid et venteux. Le vent qui semblait rude sur la route était comme un couteau pénétrant les vêtements d'Alex sur le pont du bateau. Elle se tenait à la rambarde, regardant à travers l'eau grise et agitée, tandis que Montague était parti se promener quelque part. Elle avait appris à ne pas le questionner de trop près sur ses affaires. Son regard, quand elle empiétait la frontière invisible de son intimité, était assez fort pour renvoyer un chien la queue entre les pattes. Il la retrouverait au moment où il serait prêt, elle en était certaine. De plus, il ne l'aurait pas laissée seule s'il avait pensé qu'elle n'était pas en sécurité.

Elle jeta un coup d'œil aux gens entassés à côté d'elle. Plus de femmes et d'enfants qu'elle aurait pu l'imaginer. Le voyage durerait quatre heures jusqu'à l'île de Man, la destination de quelques-uns des passagers, puis trois autres heures jusqu'à Belfast. Cela leur avait coûté dix-sept shillings chacun. Elle avait offert à Montague de payer son passage, mais, évidemment, il l'avait regardée d'une façon convaincante ; cela lui avait suffi pour laisser tomber.

Il devait savoir qu'elle pensait à lui, car il arriva derrière elle. Il tenait à la main un morceau de papier.

— Après avoir acheté les billets, je suis allé au bureau de poste pour vérifier s'il y avait de la correspondance. Il semble que vous ayez quelqu'un d'important qui vous écrit.

Alex se mordit la lèvre inférieure et prit la lettre. Seulement une lettre du duc était assez importante pour qu'elle l'ait suivie à Whitehaven. Elle avait demandé à Ann de lui faire suivre tout son courrier jusqu'à Belfast, le temps qu'elle serait partie. Peut-être que ses parents lui écriraient ? Elle devait recevoir son courrier.

En prenant la lettre, elle jeta un coup d'œil à l'écriture familière du duc, faite de longs traits appuyés. Elle repensa à sa demande pour avoir des fonds. L'avait-il crue ? Avait-il envoyé des fonds ?

— Merci, Montague.

Elle se retourna et brisa le sceau ducal. La gorge serrée, elle l'ouvrit et commença à lire.

Chère Lady Featherstone,

Il ressort clairement de vos lettres que vous avez besoin de conseils. Je devrai me rendre à Holy Island à toute allure pour vous aider avec les calamités qui tombent sur vous depuis la mort de vos parents. N'ayez crainte, ma chère, je vais m'occuper de tout.

Pouvez-vous me faire connaître vos mensurations lors de votre prochaine lettre ? Si je comprends bien, vous avez besoin d'une nouvelle garde-robe, et j'aimerais que l'une des meilleures modistes de Londres vous confectionne des vêtements de dernière mode pour une jeune femme de votre statut. On ne retrouvera aucune pupille de ce nom se promenant dans la campagne en haillons. Une description de votre teint serait aussi appréciée.

Je confesse que j'ai bien hâte d'avoir le plaisir de vous rencontrer en personne et de mettre un visage à l'image que vous m'avez laissée en tête. Et je vous remercie de vos prières et de votre offre de me confier à vous. Nous parlerons de tout cela à Holy Island.

Vôtre,

St. Easton

Alex s'appuya à la rambarde avec un soupir, son cœur rempli d'appréhension.

— Quelque chose qui cloche ? demanda Montague, un sourcil relevé.

Alex fit signe que oui et pressa sa main gantée à sa bouche. Oh oui, il y avait quelque chose qui clochait vraiment.

Chapitre 11

Gabriel trébucha à sa porte d'entrée, la ferma et s'appuya dessus. Il haletait comme s'il avait couru depuis la maison de l'opéra au lieu de se laisser conduire dans son carrosse confortable. Son conducteur avait jeté un regard à son visage ravagé et s'était empressé de les mener à la maison en traversant les rues de Londres. Tout au long du chemin du retour, Gabriel avait essayé de se convaincre qu'il n'était pas en train de perdre la raison. La sensation que quelque chose n'allait pas avec son cerveau était encore pire.

Il se remémora un essai qu'il avait lu il y a longtemps, écrit par Jonathan Swift, en ce qui concerne le cerveau, et se demanda s'il l'avait toujours. Swift et d'autres chercheurs avaient écrit à propos d'expériences menées avec un courant électrique pour corriger le fonctionnement du cerveau. Peut-être que Gabriel devrait commencer à songer à des méthodes alternatives pour recouvrer son ouïe. Oui, ça y était. Il avait besoin de ressortir des livres et de vieux manuscrits qu'il avait étudiés il y a des années, et trouver lui-même sa propre cure. Il était plus éduqué que les médecins de toute façon.

Il y avait eu un moment dans sa vie où il avait souhaité ne pas être un duc, et il aurait pu étudier la médecine et devenir un médecin, mais il n'avait pas osé le dire. Un petit rire s'échappa de sa gorge alors qu'il s'éloignait de la porte et imaginait le visage de son père s'il avait osé mentionner ses nombreux champs d'intérêts au cours des années. Les ducs étaient supposés se diriger vers le puissant domaine de la politique, politique sociale principalement, mais en temps de guerre, l'influence d'un duc pouvait, et avait plusieurs fois pu, avoir un impact sur l'histoire.

Et ce n'était pas parce qu'il ne cultivait pas les bonnes relations, au contraire. Mais tout était si facile, et la seule chose qui pouvait le sauver de l'ennui était un défi constant. Il avait grand besoin d'étudier intensément, puis, après avoir appris tout ce qu'il pouvait sur un sujet, il s'ennuyait, déprimé pour un moment, jusqu'à ce qu'un nouveau centre d'intérêt surgisse. Cette façon de faire s'était répétée tout au long de sa vie — se plonger dans les études et découvrir avec une jubilation grisante, et s'effondrer par la suite dans le découragement au moment où il avait appris tout ce qu'il pouvait sur le sujet. Rendu dans la trentaine, il avait étudié chaque branche de la science, de l'histoire, de la géologie, de l'agriculture, des langues, des mathématiques, de la philosophie et de la religion, sans négliger les défis physiques de l'escrime, la maîtrise de toutes les sortes d'armes, la lutte, l'élevage et les courses de chevaux ; la liste était presque sans fin.

Au moment où tout avait cessé de l'impressionner, il s'était tourné vers le dernier sujet inconnu — les arts. Des avenues de créativité sans fin. La peinture, la sculpture, le dessin. Il a essayé la poésie et même l'invention. Mais la musique est demeurée la seule passion qui ne pouvait s'éteindre. Il avait une des plus élégante chambre de musique du monde dans sa maison du Wiltshire. Il y avait passé des heures, essayant d'apprendre le pianoforte, le violon, le chant. Et il avait échoué, misérablement échoué. Il voyait l'habileté naturelle, le génie de Mozart, Beethoven, Bach et Handel, et savait qu'il ne pourrait jamais, même en étudiant pour le reste de sa vie, maîtriser une simple pièce de musique comme ils l'avaient fait.

Voyant son valet approcher, il revint au moment présent et enleva son manteau pour le lui remettre.

— Vous avez un visiteur, Votre Grâce.

— Hein ?

Gabriel prononça le mot, puis se mordit la langue. La voix du valet était probablement assez forte pour réveiller un mort, mais Gabriel devait porter une attention particulière pour l'entendre. Il regarda les lèvres de l'homme bouger tandis qu'il répétait la phrase.

— Un visiteur ? Qui est-ce ?

Il ne pouvait imaginer rencontrer quelqu'un présentement, excepté, peut-être, Albert, mais il était retourné à la campagne, l'endroit où devrait être Gabriel — se cachant, n'assistant pas à l'opéra et ne planifiant pas de voyages pour le Northumberland.

— Sir Edward Brooke, Votre Grâce.

Le valet lui donna le carton du visiteur.

Gabriel le prit et lu le nom. Edward Brooke. Un des conseillers du prince régent et un ami du premier ministre, comte de Liverpool, un homme très puissant. Mais comment allait-il pouvoir tenir une conversation complète ? Il devait y faire face. En tenant cette rencontre, il risquait tout. Une fois que la cour royale connaîtrait son état, cela ne prendrait pas beaucoup de temps pour que les commérages n'atteignent la société anglaise au grand complet.

Gabriel s'imagina l'effondrement de l'empire qu'il avait édifié depuis les neuf dernières années. Ils ne croiraient plus en lui. S'il montrait quelques faiblesses, ils ne lui feraient plus confiance. Cela était un château de cartes de toute façon, des investissements basés sur des relations, elles-mêmes basées sur d'autres investissements. Mais que pouvait-il faire ? Brooke était manifestement décidé à le rencontrer, car il avait attendu son retour de l'opéra. Gabriel ne pourrait l'éviter indéfiniment. Une personne ne refuse pas de rencontrer les hommes du prince régent quand ils se manifestent. Cela équivaut à un refus au prince régent, et cette conduite pouvait mener tout droit à la trahison et à la tour.

Prenant une respiration tonifiante, il fit un signe de tête à son valet et se tourna vers le salon du devant où les visiteurs étaient reçus. Il s'avança vers la poignée de la porte et marqua une pause. Sa main tremblait, la peur l'envahissait comme une ombre sur son âme.

« Arrête cela. »

Il pouvait entendre assez bien et, de plus, il pouvait lire sur les lèvres de l'homme. Il devrait s'en tirer. Il tourna la poignée et poussa la porte pour l'ouvrir.

— Sir Edward, quelle surprise ! Je m'excuse de vous avoir fait attendre.

L'homme, un gentilhomme trapu avec d'épais favoris et une tête de cheveux noirs parsemés de gris, se leva et fit une petite révérence à Gabriel. Il dit quelques paroles polies à propos des inconvénients avec un geste de la main qui les balayaient au passage. Gabriel marcha jusqu'au buffet et fit un geste vers les carafes de cristal.

Brooke hocha la tête en réponse. Gabriel lui tourna le dos pour verser les boissons, mais jeta un coup d'œil par-dessus son épaule pour vérifier si son interlocuteur était en train de parler. Il ne parlait pas. Il se tourna et s'assit en face de Brooke, puis tapota son oreille, l'inspiration venant.

— Je crains de souffrir d'un rhume ignoble qui a bouché mes oreilles. Vous allez devoir parler fort ou, si cela ne fonctionne pas, écrire sur le papier la nature de votre visite.

Il attendit, retenant son souffle d'anticipation de sa réaction.

Les yeux de Brooke rétrécirent, mais il hocha la tête et parla plus fort, ses lèvres énonçant clairement les prochains mots.

— Je suis désolé d'apprendre cette nouvelle, Votre Grâce. Avez-vous consulté un médecin ? Le médecin du prince régent serait peut-être disponible, si vous voulez que j'en fasse la demande.

— Non, non, ce n'est rien.

Gabriel balaya de la main les inquiétudes à ce propos.

— J'ai d'excellents médecins qui s'occupent de moi. Ce devrait être juste une question de temps, et puis — il tapota sa tempe trois fois — ce qu'il y a là est aussi bon qu'avant.

— Eh bien, c'est un soulagement, n'est-ce pas ?

— Qu'est-ce que je peux faire pour vous ?

Brooke regarda de côté pour un bref moment, comme s'il rassemblait ses pensées, puis avec ses yeux intenses remplis d'intelligence, il rencontra ceux de Gabriel.

— J'ai une faveur à vous demander. À vrai dire, le prince régent a une faveur à demander.

— Le prince régent ? J'espère n'avoir rien fait qui puisse déplaire à Sa Majesté.

Gabriel prit une boisson fortifiante et posa le verre sur la table. Juste ce dont il avait besoin. Le prince régent qui lui voulait une faveur.

— Pas du tout.

Brooke le rassura avec un geste de la main.

— Je sais que vous êtes membre de la Société des objets d'art antique, n'est-ce pas ?

Un malaise s'installa comme un serpent qui s'éveille. Les membres de cette société étaient étranges, férus de passion pour les trésors de la terre.

— Objets d'art antique, vous dites ?

— Oui.

Brooke hocha la tête.

— Je suis un membre de la société, comme de la majorité des sociétés et des clubs de Londres, mais je n'ai pas été très actif, récemment. Ma collection ne se compare pas à celle de la plupart des membres. Cela a été pour moi une période de diversion qui est passée maintenant, j'en ai bien peur. Pourquoi me demandez-vous cela ?

Brooke serra les lèvres et respira profondément du nez, sa poitrine en forme de baril se soulevait et se rabaissait au moment où il regardait Gabriel d'une façon alarmante. Pour quelque raison, le prince régent avait besoin de lui. Et Brooke ne voulait pas l'écrire ; il ne voulait pas laisser de preuve, Gabriel en était certain. Des pointes de malaise mélangées à de la curiosité le fit s'avancer vers Brooke. Gabriel reposa ses coudes sur ses pantalons d'équitation parfaitement coupés et releva les sourcils avec intérêt.

Brooke s'avança aussi, parlant lentement.

— Avez-vous entendu parler de Hans Sloane ?

Gabriel regarda ailleurs en réfléchissant. Le nom lui sonna une cloche lointaine. Le médecin du roi George II, n'est-ce pas ? Il y a environ un siècle ? Et le plus grand collectionneur d'objets d'art antique de son temps. Il hocha la tête vers Brooke.

— Un collectionneur avide d'objets d'art, si je me souviens bien. N'était-il pas le récipiendaire de la collection de William Courten ?

— Oui, oui.

Les yeux de Brooke brillèrent d'enthousiasme.

— Des cabinets remplis de livres, de manuscrits, d'images, de dessins, de flore, de faune, de médailles, de monnaie, de sceaux et toutes sortes de curiosités.

— Et avec la bibliothèque du roi George, ils ont débuté le British Museum, n'est-ce pas ?

Brooke approuva avec un petit sourire.

— J'espérais que vous soyez au courant.

— Eh bien, comme je vous l'ai dit, je ne suis pas un expert en la matière. La plupart des gens connaissent Sloane.

Que lui voulait Brooke ? Il y avait des gens beaucoup plus connaissants que lui sur ce sujet.

— Votre Grâce, il y a un manuscrit qui est manquant de la collection depuis longtemps. Cela a été porté à l'attention de la couronne que nous devons trouver ce manuscrit.

Il marqua une pause, sortit un mouchoir et s'épongea le front.

— Il y a plusieurs mois, cette tâche m'a été assignée. J'ai engagé des enquêteurs, des chasseurs de trésor, devrais-je dire, très reconnus pour trouver des choses manquantes ou cachées dans les confins de la terre.

Il marqua de nouveau une pause et attendit, probablement pour s'assurer que Gabriel avait entendu et compris.

— Oui, je comprends. Ceci est une histoire intéressante, mais en quoi suis-je concerné ? Je ne suis pas un expert dans ce domaine.

— Non, mais vous y êtes lié depuis peu, et le prince régent sentait que vous deviez être au courant. À vrai dire, le prince régent insiste pour que vous le sachiez.

— Savoir ?

— Votre pupille, lady Alexandria Featherstone.

La tête de Gabriel se redressa, un instinct protecteur s'élevant à l'intérieur.

— Oui ?

Brooke prit une grosse gorgée, puis posa le verre vide sur la table en face de lui. Il fixa Gabriel dans les yeux.

— Ses parents étaient les chasseurs de trésor que j'avais engagés. Ils étaient à la recherche de ce manuscrit depuis près d'un an, puis ils ont disparu. Cela semblait mieux, pour le prince régent, de les déclarer morts, pour empêcher que quelqu'un d'autre ne les recherche, mais nous ne sommes... pas certains de ce qui leur est arrivé. Nous désirons qu'Alexandria soit sous protection, et le prince régent croit que le moment est venu pour vous de lui rendre service, que vous fassiez votre devoir envers la couronne. En vérité, vous n'êtes pas parent avec les Featherstone, mais c'était la meilleure façon d'expliquer votre implication. Alexandria pourrait être en danger. Tant que nous ne saurons pas ce qui est arrivé à ses parents et que nous ne trouverons pas le manuscrit, elle aura besoin de votre puissante protection. Comprenez-vous ?

Gabriel déglutit péniblement, repensant à ses lettres idiotes qui lui apportaient une joie inexplicable jusqu'au fond du cœur. Il avait été trop pris par sa propre tragédie… Pardonnez-lui, Seigneur, il n'avait pas du tout pris soin d'elle. Il approuva.

— Je comprends. Je vais la faire venir ici, et elle restera avec moi jusqu'à ce que le tout soit réglé. Je vous prie de rassurer le prince régent en lui disant que le bien-être d'Alexandria deviendra la plus grande de mes responsabilités.

Brooke sourit, contenté.

— Merci, Votre Grâce.

Il commença à se lever du divan de soie, mais Gabriel l'arrêta avec une main.

— Une question de plus, si vous le permettez ?

Brooke se rassit et replia les mains sur ses genoux.

— Si le danger est si grand, je devrais être au courant. De quoi s'agit-il ?

Brooke pinça les lèvres, puis se mit à rire.

— Le prince régent a dit que vous ne seriez pas facilement effrayé et m'a donné la permission de vous dire ceci. Il y a trois pays — l'Espagne, la France et l'Angleterre — qui ont acquis une partie du manuscrit, la même partie. Nous croyons que l'original a été volé quand il a disparu de la collection du musée, il y a plusieurs années, mais une copie partielle a été retrouvée, et ce qu'elle semble être… est très intéressant pour tous ces rois. Ils veulent tous posséder l'original, pour compléter le tableau, comme on dit.

Gabriel commença à parler, mais Brooke leva la main.

— Je ne peux vous en dire plus. Vous avez seulement à savoir que des gens très puissants veulent mettre la main dessus. Ils feraient n'importe quoi pour l'obtenir. Alexandria court un grave danger, et nous dépendons de vous pour la garder en sécurité jusqu'à ce que le manuscrit soit retrouvé.

Gabriel hocha la tête en comprenant tout ce que cela impliquait. C'était beaucoup plus sérieux que tout ce qu'il aurait pu imaginer. Il avait à mettre Alexandria en sécurité.

Il avait à aller la chercher pour la ramener à la maison.

Chapitre 12

Le *Saint Patrick* suivit le canal formant un coude dans son approche du port de Belfast, où les mouettes et autres oiseaux de mer volaient près du quai. Des bateaux de mer de toutes les tailles, allant des grands voiliers jusqu'aux bateaux de pêcheurs, avançaient lentement et dansaient sur l'eau à côté d'eux. De grands bâtiments baignés de brume étaient maintenant en vue, parsemés le long des rues dans une petite ville tentaculaire, et, derrière, il y avait de vertes collines ondulantes. Alex prit une longue bouffée d'air marin et sourit doucement à cette scène. C'était exactement comme elle l'avait imaginé.

— Que pensez-vous de votre premier regard sur l'Irlande ? demanda Montague.

— Le pays de Jouvence, murmura Alex. C'est magique.

Au moment où les gens commencèrent à débarquer, ils se frayèrent un chemin jusqu'à la rive. Montague la gardait près de lui et semblait être aux aguets. Alex regarda autour d'eux, voyant un homme sombre, grand et mince, revêtant le capuchon de sa cape noire, qui se tenait juste derrière elle, la surveillant. Alarmée, elle regarda Montague. Il fit un signe de tête, mais ne dit rien. Quelqu'un les suivait.

Ils descendirent le quai de Belfast, la foule s'amenuisant et allant de tous les côtés. Elle continua de ressentir qu'elle était surveillée, et un frisson lui parcourut l'échine. Elle regarda vers la gauche, par-dessus son épaule, et vit que l'homme étrange les suivait toujours. Elle eut l'envie soudaine d'une longue cape noire et d'une robe foncée au lieu de la cape rouge vif, couvrant sa robe bleue qui était sa plus belle robe. L'armoire de sa mère remplie de vêtements unis et foncés prit un nouveau sens. Ses parents savaient de telles choses, n'est-ce pas ? Des souvenirs de mystérieux visiteurs, de portes closes et de conversations à voix basse lui traversèrent l'esprit. Ils s'occupaient à faire des enquêtes d'aussi loin qu'elle se souvienne. En vieillissant, elle avait demandé à participer, mais ils avaient toujours insisté pour dire que c'était dangereux. Elle était trop jeune. Mais ce qu'Alex pensait vraiment de ce qu'ils disaient était : « Tu n'as pas le talent. Tu n'en vaux pas la peine. Nous ne te voulons pas autour de nous. »

Elle avait décidé de leur montrer ce qu'elle pouvait faire, s'occupant de mystères qui étaient arrivés dans sa ville et même dans les villes avoisinantes. Elle n'avait peut-être pas la renommée de ses parents, mais elle commençait à être connue et pensa que, finalement, ils en entendraient parler et la prendraient avec eux. Maintenant, elle allait les sauver, et ce serait une révélation pour ses parents, beaucoup plus que quoi que ce soit d'autre.

La détermination l'envahit à cette pensée. Elle jeta un coup d'œil rapide par-dessus son épaule droite et vit une forme sombre avancer dans l'ombrage d'un bâtiment. Son visage était toujours caché dans son capuchon, mais ses yeux la fixaient. Elle se tourna vers l'avant et regarda Montague.

— Avez-vous vu cet homme ? Il nous fixait, j'en suis certaine.

— Ouais. Il nous suit depuis que nous avons embarqué à Whitehaven. Je vous ai laissée seule pour voir ce qu'il ferait, et il s'est approché jusqu'à ce que je retourne finalement près de vous.

Son regard scruta le port bondé de Belfast au moment où ils se dépêchaient à avancer dans la ville bruyante. Il demeura près d'elle, muscles tendus et prêt, une main caressant la poignée de son épée se balançant à la ceinture.

Alex déglutit avec difficulté et garda la tête baissée, se cachant le plus possible dans le capuchon de sa cape. Merci, Seigneur, pour Montague. Elle était heureuse jusqu'au bout des orteils de voir qu'elle n'était pas seule.

Montague lui prit le bras d'un geste sec.

— Là-bas.

Il pointa et regarda de côté sous la lumière.

— Voyez-vous cet endroit ? McHugh. Un bon endroit pour manger et entendre les dernières nouvelles. Populaire auprès des voyageurs. Peut-être même que vos parents y sont allés. Nous allons voir si notre ami nous suit jusqu'à l'intérieur.

Alex fit un signe de tête et augmenta la cadence de ses pas pour égaler les longues enjambées empressées de Montague. Elle regarda derrière, jetant un bref coup d'œil vers les bateaux dans les environs du port, l'eau grise du canal et la mer froide d'Irlande qui était maintenant derrière eux. L'homme n'était plus en vue.

Le bâtiment de briques de l'auberge apparut devant eux, sur le coin de la rue, trois étages de haut avec de longues fenêtres étroites sur chaque étage. Le premier étage avait une fausse devanture avec une marquise faite de bois délavé et d'autres poutres de bois flanquaient la porte. Cela semblait un endroit assez plaisant et occupé avec des gens qui entraient et sortaient. La porte s'ouvrit alors qu'ils approchaient, déversant de la lumière et de la musique dans la rue. Alex jeta un coup d'œil rapide autour avant de croiser un homme qui sortait, Montague restant juste derrière elle.

Elle s'arrêta rendue à l'intérieur et inspira. De la musique provenant d'une scène éclairée par des lanternes attira toute son attention. Une femme avec de longs cheveux roux se tenait au-devant de la scène. Elle portait une robe vert pâle qui scintillait et flottait autour d'elle suivant le courant d'air de la pièce. Au moment où elle ouvrit la bouche et commença à chanter, Alex ne put retenir sa mâchoire. C'était le son le plus doux et le plus pur qu'elle n'avait jamais entendu. La mélodie était chuchotée sur un fond de violon, de cornemuse, de flûtiau, ou *feadóg*, en gaélique, comme elle l'apprit plus tard, et le soufflet du concertina. Alex ne pouvait plus bouger. Elle en oublia presque de respirer.

— Touchée par le *sidhe*, n'est-ce pas ? dit un homme à voix basse avec un gloussement.

— Ouais, et qui peut la blâmer ? répondit Montague. La femme chante comme une fée qui prend vie.

— Oh ! elle est en vie, et elle n'est pas la seule, si vous avez des yeux pour voir.

L'homme les rassura en leur disant :

— C'est le festival qui fait sortir les fées.

Alex cessa de regarder la chanteuse et jeta un regard à l'homme qui parlait. Son regard s'éleva très, très haut pour atteindre son visage. Il mesurait plus de deux mètres et était trois fois plus large que Montague — un géant, un homme géant se tenait juste à côté d'elle. Elle inspira et retint son souffle, la frayeur se mêlant au respect. Leurs regards se croisèrent, et elle battit des paupières, tout étonnée. Ses yeux passaient du vert pâle au vert plus foncé, lui donnant un regard détaché, mais ils scintillaient en la regardant, comme s'il connaissait un grand secret et se tenait à cet endroit précis pour la rencontrer et le partager avec elle.

Son gros nez était planté au milieu de son visage, un visage entouré de flamboyants cheveux roux avec une longue barbe qui atteignait sa poitrine massive. Sa barbe avait été tressée au milieu, et le bout, attaché par un petit ruban d'un vert éclatant. La boucle parfaite du ruban la fit respirer d'aise et elle lui fit un sourire. Il n'était pas ce que l'on pourrait appeler un bel homme, mais il avait quelque chose de radieux et de surprenant. Quelque chose qui transformait ce qu'aurait pu être un visage moche.

Encore plus incroyable était l'oiseau aux couleurs éclatantes de vert et de jaune perché sur son doigt. Alex le regarda et gloussa, imitant les mouettes d'où elle venait.

— Quel oiseau magnifique.

L'oiseau secoua la tête d'avant à l'arrière, regardant Alex, et alors, dans une vague de couleurs, vola de la main du géant à l'épaule d'Alex. Elle poussa un petit cri, mais ne bougea pas, battant des paupières vers le propriétaire de l'oiseau.

— Je vois que vous possédez une touche de magie féérique.

Il sourit, révélant de grosses dents solides.

Les yeux d'Alex s'agrandirent, rougissant de joie, sa pensée se rassemblant tant bien que mal pour demeurer dans cette nouvelle réalité où elle venait de mettre les pieds.

— Que devrais-je faire ?

Le géant fouilla dans sa poche et en sortit une petite graine noire et blanche.

— Donnez-lui ceci, et vous aurez un ami pour la vie.

— Comment s'appelle-t-il ?

— Roscoe. Et je dois lui dire que vous êtes ?

Alex s'inclina prudemment dans une petite révérence.

— Je suis Alexandria Featherstone, et ce gentleman derrière moi est mon ami Montague.

Elle prit la graine et la présenta avec précaution au bec courbé de l'oiseau. Roscoe s'avança, l'attrapa du bout du bec, et croqua dedans.

— Merci beaucoup ! dit l'oiseau, aussi clair que le jour.

Alex en eut le souffle coupé.

— Votre oiseau parle ? Comment est-ce possible ?

— C'est un perroquet d'Amazonie. Mon frère est médecin et il aime voyager. Il me l'a rapporté comme présent.

Il fit un large sourire.

— Je ne savais pas qu'il pouvait parler jusqu'à ce qu'il commence à répéter après moi. Ses premiers mots étaient : « oui, ma chère ».

Le géant envoya sa tête vers l'arrière et éclata de rire.

— C'est ce que je dis le plus souvent à ma femme, si vous ne l'aviez pas deviné.

Pour prouver qu'il avait raison, l'oiseau l'imita :

— Oui, ma chère. Oui, ma chère. Oui, ma chère.

Alex secoua la tête, abasourdie. Puis, aussi vite qu'il avait atterri sur son épaule, Roscoe s'envola pour se poser sur le doigt de son propriétaire.

— Avez-vous dit qu'il y avait un festival ? demanda Alex à l'homme.

Le géant opina de sa tête massive.

— Oh ! oui, comme vous n'en avez jamais vu. Nous venons pour la musique… et pour danser — il marqua une pause et fit aller ses sourcils broussailleux de haut en bas —, et pour les jeux.

— Tout ceci semble merveilleux. La musique, déjà… Je ne peux la décrire.

Alex regarda de nouveau la femme sur la scène.

— Je n'ai jamais rien entendu de tel.

Ils firent tous une pause et écoutèrent la mélodie envoûtante qui commençait. Le géant se pencha et murmura à l'oreille d'Alex :

— Elle a pratiqué celle-là pendant des heures.

Alex leva son regard vers le sien.

— Vous la connaissez ?

Le choc était indubitable, le faisant rire profondément dans une secousse qu'elle pouvait ressentir même s'il ne la touchait pas.

— Ouais, je la connais. Aimeriez-vous la rencontrer ?

— Est-ce que je le pourrais ? J'aimerais bien cela.

— Venez, alors. Asseyons-nous là avec mes amis, et je vais lui demander de venir quand elle aura terminé sa prestation.

Il envoya sa tête vers l'arrière et rit de nouveau, ce qui fit regarder Alex vers Montague pour savoir ce qu'elle devait faire.

Montague se pencha à son oreille.

— Il est correct, je crois bien. Vous devriez essayer de vous faire quelques amis pendant que vous êtes ici.

Opinant de la tête, elle suivit le géant dans son sillage, se demandant quel était son nom et pourquoi elle ne lui avait pas encore demandé.

Une fois assise entre l'homme et Montague, la musique changea, festive, avec l'archet du violon sautant de haut en bas sur les cordes. Les gens se levèrent pour danser, remplissant les allées et le milieu du plancher de leurs pas sautillants. Alex pouvait sentir son pouls qui commençait à s'accélérer en même temps que l'excitation de la foule. Elle tapait du pied sous la table, elle ne pouvait qu'à peine empêcher ses mains de taper ensemble et tout son corps était attiré vers les danseurs, même si elle ne pouvait égaler leurs pas. Elle connaissait à peine quelques pas de danse, seulement quelques-uns qui étaient populaires auprès des jeunes d'où elle venait, mais il n'y avait pas d'instructeur de danse, ni d'occasions où il était nécessaire de savoir danser. Soudainement, elle aurait souhaité que ce ne soit pas le cas.

— Je vois que vous aimeriez danser?

Alex regarda le visage souriant du géant et hocha de la tête.

— Mais je ne sais pas comment!

— Cela ne m'a jamais arrêté!

Avant qu'elle ne le sache, il la tira de son siège et l'amena vers un espace libre du plancher de danse. Les gens se déplaçaient, comme la mer qui s'était séparée, pour ne pas être dans leurs jambes, quelques-uns se plaignaient et d'autres riaient, mais tous tapaient des mains et dansaient, leurs pieds se déplaçant de plus en plus rapidement sur une musique entraînante.

Une fois qu'ils atteignirent le devant, juste à côté de la scène, il arrêta et la fit tourner. Elle se perdit entre les grandes mains qui enveloppaient les siennes. Il lui faisait faire des pirouettes et des déplacements de pieds comme si elle avait été une poupée de chiffon. Ses cheveux se défirent de ses épingles, puis virevoltèrent dans les airs comme une longue cape brune. La chaleur lui monta au visage, de la sueur perla le long de son dos, sa poitrine haletante suffoqua, mais le sourire sur son visage était empreint de pure joie.

La chanson se termina abruptement et elle s'effondra contre le bras du géant, essayant de reprendre son souffle. Mais cela n'avait pas d'importance ; tout le monde autour d'eux faisait la même chose.

— Bien fait. Je savais que vous en aviez dedans.

— Merci, monsieur.

Elle fit une révérence et recula, riant toujours, incapable de s'arrêter.

— Comment devrais-je vous appeler ?

— Mon nom est Baylor.

— Merci pour la danse, Baylor. Je…

Elle secoua la tête, soudainement gênée.

— Je n'ai jamais dansé de cette façon auparavant. C'était merveilleux.

Il sourit et se pencha vers son oreille, criant plus fort que la foule.

— Il y aura encore plus de plaisir à y avoir demain.

Il éclata d'un nouveau rire tonitruant.

— Je vais être en compétition dans l'un des jeux. Vous et votre ami devriez venir pour m'encourager !

— Oui, j'aimerais bien cela. Dites-moi juste à quel endroit aller.

— Le festival est en haut de la rue High, juste au coin. Vous n'aurez pas de problème à le trouver, avec toute la foule qui y sera.

Alex opina de la tête au moment même où une voix douce se fit entendre derrière elle.

— Te voilà. Et faisant de l'œil à une jolie femme, à ce que je vois.

Alex regarda les yeux de Baylor devenir ronds et la panique traverser son visage. Elle tourna la tête pour voir la belle femme qui avait chanté, les mains sur les hanches, plissant des yeux en regardant le géant.

— J'étais seulement accueillant envers les nouveaux venus, ma chère. Il n'y a pas de place dans mon cœur pour aucune autre que toi.

Il se tourna vers Alex avec un sourire penaud.

— Bon, je lui ai promis que tu voudrais la rencontrer. Elle est une des chanteuses les plus renommées de notre belle île ; Maeve, ma femme.

— Elle est votre femme ?

Alex ne pouvait réfréner sa stupeur et sentit alors son visage rougir de l'avoir montré.

— Je veux dire, vous êtes si talentueuse. Je n'ai jamais rien entendu de semblable. C'est tout simplement la chose la plus merveilleuse que j'ai entendue.

La voilà qui radotait comme une écervelée.

— Merci…

Maeve releva les sourcils, se questionnant sur le nom de la jeune fille.

— Oh !

Alex tendit la main à la créature éthérée.

— Alexandria Featherstone. Très honorée de vous rencontrer tous les deux.

La femme lui sourit, le premier véritable sourire depuis qu'elle l'avait rencontrée.

— Une enfant charmante.

Elle regarda son mari.

— À quel endroit l'as-tu trouvée ? Sous un rocher ?

Baylor pointa la table où ses amis et Montague étaient assis.

— Elle est avec lui. Elle était enchantée par ta voix, alors je les ai invités à notre table.

— Et tu n'as pas pu te retenir de danser avec elle. Ah ! je sais. Sans importance. Je vous rejoins dans quelques minutes.

Elle se retourna et sembla flotter vers les recoins sombres à l'arrière du bâtiment. Alex regarda Baylor et couvrit sa bouche de sa main à la vue de son regard accablé.

— Est-elle très fâchée ?

Baylor lui fit un petit sourire et poussa un grand soupir.

— Vous n'auriez eu aucun doute si elle avait vraiment été fâchée. Elle me met juste à l'épreuve. Je crois que nous l'avons échapé belle. Venez, maintenant, allons nous asseoir avec la compagnie.

Alex suivit la forme imposante jusqu'à la table.

Quel endroit que l'Irlande ! Et tous ces gens qu'elle avait déjà rencontrés ! Elle se retourna et eut le souffle coupé.

Là-bas, près de la porte, se tenait la forme sombre et mystérieuse qui semblait la suivre. Il tourna la tête et la fixa. C'était lui. Une pointe de frayeur l'envahit au moment où elle s'empressa de suivre le géant et s'assit à l'endroit le plus sécuritaire, entre lui et Montague. Elle se pencha vers l'oreille de Montague.

— Il est ici. À côté de la porte.

Montague jeta un coup d'œil à l'homme, puis regarda ailleurs.

— Je sais. Je le surveillais, justement.

— Que veut-il, à votre avis ?

Alex respira, résistant à l'envie de crouler sous la table et de se cacher.

— Alexandria, si vos parents recherchaient quelque chose d'une grande valeur et qu'ils ont disparu…

Il la regarda dans les yeux, plus sérieux qu'il ne l'avait jamais été.

— Ce serait raisonnable de penser que vous courez peut-être le même danger, ne pensez-vous pas ?

— Mais je ne sais rien. Je ne suis même pas au courant de ce qu'ils recherchaient.

— Oui, mais lui ne le sait pas. Pour lui, vous suivez les mêmes indices que vos parents ont suivis. Pour lui, vous pourriez être le seul lien vers ce trésor que vos parents recherchaient. Nous devons être très prudents, ma chère. Je devrai dormir devant votre porte, ce soir.

Alex ne savait que dire. Il avait raison, évidemment. Mais elle devait semer cet homme. Elle ne pouvait prendre le risque de le mener tout droit à ses parents. Peut-être qu'elle devait tout laisser tomber et retourner à la maison, où elle serait en sécurité. La première vraie épreuve avait commencé, tel que Montague l'avait avertie au début de ce voyage.

« Mon Dieu, que devrais-je faire ? »

Chapitre 13

Gabriel approchait du petit village de Beal, situé dans la partie la plus au nord-est du Northumberland, avec une sensation de soulagement. Après avoir entendu parler de l'intention de Gabriel d'aller chercher sa pupille lui-même, le prince régent avait insisté pour qu'il soit accompagné par une cavalerie de soldats pendant le voyage de cinq jours, et cette compagnie, pour être franc, lui tombait sur les nerfs.

Il ouvrait la marche sur un gros étalon bai, flanqué d'officiers en uniformes rouges et conduit par un capitaine qui se délectait de son commandement temporaire pour le duc. « Ordres du régent » était la phrase favorite du capitaine, qu'il répétait en petits aboiements, les yeux ronds, grisé de sa puissance.

Gabriel l'ignorait la plupart du temps, ce qui rendait le petit homme furieux. Dieu merci, Meade était avec lui, sinon, il serait sûrement de très mauvaise humeur. Son secrétaire avait regimbé à l'idée d'aller à dos de cheval jusqu'à Holy Island, n'ayant aucune habileté pour diriger un cheval, mais Gabriel avait refusé d'utiliser un carrosse.

Alexandria était peut-être en danger. Ils n'avaient le temps pour autre chose que pour des chevaux rapides et une course soutenue. Meade aurait juste à bringuebaler derrière eux du mieux qu'il le pouvait.

Sur une note positive, son ouïe s'était améliorée encore un peu depuis qu'ils voyageaient plus au nord. Est-ce que le changement d'altitude avait quelque chose à y voir ? Si c'était le cas, il aurait à faire ses bagages et déménager en Écosse. Peut-être qu'il pourrait essayer les eaux thermales. Il y en avait à Bath, mais elles étaient dans le sud de l'Angleterre. Il aurait à voir s'il y en avait sous les climats plus au nord.

Gabriel se retourna et regarda son loyal secrétaire par-dessus son épaule. Pauvre homme, il semblait sur le point de glisser d'un côté à l'autre de la selle à tout moment. Peut-être qu'il devrait l'attacher à la selle. Cette image fit surgir un petit sourire en coin aux lèvres de Gabriel.

— Comment vous en tirez-vous avec votre derrière douloureux, Meade ?

Il était évident, de la façon dont Meade marchait, les jambes arquées et grimaçant à chaque pas, que la douleur l'atteignait de la tête aux pieds à cause de cet exercice qui ne lui était pas habituel.

Meade gémit et regarda la forte poigne qu'il avait sur les rênes.

— Je serai très heureux quand ce voyage sera terminé, Votre Grâce. Maintenant, vous voyez la raison pour laquelle j'avais insisté pour aller en bateau à Holy Island, la dernière fois que j'ai voyagé par là, cria-t-il.

— Ah. Oui, mais cela vous a pris deux fois plus de temps que cette fois-ci. De la façon dont vous l'avez portée aux nues, vous avez sûrement cru que cette dame valait bien tout ce dérangement ?

Il y avait une pointe évidente d'amusement dans la voix de Gabriel.

Meade lui sourit de ses dents serrées.

— C'est la seule chose qui me garde sur cette bête, je vous assure.

— Elle doit tout de même être quelque chose pour mériter de tels sacrifices.

Gabriel se mit à réfléchir. Son cheval avait ralenti, il trottait maintenant à côté de Meade, et ce dernier pouvait lui parler plus facilement.

— Dites-moi encore... qu'y a-t-il de vraiment si spécial à propos de cette jeune dame ?

Meade, encore une fois, devint muet. Il hésita et haussa des épaules, commençant à dire quelque chose, puis se ravisa.

— Elle vous a jeté un sort. Je crois bien que c'est le cas. Vous ne pouvez même pas parler d'elle.

Le petit rire de Gabriel se camoufla sous ces mots.

Meade approuva avec empressement.

— Une beauté, sûrement ?

Gabriel releva les sourcils, très amusé de voir l'inconfort de son secrétaire.

Meade fit un nouveau signe de tête.

— Plus jolie que Jane ?

Le fait que Meade était terriblement amoureux de sa plus jeune sœur était bien connu de la famille. Il devenait muet en sa présence, quelque chose que Jane trouvait déroutant, et que son mari, lord Matthew Rutherford, trouvait agaçant.

Le visage de Meade tourna au rouge vif et sa gorge se serra comme s'il était près de s'étouffer. Ce serait mieux de laisser tomber et d'y aller doucement avec le pauvre homme. Il était, après tout, le meilleur secrétaire que Gabriel n'ait jamais eu, et il n'avait pas l'intention de le laisser mourir d'une crise d'apoplexie sur son cheval après une petite taquinerie.

— Très bien, gardez vos secrets.

La voix de Gabriel s'adoucit au moment où son regard balaya la route devant et la tache sombre à l'horizon qui devait être la mer. Son cœur fit un bond à la vue de celle-ci.

— Je vais la rencontrer bientôt et voir ce qui vous tourmente si intensément.

Il baissa encore la voix pour que seulement Meade, s'il le pouvait, puisse l'entendre.

— Allons voir si vous avez de la magie pour moi… lady Alexandria… Featherstone.

Un petit peu plus tard, ils arrivèrent dans le petit village ancien de Beal. Ils s'arrêtèrent à l'auberge du lieu, un grand bâtiment fait de pierres, et descendirent des chevaux. Plusieurs soldats s'empressèrent de prendre les rênes de sa monture pendant que Gabriel replaçait son manteau et, ignorant tout le monde excepté Meade, faisait de grands pas vers la porte de l'établissement. Un bon repas pour se réchauffer du vent vivifiant de l'automne devrait le remettre sur pied, sinon de bonne humeur. Avec un peu de chance, l'endroit pourrait accommoder quinze hommes affamés sans avoir été prévenu.

L'aubergiste, monsieur Gerald, un homme trapu au crâne chauve, fit un signe de tête, se précipita et se frotta la tête dans un mélange de respect et de jubilation au moment où le capitaine exprima leurs besoins. Gabriel se retrouva rapidement assis à une grande table de bois avec ce qu'il y avait de mieux à lui offrir — lapin avec du boudin noir, saumon fumé et huîtres fraîches, plateaux de fromages de chèvre et bols de patates épaissies au beurre. Pour dessert, il y avait du pouding au pain avec de la crème anglaise et de la tarte aux prunes. Un festin, c'était certain, et un bel exemple de la récolte d'un village côtier.

Au moment où les soldats semblaient s'attarder sur leur porto, après le repas, Gabriel devint impatient, se leva et dirigea son regard vers le capitaine.

— J'aimerais atteindre Holy Island avant la nuit tombée, Capitaine.

Le capitaine savourait son vin chaud, mais il se leva, les yeux brillants de colère envers ses hommes. Avant qu'il n'ait la chance de donner des ordres, monsieur Gerald agita les bras pour avoir l'attention de tous.

— Mes bons messieurs, et Votre Grâce — il fit une révérence vers Gabriel —, j'ai bien peur que vous deviez attendre jusqu'à ce que la marée redescende. Holy Island est une île, excepté deux fois par jour, quand la marée est assez basse pour laisser voir la route.

— Est-ce qu'on peut y aller par bateau ? demanda le capitaine d'un ton sec.

— Oh non !

L'aubergiste secoua la tête énergiquement.

— Il y a des dunes et des trous de boue. La marée monte très rapidement. Ce sont des eaux très dangereuses. Vous devez attendre que la marée se retire, ce qui arrive deux fois par jour.

— Dans combien de temps pourrons-nous traverser ? demanda Gabriel.

— Dans peu de temps. Dans une heure, au mieux.

L'aubergiste sourit.

— Puis-je vous apporter encore du porto, le temps que vous attendez ?

Gabriel pressa quelques pièces de monnaie dans la main de l'homme et lui fit signe de le suivre à l'extérieur. Il dit au capitaine :

— Attendez ici avec vos hommes. J'aimerais voir la ville... seul.

Il tourna le dos aux hommes au moment où le capitaine commençait à protester.

— Monsieur Gerald, je vous prie de prendre soin de ces hommes. Un grand nombre de bouteilles de vin seront requises, j'en suis certain. Ils auront besoin de plusieurs heures de repos à cause de ce long voyage, voyez-vous ?

Il releva les sourcils le temps que sa demande se fasse entendre.

Monsieur Gerald fit un large sourire, sa tête hochant de haut en bas.

— Je vais y voir, Votre Grâce.

Cela devrait régler le problème. La dernière chose qu'il voulait était d'arriver au château de Lindisfarne accompagné d'une armée. Il espérait convaincre Alexandria de l'accompagner de son plein gré, mais ses lettres et le nœud dans son estomac lui disaient que ce serait tout un défi de la convaincre. Elle ferait la forte tête et serait obstinée. Un peu de charme serait de mise, ce qu'une armée vêtue de rouge et un capitaine au mauvais tempérament, avec l'autorité du prince régent écrite sur le visage, seraient certains de gâter.

Ce ne serait pas la faute de Gabriel s'ils manquaient l'heure de la marée et devaient rester sur la terre ferme pour la nuit. Pas du tout de sa faute.

Gabriel fit signe à Meade de le suivre. Ils iraient à cheval jusqu'à la rive et attendraient la marée en suivant l'eau qui se retire aussitôt qu'ils en seraient capables.

Ayant échappé aux soldats, Gabriel et Meade dévalèrent la courte distance traversant les terres jusqu'à une jolie plage rocailleuse. L'eau était comme l'aubergiste l'avait décrite — marécages et trous boueux, avec de grandes plantes et grouillant de petits animaux. Gabriel vit un lièvre de temps à autre se nourrissant des plantes, et une volée de bernaches cravant sur la marée basse, entre la terre ferme et Holy Island. Il y avait plusieurs sortes d'oiseaux qui devaient hiverner ici depuis les régions du nord de l'Écosse. C'était un endroit gris et brun, balayé par le vent, avec une aura de mystère tout autour. Alexandria a déclaré son amour pour cet endroit, et, maintenant qu'il baignait dans cette beauté subtile, il pensa qu'il pouvait en comprendre la raison.

En relevant son regard vers l'île, il vit une colline, et sur cette colline, un château. Le château de Lindisfarne. Sa maison. Un endroit en ruines, comme il s'y attendait, mais l'endroit conservait toujours une certaine grandeur, du moins, de cette distance. L'excitation de le voir, de la voir, fit se tendre ses muscles.

Il repensa à une des lettres qu'il lui avait écrites et rougit d'embarras et de désir. La lettre avait commencé à ressembler à une lettre d'amour, alors il l'avait chiffonnée et lancée dans le foyer. Des fantaisies, voilà tout ce que c'était. Elle finirait par devenir pareille aux autres femmes qui finissaient par l'ennuyer. Et, de toute façon, qui voudrait d'un duc qui pourrait devenir sourd à nouveau ? Évidemment, il y avait un certain nombre de femmes qui avaient fait pire pour obtenir le titre de duchesse, mais il ne marierait personne de cette espèce. Sa mère se changerait en statue de sel si elle savait combien il abhorrait l'idée de marier n'importe quelle de ces filles de la haute société.

Évidemment, il n'avait pas rencontré toutes les filles... pas encore. La lignée d'Alexandria la qualifiait sûrement pour faire partie de ce cercle élitiste, mais il se demandait si elle le savait ou si elle y attachait de l'importance. Ce seul fait la rendait différente, très différente, et intéressante. Et elle priait pour lui. Personne ne l'avait jamais fait avant elle.

Il se demanda même si sa mère avait déjà prié pour lui, la pratique de la religion de sa famille étant d'aller à l'église comme il était supposé, et de laisser Dieu au seuil de la porte en partant. Ses parents avaient pensé que Gabriel était cinglé au moment où il avait étudié la philosophie et la religion, et qu'il était devenu croyant du sacrifice de Jésus sur la croix comme seule voix salvatrice. Il a été un brin fanatique pour un moment, mais comme tout ce qu'il avait étudié, l'excitation s'était éteinte, et il était retombé dans ses vieilles habitudes. Peut-être que de prier, comme l'avait dit Alexandria, renouvellerait son amour de Dieu.

« Alexandria. Très bientôt, je vais voir votre visage. »

Il fixa la sombre silhouette du château contre le ciel gris. La pensée de finalement la voir le fit suer en marchant de long en large sur la rive, en attendant, ayant chaud et froid à la fois, que l'eau se retire. Que se passerait-il si elle était tout ce dont il avait rêvé, quelqu'un qui se sentirait sa douce moitié, quelqu'un qui le connaîtrait jusqu'au fond de son âme et qui aimerait ce qu'elle y découvrirait, et lui pour elle, leur amour chassant l'ennui pour toujours ? Que ferait-il si cela arrivait ?

Un geste de Meade le fit sortir de sa rêverie.

— Votre Grâce, regardez.

Il pointa vers le chemin boueux se révélant petit à petit à mesure que l'eau se retirait.

Un sourire éclaira le visage de Gabriel.

— Après vous ?

Meade avait l'air tout aussi excité que lui.

— Comme vous le savez, je suis arrivé par bateau la première fois où je suis venu. J'avais entendu parler de cette route, mais je n'avais jamais eu la chance de la voir. C'est vraiment remarquable, n'est-ce pas ?

— Enchanteur, murmura Gabriel tandis qu'il montait sur son cheval et prenait les devants.

La marée se retirait rapidement, révélant un chemin boueux et gravelé. Dans moins d'une heure, ils mettraient les pieds à Holy Island. Dans moins d'une heure, il verrait enfin son visage.

La route qui menait au château serpentait le village de Lindisfarne, un village de pêcheurs avec de petits bateaux colorés alignés sur la rive et des cabanes faites de deux bateaux ramenés ensemble pour avoir un abri contre le vent constant de la mer. Les maisons du village étaient de pierres et s'alignaient de haut en bas de la rue principale. Au bout de la rue, il y avait le monastère tel que décrit par Alexandria. Tout était dévasté, les murs à moitié effondrés, un cimetière plein de pierres tombales et de parties du bâtiment original. Le tout était étalé à partir de la route comme si la terre avait roulé et craché quelques pierres de lignes inégales sens dessus dessous. Une scène familière de la campagne de l'Angleterre, ancienne et remplie d'histoires. Gabriel l'aima immensément.

Un peu plus loin, à travers les pâturages des moutons, le château était bien en vue. Il avait l'air d'avoir poussé sur le haut de la colline, prenant toute la place. La route tournait raide quand ils commencèrent à gravir la colline, tournant en rond vers le sommet comme un escalier en colimaçon. À la fin, il y avait une grosse porte de bois, délavée par le temps.

— Permettez-moi, Votre Grâce.

Meade marcha vers la porte et prit le heurtoir de laiton. Il le fit cogner plusieurs fois, puis recula et sourit.

— Espérons qu'elle n'aura pas son pistolet.

Gabriel rit de bon cœur, puis prit un air composé. Dans un moment d'hésitation, il enleva son chapeau, se sentit ridicule, puis le remit rapidement en place. Si Meade s'en rendit compte, il fut assez sage de ne pas faire de commentaires.

La porte grinça finalement et s'entrouvrit pour laisser voir un petit et vieil homme ratatiné, assez maigre que le vent sembla faire reculer un peu. Il regarda les deux hommes de côté, puis éclata d'un sourire édenté.

— Monsieur Meade, vous êtres revenu !

Sa voix était aussi claire que les hautes notes d'un flûteau. Ses yeux aqueux se tournèrent vers Gabriel, et il fronça des sourcils.

— Voyez qui est ici ; nous n'avons pas besoin de visiteurs sophistiqués. Nous peinons à garder le corps et l'âme ensemble, et je n'ai rien à offrir pour satisfaire les goûts de quelque gentleman sophistiqué.

Meade s'empressa vers lui et prit la main du vieil homme.

— Oh non, monsieur Henry. Il est Sa Grâce, le duc de St. Easton.

Monsieur Henry regarda Gabriel avec un œil suspicieux. Puis, Meade reprit :

— Il est le tuteur de lady Featherstone. Il est venu pour l'aider à résoudre ses problèmes.

— Problèmes ? aboya le vieil homme. Nous avons assez de problèmes pour un duc, en effet. Je suppose que vous devriez entrer alors.

Gabriel ravala un gloussement. L'homme n'avait même pas fait de révérence ; il s'était tenu juste un peu de côté pour leur laisser assez de place pour entrer. Une fois à l'intérieur, Gabriel étudia avec intérêt la pièce et ce qu'avait dû être un grand hall. Le château n'avait pas été rénové depuis les temps médiévaux. Des planchers de pierres froides, des fissures aux murs, un énorme foyer qui abritait un petit feu lamentable et quelques meubles miteux et dispersés. Alors, ceci était son château bien-aimé. Il ne pouvait imaginer ce qu'elle penserait de sa maison de ville de Londres qui est un palace ou, Dieu le garde, sa propre énormité dans le Wiltshire. Peut-être devrait-il garder ces détails pour lui-même.

— Comme je vous le disais, nous n'avons rien d'autre à vous offrir que du thé.

Gabriel avança d'un pas vers l'homme et le regarda dans les yeux.

— Nous ne sommes pas venus pour des rafraîchissements. Je suis venu pour voir lady Featherstone. La ramener… s'il vous plaît.

— Bien, ça ne fait pas de différence, si ça me plaît ou non, dit le vieil homme, les mots restés sur le cœur. Elle n'est pas ici.

Gabriel fit un autre pas vers lui et fronça les sourcils.

— Alors, où est-elle ?

Avant qu'Henry ne puisse répondre, une femme aussi vieille que lui s'empressa d'entrer dans la pièce.

— Monsieur duc, nous avons reçu des ordres stricts de ne dire à qui que ce soit à quel endroit elle se trouve, et nous ne vous le dirons pas non plus.

Gabriel tourna son regard vers la vieille femme. Il serra les dents. Il savait que ce ne serait pas facile… Quelque chose lui avait dit qu'Alexandria lui apporterait des problèmes, et ce n'était que le début.

— Étant son tuteur et ici sous les ordres directs du prince régent, vous allez me dire — immédiatement — où elle est.

Le vieil homme croisa les bras sur sa poitrine.

La vieille femme pressa ses lèvres de façon têtue.

Gabriel enleva son manteau, l'envoya avec son chapeau sur une chaise et s'assit sur le seul fauteuil décent de la pièce.

— Meade, vous devriez aussi vous mettre à l'aise. Il semble que nous resterons ici pendant quelque temps.

Chapitre 14

La rue High de Belfast était bondée de gens de toutes formes et de toutes tailles, tous très joviaux — riant et criant, les enfants courant à travers la foule dans la lumière de l'avant-midi. L'air sentait bon la viande rôtie sur les feux à ciel ouvert et le *barmbrack,* un pain aux fruits irlandais. Alex y avait goûté ce matin, lors du petit déjeuner à l'auberge. Il y avait des étals qui vendaient des pâtés à la viande, du poisson, des huîtres et toutes sortes de nourriture traditionnelle irlandaise. D'autres étals offraient des toiles de lin aux couleurs éclatantes et des châles, chemises, robes et jupons faits de lainages. Il y avait des souliers et des bas rayés et de la dentelle pour tous les goûts. Il y avait tellement à voir ! Alex voulait s'arrêter et juste regarder, mais Montague gardait le pas rapide et elle ne voulait pas le perdre de vue.

Il avait mentionné la possibilité de soutirer de l'information à l'homme qui les suivait pour savoir exactement ce que recherchaient les parents d'Alex. Elle n'avait pas été capable de répondre à toutes les questions de Montague, laissant de grands trous dans ce qu'ils savaient. Mais il était convaincu que s'ils étaient suivis, cela avait à voir avec le fait que ses parents avaient été engagés pour retrouver quelque chose. Et cela mettait leur mission et leurs personnes sérieusement en danger.

Ils suivirent la foule, comme Baylor leur avait dit, descendant la rue High où les jeux allaient commencer. Alex se mit sur le bout des pieds et scruta à travers les fêtards pour voir le géant — on ne pouvait le manquer, si grand et avec sa chevelure couleur de feu. Une grosse foule s'était rassemblée au coin de la rue.

Alex cria vers Montague et pointa.

— Là-bas ! Je crois que je le vois.

Elle sourit avec excitation.

— C'est Baylor !

— Ouais.

— Venez ! Approchons-nous !

Alex n'avança pas très loin dans la foule, alors Montague la prit par le coude et la tint fermement à côté de lui en fonçant vers le devant de la foule.

Là, au milieu de la rue, flanqués des grands bâtiments de Belfast se tenaient trois hommes. Ils étaient tous grands et musclés, mais Baylor était le plus grand et de loin le plus fort. Ils tenaient tous une boule de métal de différentes grosseurs.

— Montague, connaissez-vous les règles du jeu ? Que sont ces grosses boules qui semblent si lourdes ?

Montague fit un petit rire.

— Ce sont des boulets de canon, ma chère. En fer plein.

— Mais, celle de Baylor est tellement plus grosse que celles des autres, est-ce que c'est juste ?

— Dans le cas de Baylor, c'est probablement plus que juste. Les autres semblent devoir lancer une boule de près de six kilos, mais je parierais que celle de Baylor est un lancer du double.

— Alors, ils vont réellement lancer ces boulets de canon sur la route devant eux ?

— Je ne connais pas le jeu, mais je crois qu'ils les lancent sur la route aussi loin que possible, et le premier qui aura atteint le but, quelques kilomètres plus loin, est le gagnant.

Avant qu'Alex ne puisse poser une autre question, quelqu'un cria : « Éloignez-vous ! » Le premier homme s'avança au centre de la route. Il était jeune, plutôt de l'âge d'Alex. Il avait l'air sérieux, vêtu d'une culotte brune et d'une chemise épaisse, les souliers de cuir robuste. Mais c'était son visage qui le faisait ressembler à un concurrent. Ses sourcils foncés étudiaient la route au-devant d'une façon qui signifiait qu'il avait l'intention de gagner. La foule se tut au moment où il courut, puis souleva la boule avec un lancer sournois dans les airs. Il y eut beaucoup d'acclamations et d'applaudissements et Alex vit de l'argent changer de mains, les spectateurs pariant sur leur compétiteur favori. Quelques-uns crièrent des conseils au moment où le suivant s'avança au centre de la route.

— Reste sur le côté, garçon, cria quelqu'un derrière elle.

— Non ! Droit au milieu ! gronda un homme devant elle.

Alex resserra sa cape autour d'elle et étudia le compétiteur suivant. Le deuxième homme était d'âge moyen. « Jubilant » était le mot qui lui venait à l'esprit en regardant sa grande et joyeuse contenance. Alex rit et regarda Montague.

— Je crois qu'il est très excité de participer à ce jeu.

— Vous avez raison là-dessus, ma chère.

Montague hocha la tête.

Ils regardaient la balle du deuxième homme voler au-dessus de la rue, plus loin que celle du premier compétiteur, puis rouler vers le côté. On la perdit de vue dans l'herbe longue.

La foule s'est enflammée au moment où Baylor s'avança au centre de la route. Au pas de course, faisant de grandes enjambées et rugissant bruyamment, il fit un tour complet en maniant le boulet de canon, puis l'envoya dans les airs.

— Mais, c'est tellement plus lourd, ce n'est pas juste, se plaignit Alex.

— Attendez, murmura Montague.

La foule s'était tue, retenant son souffle au moment où la boule atterrit dans un bruit sourd et roula, et roula, et roula encore en descendant la route jusqu'à être hors de vue.

Des cris et des acclamations s'élevèrent de la foule tandis qu'ils avançaient tous vers l'endroit où avait atterri le plus court lancer. Il était impossible de dire où la boule de Baylor avait atterri jusqu'au tour du deuxième homme, car son point de départ était beaucoup plus loin sur la route.

La route de pierres rondes courbait et se changeait en route de terre, mais Baylor demeurait en tête seulement par quelques mètres. Le deuxième homme se rapprochait de plus en plus à chaque lancer.

— Pensez-vous qu'il est fatigué ? demanda Alex vingt minutes plus tard. Le premier compétiteur était maintenant derrière la foule sans aucune chance de gagner. Quand venait son tour, la foule se plaçait sur les côtés de la route et devait faire attention pour que la boule qui volait dans les airs ne les frappe pas. C'était amusant de les voir se disperser au moment où le boulet de canon venait vers eux. Le deuxième homme avait dépassé Baylor au dernier tour, alors ce dernier afficha une mine renfrognée. Si Alex ne connaissait pas cet homme au cœur tendre, son visage farouche lui ferait effectivement peur.

— Il se fatigue, mais la fin approche. Ce sera une partie serrée qui plaira à la foule, lui dit Montague avec un clin d'œil.

Voilà ce qu'il en était ! Baylor se retenait pour que le jeu soit excitant.

Comme pour lui donner raison, lorsque son tour revint, Baylor lança la boule avec tant de force qu'elle vola dans les airs à une vitesse qu'elle ne pouvait plus voir de ses yeux. La foule s'empressa pour la suivre et pour voir si elle avait franchi la ligne d'arrivée.

Bousculée et poussée par les nombreux admirateurs, Alexandria perdit Montague de vue. La panique l'envahit au moment où un gros homme la fit pratiquement tomber. Elle chancela et serait tombée, mais quelqu'un l'agrippa par l'épaule et la remit debout.

Elle se retourna pour regarder cette personne.

— Merci.

Son estomac vira à l'envers sous le choc qui déchirait son corps. Oh non ! C'était lui — l'homme qui la surveillait. Sa poitrine se souleva au moment où il se pencha vers elle. Il était mince, le visage émacié, ses yeux avides et hagards.

Son visage se tourna vers le sien, les yeux comme un chien féroce. Arborant un long sourire morbide, il prit son bras de ses doigts osseux. Qu'avait-elle fait pour être séparée de Montague ? Où était-il ? Elle voulait crier à l'aide, mais cela passerait inaperçu, avec les acclamations de la foule.

L'homme agrippa son bras d'un geste ferme et lui dit à l'oreille d'une voix râpeuse :

— Que faites-vous en Irlande, señorita ?

Son accent était décidément espagnol. Elle tenta d'échapper à sa poigne, mais ses doigts osseux mordirent dans la peau tendre de son bras.

— Qui êtes-vous ? Lâchez-moi tout de suite !

— Votre nom, señorita ? Dites-moi seulement votre nom, et je vous relâcherai.

— Son nom est ma fille et ne vous concerne pas.

Alex tourna la tête pour voir Montague et Baylor qui se tenaient derrière elle. Montague avait sorti son épée de son fourreau, et Baylor avait levé le lourd boulet de canon au-dessus de sa tête, fixant d'un regard satisfait le front de l'espagnol.

L'homme laissa brusquement tomber le bras d'Alex et recula, les mains tendues.

— Messieurs ! Messieurs. Je ne lui veux aucun mal. Je recherche une parente éloignée qui m'a été décrite de telle façon qu'elle ressemble beaucoup à votre fille. Son nom est Louisa Martinez, et son père se nomme Antonio. Vous n'êtes pas Antonio Martinez ? demanda-t-il à Montague.

Montague avança d'un pas, puis d'un autre jusqu'à ce qu'il soit très près de l'homme. Alex recula lentement jusqu'à ce qu'elle soit en sécurité derrière Baylor, mais pouvant toujours voir de l'autre côté de son corps massif.

— Et qu'arrivera-t-il si je suis Antonio Martinez ? railla Montague d'un ton doux et mordant. Que ferez-vous alors, señor ?

L'espagnol plissa les yeux, mais il recula d'un autre pas.

— Vous n'êtes pas lui. Je m'excuse. Je vais m'en aller.

Avec une petite révérence et l'esquive d'un sourire sinistre envers Alex, il se tourna et s'enfuit.

Alex respira de nouveau.

— Il mentait, n'est-ce pas ? Il voulait savoir mon nom. Je crois qu'il voulait savoir si j'étais une Featherstone.

— Vous avez peut-être raison.

Montague donna un petit coup d'épée dans les airs, la faisant siffler, puis la remit dans son fourreau.

— Vous courez de plus graves dangers que ce que je pensais quand je me suis joint à vous. J'ai bien peur qu'il ne laisse pas tomber facilement.

— Nous devons nous dépêcher à trouver des indices.

La culpabilité la gagna d'avoir dévié de sa mission à cause du festival.

— Baylor, pouvez-vous me dire où est situé le bureau de poste ? C'est le seul indice que je possède.

— Ce n'est pas loin du tout. Il faut revenir vers la ville. Sur la rue Church. Je vais vous y amener.

— Mais vous avez gagné le concours. Ne voulez-vous pas rester et célébrer avec la foule ?

Il y avait un grand nombre de personnes qui semblaient attendre pour lui parler.

— Ne vous en faites pas avec ça ; c'est juste un jeu. Je vais me joindre à Montague pour vous protéger le temps que vous serez en Irlande.

Il se tourna vers Montague et leva les sourcils :

— Si vous voulez de moi.

— Nous serons honorés d'accepter votre aide. Nous avons besoin de quelqu'un qui connaît la région, car je pense bien que nous ne resterons pas à Belfast très longtemps.

Alex devait admettre que Baylor serait un bon homme à prendre avec eux.

— Mais que va-t-il arriver avec votre femme ? Elle ne sera pas contente de cela, je crois.

— Vous vous trompez. Elle sera très contente de rester à Belfast un petit peu plus longtemps. Ça lui donnera l'occasion de chanter. Nous vivons dans les falaises de Blackhead. C'est un endroit isolé, avec seulement le sifflement du vent pour accompagner sa si jolie voix. Elle m'a dit de veiller sur vous justement ce matin.

— Elle a dit cela ? Mais je croyais qu'elle ne m'aimait pas.

— Oh ! elle est bien assez toquée de vous. Vous l'auriez su si elle ne vous aimait pas.

Il trembla, comme si juste le fait d'y penser pouvait inciter la peur à descendre le long de son échine.

Alex secoua la tête en réfléchissant.

— Remerciez-la de ma part. Est-ce que nous pourrions aller au bureau de poste ?

Baylor se retourna vers la ville, le boulet de canon sous un bras, et tendit l'autre bras vers elle. Elle prit fermement le gros avant-bras et lui sourit.

— Tandis que nous marchons, pourquoi ne me diriez-vous pas ce que vous savez à propos de la mission de vos parents en Irlande ? Que recherchaient-ils ?

Les trois se détournèrent des collines entourant la ville pour retourner vers les rangées de chaumières sur la rue High, puis sur la rue Church pendant qu'Alex racontait ce qu'elle savait.

— Ma lettre a un cachet du bureau de poste de Belfast. J'espère que le maître de poste se souviendra de mes parents.

— Ouais, il devrait. Monsieur McCracken est un fouineur. Allons voir ce que nous pourrons y découvrir.

Ils arrivèrent devant la porte et entrèrent pour trouver un petit parloir vieillot et un bureau avec un long pupitre. Alex sonna la cloche sur le comptoir, ce qui fit entrer un homme à la tête blanche avec des petits bras, des petites jambes et un petit ventre.

— Eh ! quelle jolie et jeune chose avons-nous ici ? Avez-vous besoin de mettre une lettre à la poste ?

— Pas exactement, monsieur.

Alex tira la lettre de sa poche et la remit à l'homme.

— Je me demandais si ce cachet de poste venait d'ici. C'est une lettre de ma mère et je désespère à la retrouver.

— Votre mère ? Elle a disparu ?

Il prit la lettre, tira de sa poche une paire de lunettes et les ajusta sur l'arête de son nez. Examinant le coin de la lettre, il opina de la tête.

— Oui, en effet. J'ai estampillé ceci moi-même.

Ses yeux perçants étudièrent le visage d'Alexandria.

— Je me souviens de votre mère. La ressemblance est vraiment frappante.

Il regarda ailleurs un moment, ses lèvres minces continuant de parler.

— Elle était avec un homme.

— Ce devait être mon père.

— Oui, elle semblait être très amoureuse de lui. Il la faisait rire — un rire distinctif que celui-là. Fort et joyeux.

— Est-ce qu'ils ont parlé de quelque chose à propos d'où ils allaient, ou à quel endroit ils demeuraient ? Rien du tout ? lui demanda Alex avec efforts.

— Humm. Quelque chose à propos d'un château, si je me souviens bien.

— Il y a beaucoup de châteaux en Irlande, monsieur. Pouvez-vous vous souvenir duquel ? demanda Baylor d'une voix forte.

— Oui, oui. Laissez-moi un moment, je réfléchis.

Il se retourna et fit de grands pas vers le long pupitre, s'arrêta, et claqua alors ses doigts sur le dessus.

— Je l'ai ! Le château de Killyleagh. Ils ont demandé le chemin pour s'y rendre.

Il fit un sourire triomphant à tous les trois.

— Le château de Killyleagh, murmura Alex.

Ils allaient devoir aller au château de Killyleagh.

— Y avait-il autre chose ? Est-ce qu'ils ont dit la raison pour laquelle ils voulaient aller là ? enchaîna-t-elle.

— Non, non, même si j'ai essayé de sonder un peu.

Le maître de poste sourit comme un enfant d'école malicieux.

— Ils semblaient vouloir se dépêcher. Mais c'était déjà il y a quelques mois. Vous ne pensez pas qu'ils sont toujours là ?

— Je ne le sais pas.

La voix d'Alex devint douce et triste.

— Mais je dois parler à quelqu'un qui demeure là. Ils savent peut-être quelque chose d'important.

— Bonne chance, alors.

Le maître de poste hocha la tête, puis reprit :

— Si quelque chose vient à mes oreilles, j'enverrai une note au bureau de poste de Killyleagh. C'est à une trentaine de kilomètres d'ici.

— C'est donc assez près. Bien. Merci beaucoup de votre aide.

Alex se tourna vers la porte, Baylor et Montague derrière elle.

Belfast était une ville excitante et un endroit qu'elle aimerait visiter à nouveau un jour. Pour l'instant, il était temps de reprendre ses recherches. Il était temps de retrouver ses parents.

Chapitre 15

Gabriel s'assit à l'intérieur de la bibliothèque exiguë du château de Lindisfarne, à Holy Island, feuilletant un livre qui racontait l'histoire de St. Aiden et des moines irlandais qui avaient construit le monastère de Lindisfarne et amené la chrétienneté dans le Nord de l'Angleterre. Il le laissa de côté, s'arrêta et fixa l'étagère, la frustration gagnant ses tempes.

Où était-elle ?

Et si elle avait des problèmes ?

Se sentant agité, il fit de grands pas le long de la fenêtre étroite et regarda à l'extérieur. Il avait visité l'endroit et les alentours plus tôt, ce jour-là, et avait été étonné de voir qu'elle vivait comme les gens qui vivaient ici il y a des siècles, sans aucun confort moderne. Le château était un fatras de pièces froides et pleines de courants d'air, et plusieurs d'entre elles étaient inhabitables. Il n'y avait pas d'eau à la portée de la main, et les abris des animaux tombaient en ruines ; non qu'il ait vu beaucoup d'animaux si ce n'est quelques moutons errants. Sa chambre à coucher était un endroit austère qui le rendait à la fois furieux et consterné pour elle.

Il y avait un petit lit avec un matelas mince et plein de bosses, un couvre-lit délavé et sans oreiller, un ensemble de tiroirs qu'il ouvrit et trouva vides sauf pour une paire de bas usés.

Ann l'avait surpris à fureter et commença à pousser des cris stridents, ce qui attira l'attention de cette bête, Latimere. Que faisait Alexandria, pour l'amour du ciel, avec un chien aussi gros qu'un petit poney ? C'était une autre de ces choses curieuses à laquelle il aurait à réfléchir. Depuis son arrivée, il avait été anxieux de la rencontrer. Maintenant, il devenait désespéré. Qu'arriverait-il si ses serviteurs l'avaient vendue à quelqu'un ? Gabriel tourna le dos à la fenêtre, la mine renfrognée. Il devait les convaincre de parler.

Prenant place à la petite table, il ferma les yeux et appuya la tête sur le dossier de la chaise en bois franc.

« Mon Dieu, je vous en prie, gardez-la en sécurité. »

Il ouvrit les yeux et regarda vers le haut. Là, dans la lumière poussiéreuse de la bibliothèque, il y avait un livre qui avait été déplacé, parmi les autres sur l'étagère. Il n'y avait pas porté attention auparavant. Peut-être avait-il déplacé le livre lui-même. Il se leva pour le replacer et s'arrêta alors que ses doigts effleuraient le dos du livre. C'était un livre de poésie. Il y avait un morceau de papier qui dépassait du livre. Il tira précautionneusement le livre et l'ouvrit.

La familiarité de l'écriture le frappa comme un bélier. Alexandria avait écrit ceci.

Il se rassit et défroissa les pages, perdant le souffle à la lecture des premiers mots.

Cher Monsieur le duc,

Je pense à vous souvent, essayant d'imaginer ce à quoi ressemble votre vie. Elle doit être à l'opposé de la mienne. Vous devez assister à des fêtes somptueuses et à des bals prestigieux, entouré de belles femmes et de beaux hommes qui sont riches et puissants. Que font les ducs de leurs journées, je me le demande. Monsieur Meade n'avait que des éloges à votre égard, mais il y a tant de choses que j'ignore encore. Quel âge avez-vous ? De quoi avez-vous l'air ? J'ai fouillé dans un exemplaire du nobiliaire Debrett *auquel mes parents se réfèrent souvent pendant leurs enquêtes, mais j'ai bien peur de n'avoir pu vous trouver ; peut-être que vous n'étiez pas encore né, car cet exemplaire date d'il y a longtemps.*

Gabriel cessa de respirer en constatant qu'elle avait pensé à lui de cette façon. C'était de la même façon qu'il pensait à elle. Se demandant son âge et ce à quoi elle ressemblait, se demandant si le lien qu'il ressentait pour elle à travers leurs lettres pourrait mener à quelque chose de plus sérieux. Elle n'avait jamais donné d'indices à ce propos, et il avait tenté de l'ignorer jusqu'à aujourd'hui. Il savait maintenant ce qu'il y avait vraiment dans son cœur. Il retourna rapidement à sa lecture.

Le ton de vos lettres me fait croire que vous devez être dans la quarantaine au moins, et je me rassure en me disant que vous êtes trop âgé et trop grincheux pour mes rêveries, mais peut-être êtes-vous seulement habitué de diriger tout autour de vous ? Vous êtes un duc, après tout, et devez être habitué à ce que les gens vous fassent la révérence où que vous alliez.

Je ne posterai pas cette lettre, évidemment ; je ne pourrais vous laisser entrevoir la solitude et la peur que je ressens parfois. Mes parents ne demeuraient pas ici très longtemps, mais ils n'ont jamais été partis si longtemps. Qu'arrivera-t-il si je suis réellement seule au monde ? Je ne peux me laisser aller à y penser. Je ne peux le croire. Mais je souhaiterais avoir quelqu'un. J'espère un jour vous rencontrer et voir votre visage.

La lettre finissait ici, abruptement, et il était chagriné de constater qu'il aurait espéré qu'elle soit plus longue. Gabriel prit la page suivante où elle avait commencé une autre lettre.

Cher Gabriel,

Il aima cette adresse, la meilleure de toutes celles qu'elle avait choisies jusqu'ici. Seulement les êtres les plus proches et les plus chers l'appelaient par son prénom – presque personne.

J'ai trouvé ce poème de Shakespeare et pensé à vous. L'avez-vous déjà lu ?

L'union d'esprits fidèles j'entends que l'on n'y mette
Aucune forme d'empêchement ; l'amour n'est pas l'amour
Qui, s'il rencontre raison de s'altérer, s'altère,
Ou qui cède et recule devant la trahison.
C'est un phare, au contraire, arrimé à son socle,

Observant les tempêtes qui veulent l'ébranler ;
C'est l'étoile qui guide la barque de la dérive,
De hauteur calculable, d'effet mystérieux.
Son teint frais, joues et lèvres, a beau tomber sous l'ample
Circuit de la faucille, il n'est pas jouet du Temps ;
Amour n'obéit pas aux brèves heures et semaines,
Amour s'éternisera jusqu'au Jour du Jugement.
M'accuse-t-on d'avoir faux ? Que j'en serais la preuve ?
Jamais je n'écrivis, ni aucun homme n'aimai !

Il expira profondément et appuya son front dans sa main, renversé par les mots fluides. C'était l'un de ses poèmes favoris, un poème qu'il avait étudié et mémorisé il y a plusieurs années. Le début parle du mariage et de ses vœux, puis il continue en décrivant une forme d'amour idéal qui est constant malgré les circonstances, un amour qui traverse l'épreuve du temps jusqu'à ce que la mort sépare les amoureux. Une lumière, une étoile, de valeur incommensurable.

À la fin du poème, Shakespeare met l'accent sur sa déclaration d'amour. Puis vient la simplicité élégante des mots eux-mêmes. Des mots sans prétention, placés ensemble de façon telle à citer le sentiment le plus complexe de l'humanité — l'amour. Est-ce qu'Alexandria avait perçu cela ? Le fait qu'elle ait pu penser ressentir un tel amour pour lui fit surgir de la chaleur et de la joie dans tout son corps et son esprit.

Est-ce que l'on peut réellement tomber amoureux à travers quelques lettres ?

Il les plia comme si elles étaient filées d'or et les plaça dans sa poche. Il replaça le livre sur l'étagère et revint vers la seule fenêtre de la pièce, regardant à l'extérieur les collines ondulantes de la campagne. Si seulement elle ne s'était pas sauvée, il aurait pu lui montrer la façon par laquelle il voulait prendre soin d'elle et rendre sa vie heureuse. Il regarda autour, dans la pièce miteuse, et ferma la main en un poing.

Elle méritait mieux.

Qui étaient ces parents qui laissaient leur unique enfant seule dans une maison si délabrée ? La vague de colère qu'il ressentit à leur pensée l'envahit de nouveau. Comment osaient-ils la laisser ici, comme si elle ne signifiait rien pour eux ? Quel genre de parents pouvaient faire une telle chose ?

Meade apparut soudainement à l'entrée. Gabriel l'avait envoyé au village pour questionner les habitants à propos de ce que faisait Alexandria. Les cheveux de travers et les joues rouges, il avait l'air d'avoir couru tout le long du retour vers le château.

— Alors ? Avez-vous trouvé quelque chose ?

Gabriel lui fit un signe d'entrer dans la pièce.

— Elle s'est arrêtée au magasin du village juste avant de partir et a posté une lettre. La commerçante a dit que la lettre vous était adressée, Votre Grâce. Ce fut la dernière fois qu'elle a été vue. Personne ne sait à quel endroit elle est allée au moment de quitter l'île. Ils croyaient qu'elle était seulement allée à Beal pour quelque chose. Ils m'ont dit qu'elle y allait souvent pour visiter ou aider quelqu'un dans le besoin. Et ce n'était pas impossible qu'elle y reste plusieurs jours. Personne n'a pensé à la questionner à ce sujet jusqu'à ce que l'on se rende compte qu'elle était partie pour longtemps ; ses serviteurs ont seulement répondu la même chose que ce qu'ils nous ont dit — qu'elle était partie pour un voyage d'exploration.

— Bêtises que tout cela.

Gabriel fit de grands pas vers la fenêtre et se frotta le menton en réfléchissant.

— Ils en savent plus que ce qu'ils veulent nous dire.

— Avec tous ces chuchotements qu'on entend, je suis entièrement d'accord avec vous.

Gabriel savait que Meade avait prononcé les mots plus forts, car il ne lui faisait pas face. Il se retourna vers son secrétaire.

— Je vais les questionner encore une fois. Demandez-leur de me rencontrer dans la grande pièce. Je vais les prier, s'il le faut.

— Oui, Votre Grâce.

Meade fit une courte révérence et s'en retourna pour aller quérir les serviteurs.

La pensée de retourner à Beal et d'annoncer au capitaine que lady Featherstone avait disparu n'était pas plaisante. Le capitaine irait tout droit l'annoncer au prince régent, et ce dernier ne devait pas être au courant que sa pupille avait déjà disparu. Le prince régent serait furieux contre eux, incluant Alexandria, quand il apprendrait qu'elle avait fui, seule, utilisant la ruse pour avoir de l'argent. Il devait la protéger du prince régent et de cette petite armée qu'il avait semée. Il devrait se débarrasser de cette armée pour partir à sa recherche. Ce serait lui qui la trouverait et la ramènerait saine et sauve.

Qui aurait pu dire que de devenir tuteur apporterait tant de problèmes ?

Il ne pouvait cependant nier que ses problèmes étaient merveilleux. L'émotion qu'il ressentait à la pensée de la retrouver finalement, de la voir, de la tenir dans ses bras – « Dieu, aidez-moi » – cela fit battre son cœur d'une façon étrange, et la chaleur envahit son corps comme s'il se tenait à côté d'un feu ronronnant. Il devait se ressaisir.

Quelques minutes plus tard, il entra dans la grande pièce, soulagé de voir Ann et Henry assis sur des chaises près du feu. Il tira une autre chaise et s'assit face à eux. Ann gardait un pli obstiné à la commissure des lèvres, et Henry ne le regardait pas dans les yeux.

– Ann, Henry, je comprends que vous essayez de la protéger, mais j'ai une histoire à vous raconter. C'est un grand secret qui m'a été confié par un homme du prince régent, et je ne vous le confierais pas si je n'avais la certitude que vous êtes dignes de confiance tous les deux pour garder des secrets importants.

Henry le regarda d'un air de dégoût.

– Votre ruse ne fonctionnera pas pour nous faire parler, alors gardez vos secrets, duc.

Gabriel répondit par un signe de tête à cette menace et adoucit son sourire. Qu'est-ce qu'il ne donnerait pas pour que le vieil homme travaille pour lui. Il n'avait pas vu une telle loyauté depuis son passage dans la marine.

– Je vais vous le dire quand même.

Il leur raconta ce qu'il savait à propos du manuscrit disparu que lord et lady Featherstone recherchaient. Et il leur parla de la tutelle et de la façon par laquelle le prince régent lui avait donné pour tâche de la garder en sécurité.

— Alors, vous voyez, Alexandria court un grave danger. Si elle est partie seule, sans personne pour la protéger, je crains pour sa vie.

Il laissa tomber les mots pour un moment, notant que leur visage s'adoucissait.

— S'il y a quelque chose… quoi que ce soit que vous sachiez… je vous prie de me le dire. Je ne peux la protéger si je ne peux la trouver.

Le silence s'épaissit dans la pièce. Gabriel attendit, les regardant tour à tour, voyant leur combat intérieur. Finalement Henry regarda Ann et murmura :

— Je ne voulais pas qu'elle parte seule de toute façon. Je lui ai dit que c'était une idée de fous.

— Le cocher était avec elle, siffla Ann. Pensez-vous qu'elle n'avait pas de plan ? Elle a toujours été capable de prendre soin d'elle-même.

— Elle n'avait pas d'ennemis, avant. Pas de vrais, en tout cas. Nous devons lui dire ce que nous savons.

Ann fit un gros soupir et regarda Gabriel.

— Ce n'est pas grand-chose, mais elle a retenu une diligence pour aller à Whitehaven.

Whitehaven. Une ville portuaire.

— Pour sortir d'Angleterre ?

Gabriel sentit un début de panique. A-t-elle vraiment quitté le pays ?

— Elle avait une lettre de sa mère… la dernière qu'elle a reçue. La lettre venait d'Irlande. Nous avons pensé que c'est à cet endroit qu'elle commencerait sa recherche.

— Sa recherche ?

La voix d'Henry était pleine de fierté.

— De ses parents, évidemment. La fille ne les a jamais crus morts. Elle disait qu'elle le ressentirait, si c'était vrai.

Gabriel étira le bras et couvrit ses yeux de sa main. Il aurait dû le savoir. Il aurait dû lire entre les lignes de ses lettres et deviner. Elle attirait son attention sur l'état du château, le priant de lui envoyer des fonds, non pour les réparations, mais pour s'enfuir en Irlande ! Il l'avait sous-estimée. Une espiègle astucieuse. Astucieuse et déterminée. Tout ce qui la préoccupait était de retrouver ses parents.

Non qu'il la blâma vraiment — il aurait fait exactement la même chose. Il l'admira même pour cela. Mais le fait qu'elle ait peut-être raison, qu'ils soient peut-être vivants, et que s'ils l'étaient, alors ils auraient sans doute de vrais gros problèmes… des problèmes que sa pupille semblait déterminée à s'occuper. Il gémit très fort. Quelle fille têtue et impétueuse ! Si seulement elle avait demandé son aide. Mais elle ne le connaissait pas. Elle ne connaissait pas la place inexplicable qu'elle prenait déjà dans son cœur. Maintenant, il devrait la chercher jusqu'en Irlande.

— Est-ce que vous savez où, exactement, en Irlande ? C'est un endroit assez vaste.

Ils secouèrent la tête tous les deux. Évidemment qu'ils ne le savaient pas. Ce ne pouvait être aussi facile.

— Meade, retrouvez cette diligence qu'elle a retenue et l'identité du cocher. Il pourrait nous aider.

— Cela était monsieur Howard, de Beal. Il est le seul à posséder une diligence dans les parages, dit Henry.

— Très bien. Retrouvez monsieur Howard, s'il est revenu.

Gabriel se leva, l'impatience gagnant ses veines.

— Merci de vous être confiée à moi, Ann.

Il fit un signe de tête à la vieille femme.

— Henry.

Un autre signe de tête en sa direction.

— Meade vous enverra une lettre quand je l'aurai retrouvée. Entre-temps, je vous donne ceci.

Il sortit un gousset et le laissa tomber sur la chaise dans un bruit sourd.

— Lady Alexandria n'a pas vraiment exagéré les réparations nécessaires ici. Je vais vous en envoyer de nouveau quand j'en serai capable, mais faites au moins des réserves dans le garde-manger, et faites réparer le toit qui fuit. Vous pourriez aussi avoir quelqu'un pour travailler sur l'abri des moutons ; il s'écrasera bientôt.

Ann se leva et étira le cou vers lui, avec une intention dans ses yeux fatigués.

— Vous avez dit que vous alliez la protéger, et je veux que vous teniez votre promesse, duc. Prenez soin de cette fille.

À l'étonnement de Gabriel, ses lèvres commencèrent à trembler, puis elle reprit.

— Elle n'a pas reçu beaucoup de cette vie, avec ses parents galvaudant autour du monde et ne s'occupant pas beaucoup d'elle, avec toutes les responsabilités qu'elle avait… mais elle est une âme unique, elle l'est, et je ne voudrais pas que les goûts d'un duc sophistiqué qui arrive dans sa vie la fassent changer. Vous me promettez que vous protégerez son esprit précieux, pas juste sa vie. Ne la prenez pas dans votre monde et ne les laissez pas la changer et lui faire croire qu'elle vaut moins que ce qu'elle est.

Sa voix secouée par ce qu'elle voulait signifier et son inquiétude le toucha au creux de l'estomac comme un coup de poing.

— Protégez son essence. Pouvez-vous me le promettre ?

Soudainement, il sut exactement ce qu'elle voulut dire. C'était la raison pour laquelle les lettres d'Alexandria venaient à dire tant de choses. C'était de cette façon qu'il était certain qu'elle était si différente de toutes celles qu'il avait déjà rencontrées. Cette qualité qu'elle possédait, cet esprit généreux, si plein de joie et de rires ; une belle âme.

— Je le promets.

Ann a dû voir qu'il prenait le tout au sérieux, car ses lèvres esquissèrent un mince sourire.

— J'ai prié pour que vous veniez.

Elle le dit doucement, mais Gabriel le lut sur ses lèvres. Le cœur battant, il lui fit la révérence, agrippa le frêle bras d'Henry, puis se retourna pour s'en aller.

C'était surprenant comment la vie pouvait changer si soudainement.

Chapitre 16

La route entre Belfast et Killyleagh était en bon état et leur permit de faire un tour de diligence de façon confortable. Enfin, pour elle et Montague, car, regardant Baylor tout recroquevillé au milieu du siège en face d'eux, Alex dut nuancer. Il devait se tenir le dos voûté pour empêcher sa tête de toucher au toit et, à l'occasion, il devenait fatigué d'être dans un espace restreint et demandait de marcher un peu à l'extérieur. Pauvre géant. Mais il le prenait tout naturellement, car il devait en avoir l'habitude.

Montague, comme il le faisait habituellement, ne disait presque rien ; il avait tiré son chapeau pour couvrir ses yeux et tomba endormi prestement, ronflant doucement à côté d'elle. Elle ne pouvait vraiment imaginer la façon par laquelle elle s'était retrouvée avec de tels champions, mais elle était excitée de suivre leur premier vrai indice. Quelqu'un au château devait avoir parlé à ses parents.

Un peu plus tard, ils arrivèrent à Killyleagh. C'était une jolie petite ville située sur les eaux bleues de Strangford Lough, un bras de mer parsemé d'îles et d'affleurements rocheux. Les chaumières alignées le long de la rue principale étaient peintes en vert, jaune et bleu pâle. Alex appuya le nez contre la fenêtre, un sourire s'élargissant sur son visage au moment où la silhouette du château fut en vue. Il avait l'air de sortir tout droit d'un conte de fées avec ses grandes tours et ses tourelles. Il était construit de pierres grises et brunes, et avait des reflets bleutés et violets dans la lumière de l'après-midi. La façade faisait penser à des dames et des chevaliers médiévaux, avec des chapeaux coniques aux couleurs éclatantes.

— Oh ! Baylor, n'est-ce pas splendide ?

Baylor se pencha à la fenêtre et regarda à l'extérieur.

— Ça l'est. Ça l'est.

En approchant du château, Alex vit le mur de pierres qui l'entourait et la guérite avec une clôture de fer.

— Nous allons devoir visiter le château pour trouver des indices. Pensez-vous qu'ils nous laisseront entrer ?

Elle n'avait pas pensé à la guérite et aux soldats qui gardaient l'endroit.

— Une fois que vous leur aurez offert votre plus beau sourire, c'est certain qu'ils nous laisseront entrer.

Baylor riait. Montague se releva et regarda aussi par la fenêtre.

— Nous devrions d'abord arrêter à l'auberge et poser des questions à propos des propriétaires.

— Et prendre le dîner.

Baylor se tapa sur l'estomac.

— Je pourrais manger un mouton avec la laine encore dessus, tellement j'ai faim.

Alex rit.

— C'est un bon plan. Allons trouver de l'information, avant de s'approcher de la clôture. Et mes parents ont dû rester en ville. Je pourrais questionner l'aubergiste.

La diligence continua à monter le long d'une colline, puis s'arrêta devant l'auberge Dufferin Coaching.

C'était un joli bâtiment, peint en bleu pâle avec des pierres sur la partie inférieure. Ils entrèrent pour trouver une salle d'attente propre et, sur le côté, une grande salle à manger avec des ensembles de tables et de chaises, qui étaient vides pour la plupart à cette heure de la journée. Une femme avec un grand tablier et un sourire amical sortit de la salle à manger, un plateau à la main.

— Bien le bonjour, les accueillit-elle. Vous venez d'arriver avec la diligence, je vois. Voudriez-vous vous rafraîchir et prendre le thé ? J'ai justement du barmbrack qui sort du four.

— Merci, madame. Nous aurons également besoin de lits pour la nuit, hasarda Alex.

Elle espérait que Baylor et Montague puissent partager une chambre, même si Baylor était si énorme. Elle devait restreindre ses dépenses, mais elle avait insisté pour payer pour eux aussi longtemps qu'ils l'aideraient. Si seulement le duc pouvait lui envoyer plus d'argent. À la pensée de le voir arriver à Holy Island et de se rendre compte qu'elle était partie lui vira l'estomac à l'envers. Qu'est-ce que Henry et Ann lui diraient ? Et que ferait-il par la suite ? Il n'y avait aucune façon de recevoir ses lettres, dorénavant. Henry et Ann ne savaient pas à quel endroit elle était allée en Irlande. Elle n'avait pu courir le risque de leur dire, même sachant qu'ils garderaient les lèvres serrées et qu'ils étaient tous les deux loyaux envers elle.

Elle n'avait pas trop le choix. Elle avait besoin de Baylor et de Montague, et devait avoir confiance que Dieu l'aiderait à étirer ses pièces de monnaie. Il l'avait fait avec le pain et le poisson, et en plusieurs autres occasions, au moment où les besoins étaient trop grands pour son indemnité à Holy Island. Elle était certaine qu'Il trouverait une façon cette fois-ci également.

— Il y a beaucoup de places disponibles, ma chère. Entrez dans la salle à manger et installez-vous près du feu. Je vais y apporter du cidre et du barmbrack pour vos hommes.

— Merci.

Alex avança la première vers la salle à manger, fit un pas à l'intérieur, et s'arrêta alors brusquement. Là, assis, la tête penchée au-dessus d'un livre, il y avait l'Espagnol, et il n'était pas seul. Est-ce qu'il les avait suivis jusqu'ici, ou était-il venu avant eux pour trouver des indices de son propre chef ?

Alex recula, faisant un geste pour que Baylor et Montague reculent à leur tour. Ils se tenaient tous les trois au coin de la pièce, juste à l'extérieur de la porte de la salle à manger.

— Qu'est-ce qu'il y a ? demanda Baylor, essayant de murmurer, mais encore trop fort.

— Chut ! l'avertit Alex. C'est lui. L'homme espagnol qui nous suivait, et cette fois, ils sont deux.

— Ce n'est pas possible, entonna Montague.

Il épia furtivement par la porte et jeta un coup d'œil à l'intérieur.

— C'est lui.

Alex lui fit un geste pour qu'il s'éloigne de la porte.

— Ils doivent rechercher la même chose que nous. C'est la seule explication possible.

— Mais que recherchons-nous? Je croyais que c'était vos parents, murmura Baylor.

— Oui, évidemment. Mais mes parents ont été engagés pour retrouver quelque chose d'important. Je ne sais pas encore ce qu'ils recherchaient, mais ce devait être de très grande valeur. Ces hommes doivent vouloir aussi le trouver, et ils nous suivent pour voir si l'on trouvera des indices en premier.

Baylor et Montague échangèrent un regard.

— Nous devons renverser les rôles et les épier, pour faire changement. Mais ils nous reconnaîtront; ils connaissent nos visages.

— Nous pourrions nous déguiser, suggéra Alex. Montague, si vous rasiez votre barbe et votre moustache et que nous mettions de la poudre dans vos cheveux…

— Non.

Sa réponse fut immédiate et définitive.

Alex regarda Baylor. Impossible de camoufler sa taille. Elle eut une image mentale de lui habillé en femme, ce qui lui fit serrer les lèvres pour contenir un rire.

— Je ne peux imaginer aucun déguisement qui fonctionnerait avec vous.

Baylor haussa les épaules.

Montague se tourna vers elle.

— Vous êtes la seule qui peut le faire assez rapidement pour être prête dès maintenant.

— Mais, de quelle façon?

Alex regarda autour d'elle, voyant des nappes et des napperons de dentelle. Que pourrait-elle faire avec ça ?

— Nous allons vous habiller comme un homme. J'ai une paire de culottes de surplus et des bottes dans mon sac. Ce sera trop grand, mais avec de la corde attachée autour de votre taille pour les retenir et un chapeau pour vous couvrir les cheveux… nous pourrions utiliser de la suie du foyer pour vous mettre un petit peu d'ombre sur la barbe.

— Ma barbe ?

Alex s'étouffa presque entre l'étonnement et le rire.

— Pensez-vous vraiment que ça fonctionnera ? Nous devons nous dépêcher !

Montague étendit son sac sur le plancher et fouilla dedans. Il lui sortit des pièces de vêtements jusqu'à former une pile autour de ses pieds.

— Mais où vais-je me changer ? La serveuse pourrait revenir à tout moment !

— Baylor, faites vite et enlevez votre cape pour faire un écran ici, dans le coin. Alexandria nous allons vous tourner le dos, mais dépêchez-vous.

Baylor fit un écran et Alex enfila les vêtements empruntés, entassant sa jupe dans le sac de Montague. Au moment où elle finissait de s'habiller, Montague revenait du foyer avec les doigts noircis de suie.

— Voilà, tenez-vous bien.

L'odeur de la cendre brûlait son nez au moment où il noircissait sa lèvre supérieure et son menton. Elle se tenait muette, les lèvres serrées, à moitié paniquée.

— Qu'arrivera-t-il s'ils me reconnaissent ?

— Nous serons juste ici si vous avez besoin de nous, la rassura Montague.

Baylor se pencha vers elle et lui fit un large sourire. Il tapota sa joue noircie avec un petit rire.

— Mais vous êtes un beau jeune homme. N'ayez pas peur. Ils vous croiront trop jeune pour être réfléchi.

— Il a raison. Asseyez-vous assez près d'eux pour les entendre, mais le dos tourné.

— Mais que se passera-t-il avec la serveuse ? Il est certain qu'elle va me reconnaître et se demandera où vous serez passés !

— Nous allons nous occuper d'elle. Maintenant, allez-y.

Montague lui tourna les épaules vers la porte de la salle à manger.

Alex prit une profonde inspiration et se calma les nerfs. Elle était capable de le faire. Elle avait juste à garder la tête basse et le dos tourné aux Espagnols. Au moment où ses pieds ne voulaient plus avancer, Baylor lui donna un petit coup de coude pour la faire entrer dans la pièce.

L'aspect débraillé de ses bottes beaucoup trop grandes attira le regard de tous sur son visage. Il y avait un autre couple qui mangeait un repas léger et qui avait une conversation sérieuse. Alex les regarda et fit un signe de tête poli dans leur direction, puis continua vers la table près du feu. Elle jeta un coup d'œil aux hommes ; un grand et maigre, avec une mince moustache et une barbe naissante, et l'autre, celui qu'elle n'avait jamais vu auparavant, court avec un ventre rond, les cheveux noirs et un visage aux joues rondes, était assis en face de lui.

Le plus petit la regarda. Alex détourna le regard rapidement vers le plancher, fit le tour de la table et alla vers le feu comme si elle voulait se réchauffer. Elle leur jeta à nouveau un coup d'œil et eut un soupir de soulagement. Ils consultaient de nouveau le livre. Elle se glissa lentement vers la table à côté d'eux et s'assit, le dos tourné aux Espagnols. Ils ne relevèrent pas les yeux de leur livre, très absorbés par leur lecture.

— Les réponses devraient se trouver ici, siffla le grand homme osseux.

— Je suis un lecteur lent, mon seigneur.

Sa voix était claire et pleine de frayeur.

Alex entendit un bruit sourd et sursauta sur sa chaise.

— À quoi le roi a-t-il pensé ? Vous envoyer avec moi ! Je pourrais aussi bien avoir une pierre attachée autour du cou.

— Aïe ! répliqua le petit homme corpulent. Vous m'avez frappé !

— Et je vous frapperai de nouveau si vous continuez d'être aussi stupide. Nous avons finalement réussi à devancer la fille Featherstone. Notre premier coup de chance était d'entrer dans le château et de trouver le journal de Sloane. Nous devons savoir s'il dit quelque chose à propos du manuscrit.

Soudainement, un fracas de vaisselle attira l'attention des dîneurs vers la porte. Une jeune serveuse entra dans la pièce. Elle allait à chaque table et servait du thé et du pain sucré. Alex garda la tête baissée et fit signe à la fille de continuer au moment où elle arrivait à sa table, soupirant de soulagement après le départ de celle-ci. Au moment où Alex releva les yeux, son cœur s'arrêta. Les Espagnols avaient laissé leur table. Elle en avait entendu si peu ! Elle se dépêcha à sortir de la pièce pour rejoindre ses amis.

Elle fut plus qu'étonnée de voir Montague dans le parloir, se tenant près de la première serveuse qu'ils avaient rencontrée, caressant ses joues rebondies et riant d'une façon qu'elle ne l'avait jamais vu faire. La femme rougissait, secouant la tête avec un regard faussement timide, tandis que Montague lui murmurait des mots de sa voix basse et rauque. Voilà donc ce qu'il entendait quand il disait vouloir s'occuper de la serveuse.

Pensant le sauver, elle se dirigea vers le couple.

— C'est ici que vous êtes, Montague. Bonté divine que je suis fatiguée. Avez-vous réservé des chambres pour nous ?

Elle le regarda, puis sourit à la serveuse, les sourcils relevés.

Montague fronça les sourcils, ses sourcils gris se touchant au-dessus de ses yeux bleu azur.

— Maîtresse Tinsdale a été très accommodante. Elle me disait justement que les Hamilton Rowan résidaient dans le château que vous avez hâte de voir.

— Oh oui. Ma sœur est la gouvernante du château et elle vous fera visiter, elle le fera.

La femme grassouillette en fit la promesse à Montague avec un sourire épris.

— Ce serait merveilleux ! À quel moment pourrons-nous le voir ?

Alex tapa les mains ensemble pour faire plus d'effet. Vieux renard astucieux. Ses talents dépassaient ce qu'elle aurait pu en penser.

— J'ai envoyé une note à ma sœur. Nous devrions en entendre parler très bientôt, mais ça ira plutôt à demain... pour respecter l'horaire de la famille, vous voyez. Ils n'aiment pas être dérangés.

— Évidemment.

— Entre-temps, maîtresse Tinsdale a demandé à son cuisinier de préparer ce qu'il y a de mieux pour nous. Vous devriez aller — il leva les sourcils et regarda avec questionnement son étrange accoutrement, ce qu'Alex avait oublié — vous rafraîchir.

Alex regarda les culottes qu'elle portait et rougit. Maîtresse Tinsdale devait la croire dingue d'avoir échangé la jupe qu'elle portait contre des vêtements d'homme.

— J'allais jouer un tour à notre ami le géant.

Elle secoua la tête, voulant signifier que ce serait difficile à expliquer.

— Je vais aller à ma chambre pour me changer avant le dîner. À quel endroit exactement se trouve-t-elle ?

Maîtresse Tinsdale ne semblait pas trop consternée, mais perplexe.

— En haut de l'escalier. La première porte à gauche. Vous avez votre propre chambre, ma chère, car nous avons seulement deux autres occupants à côté de vous.

Alex hocha la tête, jetant un coup d'œil du côté de Montague.

— Je vous vois tantôt, alors ?

Montague lui fit un clin d'œil.

— Je vais être ici, milady, à entretenir cette charmante femme avec mes histoires.

Alex fit un petit sourire suffisant, un sourcil relevé, puis se retourna pour s'en aller.

Rendue en haut de l'escalier, elle sentit une main sur son épaule. Elle s'arrêta, le cœur battant, et elle entendit une voix lui murmurer à l'oreille :

— Nous allons garder votre porte, soyez sans crainte.

Elle se retourna avec un soupir de soulagement et vit la forte taille de Baylor.

— Ils ont un journal… je crois que c'est le journal de Sloane.

— Chut ! N'en parlons pas ici. Attendons après le dîner. Nous irons marcher et parlerons dans un endroit plus privé.

Alex approuva et tourna le bouton de sa porte.

— Merci, Baylor. Pour tout.

— Je n'aurais voulu manquer ça pour rien au monde. Non plus pour une marmite de pièces d'or des farfadets.

Alex se mit à rire.

— Ça, je ne le crois pas.

Baylor haussa les épaules.

— Vous avez peut-être raison, là-dessus. C'est joli, le bout d'un arc-en-ciel.

Alex se l'imaginait en ouvrant la porte qui menait à sa chambre. Au bout d'un arc-en-ciel, il n'y avait pas de marmite remplie de pièces d'or. Non, au bout de son arc-en-ciel se tenaient ses parents, vivants et très heureux de la revoir.

Chapitre 17

Le capitaine de l'armée voyageant avec Gabriel était furieux, la vapeur lui sortant par les oreilles, quand il aperçut Gabriel et Meade sur le terrain de l'auberge de Beal. Ses cheveux blancs tenaient de côté comme s'il avait passé les doigts dedans plusieurs fois. Son visage était d'un rouge inconvenant et ses yeux étaient gonflés de rage au moment où il les vit. Il commença à parler, piétina sur place, puis garda les lèvres serrées le temps que Gabriel descende de cheval et s'avance vers lui. Quel était le problème avec ces petits hommes et leur caractère ?

— Mon cher capitaine, je suis si soulagé de vous voir ici en bonne forme. Je ne pouvais comprendre la raison pour laquelle vous n'étiez pas juste derrière moi au moment de la marée basse.

Une veine vira au violet sur le front du capitaine, et lorsqu'il réussit enfin à cracher des paroles, ce fut avec un grincement de dents.

— Ils nous ont servi de la boisson forte, Votre Grâce, et j'ai l'impression que vous étiez au courant.

— De la boisson forte ? Comment puis-je avoir été au courant quand je n'étais même pas ici ? D'un autre côté, je ne suis pas responsable de ce que vos hommes boivent. Vous l'êtes.

Le capitaine inspira comme s'il avait été frappé, puis tourna le dos à Gabriel et se déplaça de quelques pas. Au moment où il se retourna, il semblait plus calme.

— Et où est la jeune lady, Votre Grâce ?

Gabriel haussa les épaules et fit un sourire peu enthousiaste.

— Il semble que la lady soit partie pour un petit voyage. Le problème est que personne ne sait à quel endroit elle est partie.

— Impossible ! Comment peut-elle ne pas être ici ?

Gabriel fit claquer ses gants contre sa jambe et s'avança vers la chaleur de l'auberge.

— C'est presque impossible qu'elle soit ici. Elle avait retenu une diligence.

— Le prince régent sera furieux. Tout ceci est de votre faute. Vous ne la maîtrisez pas.

— Peut-être.

Gabriel fit signe au capitaine de le suivre à l'intérieur et lui tapa sur l'épaule de façon amicale.

— Peut-être serons-nous tous dans la même situation. Mais il ne faut pas agir de manière précipitée. J'ai pensé, en fait, que nous ne devrions pas le dire au prince régent. Nous devrions la retrouver et la ramener en toute sécurité.

— Monsieur, parlez-vous de duper le prince régent ?

— La duperie est un gros mot, capitaine. Je suggère seulement que nous continuions à suivre les ordres que nous avons reçus. Retrouver lady Featherstone et la ramener à Londres. Si jamais le prince régent apprend qu'elle n'était pas à la maison, où nous pensions tous la trouver, elle sera celle qui aura des ennuis. Nous devrions lui épargner la colère du prince régent si nous le pouvons, ne pensez-vous pas ?

— Mais les ordres et les provisions concernent seulement le cadre de ce voyage vers Holy Island et son retour.

— N'ayez crainte pour le surplus de dépenses, mon bon capitaine. Je vous suis reconnaissant de votre aide et je vous paierai en conséquence. Nous allons devoir nous séparer, quelques-uns allant au sud, quelques-uns au nord, en Écosse, et d'autres à l'ouest. Et quelqu'un, préférablement quelqu'un en qui j'ai confiance pour la garder en sécurité, devra rester ici et mener l'opération, car il semblerait qu'elle revienne sous peu.

— J'insiste pour rester ici, en charge de la maison.

Le capitaine s'assit en face de lui à une table basse près du feu.

Gabriel permit un faible sourire à ses lèvres. Le capitaine tombait entre ses mains, lui rendant la tâche encore plus facile pour se débarrasser des soldats.

— Je l'espérais, capitaine. Vous serez largement dédommagé, soyez-en assuré. Maintenant — Gabriel se pencha vers l'avant, baissa la voix et dit discrètement —, Meade et moi irons vers l'ouest, car nous avons appris qu'un cocher est parti pour Whitehaven il y a environ une semaine.

Il s'empressa d'ajouter :

— Mais une autre diligence est partie pour Newcastle sur Tyne le jour suivant, alors envoyez vos meilleurs hommes, deux ou trois, vers le sud, dans cette direction. La route postale du nord est la moins probable, mais elle aurait pu prendre la diligence postale. Cela vaut la peine d'y voir aussi.

Le capitaine approuva, mâchant le bout de l'ongle de son pouce en se concentrant.

— Je sais quels hommes envoyer au nord ; Bobby et Carter, ils auront trop de problèmes s'ils restent assis ici à attendre.

— Bien. Cela laisse Benjamin et Georgie pour aller au sud. Si quelqu'un la retrouve, il faut la ramener ici pour qu'elle puisse être sous votre protection pendant que les autres groupes sont informés. Nous pouvons nous rencontrer à un endroit commode pour tous, puis faire le voyage de retour à Londres comme c'était planifié, personne n'étant au courant que nous avons eu des ennuis, n'est-ce pas ?

— C'est un bon plan. Je... ah ! je m'excuse, Votre Grâce, si je me suis emporté durant cette mission. C'est seulement que c'est la première mission où j'agis directement sous les ordres du prince régent, et j'étais anxieux de lui plaire. Vous comprenez, n'est-ce pas ?

— Évidemment, capitaine. Personne ne veut déplaire au prince régent de toute façon ; c'est pourquoi nous devons retrouver notre petit oiseau et le ramener sagement à son nid avant qu'il n'apprenne sa disparition.

— Pensez-vous qu'elle a des problèmes ?

— J'espère que non.

Gabriel réfléchit, regardant ailleurs.

— Je crois qu'elle m'apportera un tas de problèmes. Mais ce sera uniquement de mon ressort, une fois que je l'aurai ramenée à Londres. Je ne veux pas non plus décevoir le prince régent. Alors, tout est réglé, n'est-ce pas ?

— Oui, Votre Grâce. Nous avons une entente.

Très tôt le lendemain matin, Gabriel et Meade réussirent à sortir de Beal avant tout le monde, avant même que la fille de la cuisine soit debout. Meade avait appris que monsieur Howard avait effectivement conduit Alexandria à l'ouest, vers Whitehaven. Il n'était pas revenu, selon madame Howard, car il avait à faire dans une ville voisine, ce qui prenait deux semaines de plus à l'extérieur. Sa femme ne connaissait pas la raison pour laquelle Alex était partie, ni même si elle revenait avec son mari, mais elle se pencha vers Meade, remua les sourcils et dit qu'elle en doutait. Tout le monde savait que la jeune maîtresse ne croyait pas ses parents morts, et tout le monde savait combien elle aimait résoudre des énigmes. Était-il surprenant qu'elle soit partie à leur recherche ? Elle pensait que non.

Gabriel en était convaincu. La lettre provenant d'Irlande lui laissait croire de poursuivre dans cette direction alors il persuada Meade de remonter à cheval et de galoper jusqu'à l'île d'Émeraude. La pensée de revoir cette île après plusieurs années lui emplit le cœur de joie. Une terre merveilleuse, l'Irlande, mais avec une histoire remplie de conflits et de luttes des pauvres. Les gens, par contre, étaient riches de cœur, vivant dans un endroit empreint de mystères et de magie, s'ils croyaient en la magie.

Il était difficile de décrire la sensation qu'il avait eue au moment où il y était allé la dernière fois. Une terre de vert, de brun et de bleu si intenses que la gorge lui faisait mal juste à regarder le paysage – comme si cela sortait tout droit d'un conte de fées. Et les histoires, tellement d'histoires que les bardes anciens avaient gardées vivantes. Est-ce qu'Alex était déjà arrivée ? Et si oui, comment se portait-elle ?

Il l'imagina embarquant à bord d'un traversier, toute seule. Le cocher n'avait pas voulu la suivre si loin, il en était certain. Peut-être qu'elle a eu le bon sens de se joindre à un groupe, un groupe comportant des femmes. Les possibilités de danger lui mirent l'estomac à l'envers.

– Venez, Meade, nous devons augmenter la cadence.

Son pauvre secrétaire gémit, mais cogna les talons contre le cheval et essaya de suivre Gabriel. S'ils se dépêchaient, ils pourraient arriver à Whitehaven en trois jours ; trois jours de torture pour Meade, mais ce qui ne pouvait le tuer le rendrait seulement plus fort.

Comme il l'avait prédit, Gabriel et Meade arrivèrent à Whitehaven le soir du troisième jour. Ils allèrent au bureau de poste en premier lieu au cas où Alex lui aurait adressé une lettre. Avait-elle reçu son dernier envoi ? Ann avait dit l'avoir envoyé ici. Si la lettre était manquante, alors elle l'aurait ramassée, et ils seraient certains d'être sur la bonne voie.

Assez certains, même ; au moment où il demanda au commis si sa lettre était arrivée et si lady Alexandria Featherstone l'avait ramassée, on lui répondit que oui, en quelque sorte. L'homme était difficile à comprendre ; il avait un mince filet de voix qui ne portait pas bien. Il lui demanda, à contrecœur, de mettre sur papier ce qu'il disait sans fournir d'explication sur le fait qu'il ne pouvait l'entendre.

— Un homme est venu et a ramassé la lettre. Il a dit qu'il voyageait avec elle, un serviteur, en quelque sorte, même s'il n'avait pas l'air d'un serviteur.

— Et vous lui avez donné la lettre ? Il aurait pu être quelqu'un d'autre, aboya Gabriel, envahi par la panique. À quoi ressemblait-il ? Qu'a-t-il dit exactement ?

Un autre homme entra dans le bureau de poste et se tint derrière Gabriel. Le commis lui jeta un coup d'œil, fronça le nez et balbutia :

— Il avait l'air d'un vieil homme, grand, grisonnant, au visage mûr. Il avait une épée et se comportait comme un… chef, en quelque sorte. Il me donnait des ordres, juste comme vous le faites présentement, et j'ai juste fait ce qu'il m'a demandé.

La description fit monter d'un cran le niveau de panique de Gabriel.

— A-t-il dit qui il était ? A-t-il donné un nom ?

— Non, c'est tout, je ne me souviens pas qu'il ait donné un nom. Il a seulement dit qu'il était ici pour prendre la correspondance de lady Alexandria Featherstone.

— L'avez-vous vue, elle, à un certain moment ?

L'homme secoua la tête.

— Il a pris la lettre, y a jeté un coup d'œil, mais ne l'a pas ouverte, à ma connaissance, et est reparti. Il semblait pressé.

Gabriel se frotta un sourcil avec un doigt et soupira. Soit que cet homme était avec elle pour la protéger, car il se promenait avec une épée, soit qu'elle était suivie.

« Mon Dieu, faites que ce soit le premier choix. »

Gabriel fixa de nouveau le commis.

— Est-ce que l'homme a posté d'autres lettres ? Quelque chose pour le duc de St. Easton, peut-être ?

Le commis tira sur une boîte.

— Je crois bien que oui, Votre Grâce. Oui, elle est ici.

Le pouls de Gabriel s'accéléra à sa vue. Où en était-elle rendue ?

— Merci. À quel endroit se trouve la meilleure auberge de cette ville ? Je vais voir si quelqu'un l'aurait aperçue.

— La meilleure auberge serait certainement le Queens Arms, sur la Place du marché, au milieu de la ville, Votre Grâce. Mais il y a plus d'une centaine de maisons publiques, à Whitehaven, à cause du commerce maritime, ajouta fièrement le commis.

— Merveilleux, entonna le duc.

Il se tourna pour partir. Son regard croisa celui de l'étranger derrière lui pour un bref moment. L'homme inclina la tête, ce que Gabriel ignora. Il préférerait que personne ne sache que le duc de St. Easton était en ville.

Les chances de trouver l'endroit où Alexandria avait séjourné étaient minces. Ils se reposeraient cette nuit et questionneraient le bureau maritime à la première heure le lendemain. Elle devrait avoir acheté un billet et il y aurait une liste des passagers. Cela prendrait un certain temps, mais, à moins qu'elle n'ait changé de nom, il trouverait vers quel endroit elle était allée.

Il sortit du bureau de poste et rejoignit Meade qui retenait les chevaux.

— Un peu de chance, Votre Grâce ?

Gabriel monta à cheval en parlant.

— Pas beaucoup. Un homme a ramassé la lettre que je lui avais adressée.

— Quelle sorte d'homme ?

Meade avait l'air alarmé.

— Il semble que ce soit un homme avec un certain entraînement. Un vieil homme, mais fort et capable, habitué de donner des ordres.

— Avez-vous une idée de qui il pourrait s'agir ?

Meade avait beaucoup de mal à se hisser de nouveau en selle.

— Malheureusement, non. Et vous ? Y avait-il d'autres serviteurs au château au moment où vous l'avez visitée ?

— Aucun que j'aie vu. Personne qui corresponde à cette description non plus.

— Il est soit avec elle, soit contre elle. Prions pour qu'elle ait été astucieuse et qu'elle ait engagé un protecteur.

— Hum ! fit Meade en grimaçant, ça ne lui ressemble pas.

— Vous la connaissez si bien, n'est-ce pas ?

Gabriel aboyait comme un chien féroce. Le visage de Meade encaissa le coup comme s'il avait été frappé.

— Je m'excuse, Meade.

Gabriel baissa la voix.

— C'est juste que je ne peux tolérer la pensée de la savoir seule. Sûrement qu'elle possède un peu plus de bon sens que ça.

Meade garda la bouche cousue, mais avait l'air d'en douter.

— Bon, faisons un plan. Nous allons dîner au Queens Arms, puis on commencera notre journée très tôt demain matin. Nous allons la trouver, Meade. Nous allons la trouver.

La chandelle vacillait dans la chambre de Gabriel au moment où il s'asseyait, le dos voûté, devant la dernière lettre d'Alexandria.

Mon cher duc, mon tuteur,

Oh ! ciel. Vous devez être fâché. Si vous êtes en train de lire cette lettre, alors vous avez découvert que je ne suis pas, présentement, à ma demeure de Holy Island. Et vous m'avez suivie jusqu'à Whitehaven, ce qui signifie que vous êtes déterminé à me retrouver. Je voudrais vous demander de cesser de me suivre, mais de la façon dont nous nous connaissons par les lettres que nous nous sommes écrites, je suis plutôt encline à penser que vous ne le ferez pas. Je vous en prie, Votre Grâce, je vous supplie de me permettre de continuer sans tenter de me décourager la recherche de mes parents. Au moment où je les retrouverai, je promets de vous les amener directement à Londres. Et je promets de laisser tomber, si la piste des indices s'arrête. Dans mes moments les plus sombres, je me permets de me demander s'ils sont toujours vivants. Je crois qu'ils le sont, de tout mon cœur, mais s'ils ne le sont pas, je reviendrai volontiers vers vous et serai la plus docile des pupilles. (Du mieux que je le pourrai, évidemment.)

Votre dévouée,
Alexandria

La plus docile des pupilles ? Ha ! Il aimait la façon dont cela sonnait, mais il la connaissait assez pour ne pas la croire. Elle lui causerait toujours des problèmes. Pourquoi à cette pensée ressentait-il de l'excitation au lieu de l'appréhension ? Peut-être qu'il ressentirait une telle excitation durant toute sa vie.

En repliant la lettre et en l'ajoutant à sa pile, il se leva, souffla sur la chandelle, et grimpa dans le grand lit de plumes. Le Queens Arms était une auberge très confortable, en effet. Il ferma les yeux, sombrant dans le sommeil avec des images où il la tenait entre ses bras.

Chapitre 18

Tenant sa parole, la sœur de maîtresse Tinsdale, Helen, les attendait à la guérite pour leur permettre d'entrer dans le château de Killyleagh. Ils avaient franchi la courte distance à pied à partir de l'auberge, s'éloignant du port, passant les rangées colorées de boutiques et de maisons de chaque côté. Une charrette tirée par un cheval passa devant eux. Le conducteur leva son chapeau avec un sourire et un bonjour. L'air était frais avec les embruns de la mer, mais le soleil brillait et ils s'en allaient au château. Une journée remplie de promesses. Alex essaya de calmer son excitation au moment où elle racontait à Montague et Baylor l'étrange conversation qu'elle avait entendue la nuit précédente.

— Je dois mettre la main sur ce journal, moi aussi, dit Alex pour la troisième fois. J'aimerais seulement savoir ce que je recherche.

— Ne vous inquiétez pas avec ça. Je vais le trouver pour vous.

Montague fronça les sourcils en entendant le géant, mais resta silencieux.

— Peut-être que je pourrais me faufiler discrètement et me perdre. C'est un si grand château… peut-être qu'Helen ne s'apercevra pas que je ne suis plus avec vous.

— Le charme irlandais pourrait opérer.

Baylor sourit et fit bouger ses sourcils épais.

— Pourvu que votre femme n'en entende pas parler, répliqua Montague d'un ton sec.

Le visage de Baylor blêmit à cette pensée.

— Je ne dépasserai pas les bornes, dit-il sur la défensive.

Montague gloussa.

— Voyant la façon par laquelle j'ai fait opérer le charme anglais sur maîtresse Tinsdale, je suppose que je ne devrais pas regarder sa sœur de trop près.

Alex réprima un rire en arrivant à la guérite, puis l'étouffa en toussotant. Helen venait vers eux avec un grand sourire sur le visage. Elle ressemblait beaucoup à sa sœur, ronde comme une mère, cheveux bruns avec des mèches fines qui ondulaient autour du visage. Un grand sourire ouvert avec des fossettes.

— Bonjour.

Elle avança les mains en signe de bienvenue.

— Helga m'a parlé de vous avec votre garde géant et votre bel amiral. Vous êtes une enfant bénie.

La guérite était construite dans le mur de pierres qui ceinturait la cour et le château. Sur chaque côté de la clôture, il y avait de grandes tours de quatre étages de hauteur, avec des fenêtres encadrées de pierres plus claires. Helen déverrouilla le cadenas sur la grande porte de fer avec une longue clé et ouvrit la barrière. Elle craqua et gémit sous son poids.

— Venez avec moi.

Elle les fit entrer.

Comme ils suivaient la jupe ondulante dans l'allée jusqu'au devant du château, Alex se pencha vers Montague et murmura :

— Amiral ? Vous ne m'avez jamais parlé de cela.

— Vous ne l'avez jamais demandé.

Montague lui fit un clin d'œil.

— Bien, je ne manquerai pas de vous le demander plus tard, lui dit Alex.

Une sensation de respect et de crainte grandit au même rythme que son excitation à l'approche du château. Il était parfait, avec ses flèches de forme conique, ses drapeaux avec les armoiries de la famille et le drapeau de l'Ulster flottant au vent. Ils s'avancèrent sur de grandes marches de pierres vers une porte massive en bois.

— Si vous regardez au-dessus de la porte, gravées dans la pierre, on peut voir les armoiries de Charles I. Les Hamilton étaient royalistes, et pour avoir soutenu le roi, ils ont eu le droit de faire graver ses armoiries. Maintenant, si vous voulez me suivre à l'intérieur, j'ai beaucoup d'histoires à vous raconter sur le château.

Ils suivirent Helen le long d'un corridor de pierres, puis dans un salon étonnamment douillet. Les meubles étaient rembourrés et confortables, dans les teintes douces de brun et de vert. Le foyer était gros, avec un beau feu réconfortant. Au-dessus du manteau élaboré de la cheminée faite de marbre, il y avait un tableau d'une très belle femme. Tout près, il y avait des tableaux représentant des paysages, dont l'un montrait les collines vertes et ondulantes de l'Irlande, des bruyères lavande en fleurs à travers les collines en premier plan, et un ciel bleu azur. La silhouette sombre d'un château apparaissait au loin. Ce n'était pas Killyleagh, mais c'était tout de même magique.

— J'ai la permission de vous faire faire une courte visite, mais j'ai pensé que vous aimeriez vous réchauffer et prendre une tasse de thé en premier lieu.

Helen leur fit un large sourire et partit chercher le thé.

— Ce n'est pas du tout comme le château de Lindisfarne, murmura Alex en réfléchissant.

— Ça ne ressemble pas ? À quoi ressemble votre demeure, alors ?

Baylor s'assit prudemment sur une jolie chaise qui craqua sous son poids.

Alex secoua la tête, embarrassée.

— Ce n'est pas aussi beau et douillet qu'ici.

— Les châteaux sont des endroits froids et humides pour y vivre s'ils n'ont pas été rénovés tels que celui-ci, souligna Montague.

— Avez-vous vécu dans un château, Montague ?

Elle prit conscience qu'elle n'en savait pas beaucoup sur lui et peut-être était-ce autant de sa faute que de celle de Montague.

— Oh ! j'ai habité dans quelques-uns, mais jamais pour y vivre. Ma femme n'aurait pas voulu.

— Vous avez une femme ?

Alex s'assit en face de lui. Pourquoi ne l'avait-elle jamais interrogé sur sa famille ?

— J'en avais une. Elle est morte il y a deux ans.

— Je suis désolée. Avez-vous des enfants ?

Il secoua la tête, un regard lointain dans les yeux qui viraient au bleu plus foncé.

— Pas d'enfant.

Sa voix était basse, et Alex abandonna le sujet. Avant que le silence qui s'ensuivit ne devienne inconfortable, Helen revint avec le plateau pour le thé. Elle s'avança doucement vers une table devant Alex et déposa le plateau. Après avoir versé le thé, elle se jucha sur le canapé avec Montague, et avec ses yeux bruns brillants, elle demanda à Alex :

— Aimeriez-vous que je vous raconte l'histoire du fantôme qui hante le château, lady Alexandria ?

— Un fantôme ? Oh ! oui. S'il vous plaît, racontez-nous.

Peut-être y aurait-il un indice dans l'histoire.

Helen se joignit les mains et se tint très droite.

— Très bien. Il y a très longtemps, au temps des comtes de Clanbrassil, dans les années 1600, le second comte de Clanbrassil maria la fille du comte de Drogheda, Alice Moore. Leur union fut un désastre, et lady Alice eut seulement un enfant, qui mourut alors qu'il était encore bébé, que Dieu le bénisse. Le père du comte décida de rédiger un nouveau testament qui stipulait que si son fils venait à mourir sans laisser d'héritier, l'héritage en entier reviendrait aux cinq cousins Hamilton.

» Lady Alice ne l'acceptait pas, je peux vous le dire. Elle força le coffre, trouva le testament et le jeta au feu. Ensuite, elle réussit à convaincre son mari de rédiger un nouveau testament stipulant qu'elle et son frère seraient les héritiers. Il l'a fait, même si sa mère l'avait averti qu'il ne vivrait pas trois mois après l'avoir signé. Et avait-elle raison à ce propos ? Le comte fut empoisonné un peu moins de trois mois après qu'il eut signé le nouveau testament.

Alex en eut le souffle coupé.

— A-t-elle été prise ?

— Non, milady. Ils n'ont jamais réussi à le prouver. Mais Dieu, ou le destin, est intervenu, car la Dame bleue est morte deux ans plus tard, laissant le château aux cousins Hamilton.

— Pourquoi l'appelait-on la Dame bleue ?

— C'est le nom de son fantôme. Il est dit que lady Alice hante les murs du chateau de Killyleagh, et tous ceux qui l'ont vue disent qu'elle porte du bleu.

Helen fit une pause et déposa sa tasse.

— Soyez sur vos gardes en visitant le château. Elle aime apparaître ici et là.

Elle rit par la suite d'une façon qui disait qu'elle aimait raconter cette histoire.

Alex frissonna en se levant et regarda autour de la pièce. C'était trop lumineux pour voir des fantômes ! Mais elle s'avança vers Baylor pour se sentir protégée. Au moment où elle scruta son visage, par contre, ses yeux étaient grand ouverts avec un regard de méfiance qui disait qu'il avait cru cette histoire. Il lui prit la main et la pressa. Quand elle essaya de se dégager, il la tint plus fermement, comme s'il ne voulait pas la lâcher pour tout le temps qu'ils visiteraient le château. Finalement, elle dut tirer pour se défaire de l'emprise. Il semblait avoir plus peur qu'elle !

Le reste de la visite, à travers les grandes pièces aux plafonds hauts, ornés de plâtre de style jacobien, aux riches tentures qui encadraient les fenêtres, aux meubles et aux tapis épais qui gardaient les pieds au chaud sur les planchers de pierres polies fut assez plaisante, mais Alex espérait rencontrer les propriétaires.

Ils grimpèrent un escalier en colimaçon et entrèrent dans une bibliothèque qui sentait les livres et le tabac à pipe. Helen sembla soudainement mal à l'aise.

— Jetez rapidement un coup d'œil par la fenêtre là-bas ; vous pouvez voir jusqu'à Strangford Lough. Nous retournerons ensuite au salon où nous avons commencé.

Alex jeta un coup d'œil par la fenêtre, mais remarqua de vieilles tables et étagères tout autour de la pièce au plafond voûté. Elle se cacha parmi les ombres au moment où les hommes commentaient le point de vue.

« C'est ici que les Espagnols ont dû trouver le manuscrit. Peut-être y en a-t-il d'autres ? »

Au moment où Helen leur faisait signe de revenir vers l'escalier en colimaçon, Alex s'attarda. Baylor lui jeta un coup d'œil et lui fit un clin d'œil en descendant le long escalier.

Se mettant rapidement à la tâche, elle lut les épines des livres sur les étagères. Elle prit les quelques livres relatifs au château et à la ville et les feuilleta furtivement. Des dates… des noms… la plupart n'étaient pas familiers et remplissaient les pages. Il y avait quelques mentions de Hans Sloane, mais rien à propos d'un élément disparu de sa collection.

— Avez-vous trouvé ce que vous cherchiez ? dit une voix masculine et profonde du haut des marches.

Alex fit un pas, inspira, et se retourna pour lui faire face. Il était un vieil homme, probablement dans la soixantaine, avec des favoris blancs et touffus et une tête pratiquement chauve. Son regard était intense, intelligent, avec une pointe d'humour qui lui redonna du courage.

Alex détourna le regard de ses yeux perçants vers la table où sa main effleurait le livre ouvert. Elle avait été prise en flagrant délit et il n'y avait rien d'autre à faire que de dire la vérité.

— Les histoires du château sont si fascinantes. Je cherchais d'autres histoires.

— Ah ! les histoires.

Il émit un petit rire et s'avança plus profondément dans la pièce. Il marcha vers l'une des étagères et en tira une liasse de papiers.

— Je connais ces histoires. J'en ai écrit quelques-unes, vous savez ?

— Vous êtes Archibald Hamilton Rowan, n'est-ce pas ?

Il se tourna, un véritable sourire au visage.

— Vous me connaissez ?

Alex haussa les épaules.

— C'est seulement ce qu'Helen nous a raconté.

Il rit très fort.

— Que recherchez-vous, ma chère ?

Il s'avança d'un autre pas et la regarda.

— Je pourrais vous venir en aide, si c'est possible.

Alex prit une grande respiration.

— Je suis Alexandria Featherstone, de Holy Island. Mes parents sont venus ici il y a quelques mois, il y a environ un an, avoua-t-elle en baissant le regard. Ils étaient à la recherche de quelque chose, mais… je ne suis pas venue pour cela.

Elle le regarda de nouveau.

— Ils ont disparu, et le prince régent les a déclarés morts. Mais ils ne sont pas morts. Quelque chose a dû leur arriver et ils ont besoin de moi. Je dois les retrouver.

Elle s'avança d'un pas.

— Je vous en prie, est-ce qu'ils sont venus ici, au château ? Les avez-vous vus ?

Il prit une grande respiration et lui indiqua une chaise.

— Asseyez-vous, ma petite chouette. Vous avez de si beaux yeux intelligents.

Après qu'elle se soit assise et qu'elle ait placé ses mains sur ses cuisses, elle le regarda avec espoir.

— Vous ressemblez à votre mère, vous savez. Oui, ils sont venus ici. Ils voulaient des renseignements à propos de la collection de Hans Sloane.

— Oui, j'ai entendu ce nom. Qui était-il ?

— Il est né ici, à Killyleagh. Il a déménagé à Londres et est devenu un grand médecin. Il est même devenu le médecin du roi George II. Mais ce n'était pas vraiment pour cela qu'il était connu.

— Pourquoi, alors ?

Sir Archibald marcha vers les étagères et en tira deux volumes. Il les plaça devant elle avec éclat.

— Il était un collectionneur d'œuvres d'art antique.

— Œuvres d'art antique ?

Le regard d'Alex passa des livres à son visage.

— Il aimait les antiquités et les casse-têtes. De tout, des vieilles reliques aux manuscrits remplis de poésie, des dessins, des inventions, des pièces de monnaie, des médailles, tout ce à quoi vous pouvez penser qui est vieux et important. Il a amassé une grande collection, puis l'a léguée au

British Museum. Sa collection a permis la création du British Museum, de même que les objets de valeur du roi Georges.

Alex s'avança vers les vieux volumes recouverts de cuir. Elle ouvrit l'un des livres et le feuilleta, ne sachant ce qu'elle recherchait.

— Que pensez-vous que mes parents... voulaient ? Est-ce cela ?

Il expira avec un petit sourire.

— Je ne le sais pas, mon enfant. Excepté que c'était quelque chose que Sloane avait trouvé. La question reste : s'ils n'ont pas été capables de le trouver au British Museum, alors où est-il passé ? Qu'est-ce qui a disparu de la collection de Sloane et, cela est important de se le demander, qui s'y intéresse ?

Alex approuva de la tête.

— Il y en a d'autres qui le recherchent.

— Ils sont venus ici. Ils sont partis avec un de mes livres, j'ai bien peur, mais je doute qu'il contienne les réponses que vous recherchez tous. Vos parents ont pris le journal avec eux.

Alex en eut le souffle coupé.

— Ils vous ont volé un livre ?

Sir Archibald émit un petit rire.

— Ils me l'ont emprunté.

— Quelle sorte de journal était-ce ?

— C'était un journal du XVe siècle, à propos d'un sculpteur et inventeur italien obscur. C'était son histoire.

— Vous souvenez-vous de son nom ?

— Je crois que c'était Augusto de Carrara, mais c'est tout ce que je sais. Je n'ai jamais lu le livre.

Il s'inclina très bas et se tourna pour s'en aller. Du haut de l'escalier, il se retourna et lui fit un regard attentionné.

— Prenez votre temps, ma chère, mais je doute que vous trouviez quelque chose qui puisse vous être utile.

Donc, ses parents possédaient le seul manuscrit qui avait de vrais indices.

— Merci, monsieur.

Elle regarda les livres devant elle, découragée par le poids de la tâche. Elle avait promis au duc, dans sa dernière lettre, qu'elle irait le voir à Londres et serait sa pupille la plus docile s'il advenait qu'elle ne trouve plus d'indices. Juste la pensée de tout laisser tomber lui fit grincer des dents. Mais elle ne l'avait pas promis à la légère. Elle appuya son front sur ses mains jointes.

« Mon Dieu, guidez-moi et dirigez-moi vers le bon chemin. Éclairez ma voie. Ne me laissez pas être sans cœur et laisser tout tomber trop vite ni être trop entêtée. Je peux être tellement entêtée… montrez-moi le bon chemin. »

La pensée de tout laisser tomber lui était insupportable.

Ses parents avaient besoin d'elle. Jusqu'à ce qu'elle ait une preuve qu'ils sont morts, elle devait continuer à essayer de les trouver.

Chapitre 19

Gabriel se réveilla dans sa chambre au Queens Arms de Whitehaven avec un bourdonnement perçant dans ses oreilles.

Il s'assit d'un mouvement soudain, pressa ses mains pour couvrir ses oreilles et commença subitement à suer.

— Non ! Non, non, non.

Il suffoquait au moment où le son, qui faisait écho à l'intérieur de sa tête, devint de plus en plus fort, puis se brisa d'un coup sec. Plus rien. Un rien ennuyeux et douloureux.

Il se leva sur ses jambes flageolantes et tâtonna pour allumer la chandelle. Haletant, la sueur perlant sur son visage, il s'avança en trébuchant vers la cuvette et le pichet d'eau qui étaient sur la petite table. Il versa un peu d'eau dans la cuvette, éclaboussa son visage et l'essuya avec la serviette qui était tout près. Il posa ensuite les mains de chaque côté de la table pour se soutenir et se pencha au-dessus de la cuvette, essayant seulement de respirer et de garder le contenu de son estomac.

Après quelques minutes, le grondement de son pouls diminua et il fut capable de se tenir debout. Il avala, tourna le dos à la table et s'en alla vers la fenêtre. Il ouvrit les rideaux et appuya son front contre la vitre froide. Il faisait encore noir, mais il y avait un début d'aurore à l'est. Gabriel se concentra sur les teintes de rose pendant un long moment, attendant que son corps paniqué se calme. Il n'eut pas le courage de parler dans ce calme inquiétant. Il savait ce qu'il entendrait.

Son cœur se mit à battre plus vite juste d'y penser. Il respira profondément et lentement et se concentra sur le ciel qui s'embrasait de rose et de jaune. Comme une fleur qui s'ouvre au ralenti, le soleil se levait dans le ciel jusqu'à ce qu'il illumine les toits de Whitehaven et qu'il scintille sur la surface de l'eau.

Dieu a fait cela, pensa-t-il. Dieu faisait chaque lever et chaque coucher de soleil. Il savait exactement la façon par laquelle la lumière se réfléchirait sur la ligne d'horizon de la terre. Dieu savait qui serait en train de les admirer, ce qu'ils en penseraient et ce qu'ils ressentiraient. Il savait *tout*.

Alors, pourquoi laissait-Il cela arriver ? Était-ce quelque chose que Gabriel avait fait ? Y avait-il eu une épreuve qu'il n'avait pas surmontée ? La colère et la frayeur l'enveloppèrent dans un nuage nauséeux.

— Pourquoi avez-Vous laissé cela m'arriver ? Encore une fois ? Mon ouïe revenait !

Il prononça les mots très fort, mais il ne les entendit pas, même pas un petit peu.

« Oh ! mon Dieu, que m'arrivera-t-il si c'est permanent cette fois-ci ? »

Il avait commencé à vraiment croire que le climat du nord lui avait fait du bien. Que son ouïe reviendrait bientôt à la normale. Mais non. La colère l'envahit comme il ne l'avait jamais ressentie auparavant.

— Pourquoi me la redonner seulement pour la reprendre à nouveau ? Vous êtes cruel.

Il fit dos au lever du soleil.

— Vous savez peut-être tout, mais Vous êtes cruel de me donner de l'espoir, puis de me l'enlever.

Gabriel frappa le poteau au bout du lit avec son poing. Le lit fut secoué par la puissance du coup. La douleur irradia dans son bras, mais il voulait la ressentir. Il devait sortir d'ici.

Tremblant de colère, il s'habilla et fit ses bagages. Ils allaient prendre un bateau pour l'Irlande aujourd'hui. Oserait-il y aller, maintenant ? Il redoutait de monter à bord de n'importe quelle sorte de bateau, car il avait dû combattre le mal de mer durant son séjour dans la marine. L'humiliation d'un fils de duc, une personne de son rang, était misérable, puis l'accident qu'il a eu… bon, ils l'avaient assigné à des tâches sur la terre ferme et l'avaient gardé là. Maintenant, il n'avait pas le choix. Alexandria viendrait à Londres avec lui, qu'elle le veuille ou non, et s'il devait traverser une centaine de mers, il le ferait.

Quelques minutes plus tard, il frappa à la porte de Meade et attendit. Meade ouvrit finalement la porte, les cheveux en bataille et clignant des yeux à la lumière. Il devait être tôt.

— Je m'en vais au bistrot pour prendre le café et le petit déjeuner. Rencontrez-moi là le plus tôt possible.

Meade fit un signe de tête et dit quelque chose, mais il regardait vers le bas et Gabriel ne put comprendre.

— J'ai perdu l'ouïe de nouveau, laissa-t-il échapper dans un furieux staccato.

Autant le lui dire, car Meade s'en apercevrait assez rapidement.

Meade releva la tête, les yeux grand ouverts. Ses lèvres prononcèrent clairement qu'il en était navré.

— Comment vous sentez-vous, Votre Grâce ?

— Je me sens l'envie de tabasser quelqu'un à mort. Maintenant, nous utiliserons de nouveau le livre des mots quand ce sera nécessaire, mais nous devons embarquer sur ce traversier et trouver lady Featherstone le plus tôt possible. Vous aurez à poser des questions aux hommes de la maison des douanes. Voyez s'ils ont quelque chose sur elle, sur quel bateau elle a voyagé et à quel endroit elle a débarqué. Essayez aussi de savoir le nom de l'homme qui voyage avec elle, si, en fait, il voyage avec elle au lieu de la suivre.

Il attendit que Meade lui fasse signe qu'il avait compris, puis se retourna et descendit pour commander son petit déjeuner.

Gabriel faisait de grands pas le long du quai d'embarquement pendant que Meade allait à l'intérieur de la maison des douanes s'enquérir à propos d'Alexandria. Cela était humiliant de ne pouvoir poser les questions lui-même, humiliant et exaspérant. La colère bouillait dans ses veines comme un feu ardent. Cela n'était pas bon pour lui, il le savait maintenant assez bien, mais que lui arriverait-il s'il laissait aller cette colère ? Le désespoir qui l'attendait rendu au bout de cette rage était trop terrible. Alors, il marchait de long en large, changeant ses gants de mains.

Une main sur son épaule le fit s'arrêter. Il se retourna et vit un pistolet pointé sur sa poitrine. Son cœur lui remonta à la gorge. Seigneur, qu'arrivait-il ? Était-il sur le point d'être assassiné au grand jour par quelques maraudeurs ?

Les deux hommes se placèrent à côté de lui et il eut un souvenir soudain de la journée précédente au bureau de poste. L'homme qui attendait en ligne derrière lui... ce devait être... oui, c'était le même homme que celui qui pointait le pistolet sur lui. Il avait dû les entendre parler. Il savait que Gabriel était un duc.

L'homme cria quelque chose, mais Gabriel n'avait aucune idée de ce qu'il avait dit. L'autre homme s'avança vers lui. L'instinct prit le dessus et Gabriel se lança de côté, mais il ne fut pas assez rapide. Le coup de pistolet retentit, une explosion silencieuse avec de la fumée qui les entourait comme un épais brouillard. L'air sentait la poudre brûlée. Il s'en était fallu de peu. Trop peu. La douleur envahissait son épaule en ondes de choc. Avait-il vraiment été atteint ?

Il trébucha au moment où le deuxième homme plongea sur lui, fouillant dans son manteau. Il agrippa la bourse de Gabriel d'une poigne ferme. Tous deux respiraient très fort au moment où le premier homme le tenait pendant que le second le tabassait. Ils se sont parlé, puis l'ont laissé tomber au sol avant de s'enfuir.

— À l'aide ! cria Gabriel.

Il commença à courir après eux, la douleur provenant de son épaule irradiant vers son bras. N'y avait-il personne autour pour l'aider ? Il courut un peu plus loin, trébuchant, du sang coulant le long de son bras jusque dans la rue. Un rideau noir commença à voiler sa vue. Il tomba sur le sol. Il s'évanouit.

Il se réveilla pour découvrir le visage de Meade au-dessus du sien.

— Merci, mon Dieu ! Votre Grâce, j'ai appelé un médecin. Il devrait arriver d'une minute à l'autre.

Gabriel fit un effort pour s'asseoir, se retrouvant dans son lit au Queens Arms.

— Ils sont partis avec ma bourse, Meade. Nous devons les retrouver. Nous avons besoin de cet argent.

Les mains de Meade effleuraient nerveusement la bonne épaule de Gabriel, son corps mince comme un roseau stoppant la tentative de Gabriel de se relever.

— Mais, monsieur, le sang… Le médecin d'abord.

Gabriel jeta un coup d'œil à son épaule et laissa tomber, se recouchant sur le lit. Il vit sa chemise imbibée de sang, puis fut envahi par une vague de faiblesse.

— Très bien, aidez-moi à enlever cette chemise. Est-ce que cela continue de saigner ?

Meade s'installa pour enlever la chemise, une vraie torture qui fit saigner la plaie davantage. Gabriel en connaissait assez à propos des blessures par balle pour l'inciter à presser sur la plaie et garder une pression jusqu'à ce que le saignement arrête. Ils découvrirent que la balle était passée directement à travers la partie la plus haute de son épaule, ce qui était une bonne nouvelle ; un coup net sans aucune balle à extraire. En attendant que le médecin arrive, ils avaient arrêté le saignement et avaient nettoyé la région autour des blessures de l'entrée et de la sortie. Le médecin parla avec Meade, puis s'installa pour recoudre la plaie du dos.

— La plaie est plus en lambeaux dans le dos, Votre Grâce, expliqua Meade au moment où Gabriel inspirait fort par le nez et se concentrait pour rester conscient.

Comment avait-il pu laisser cela arriver ? Il les aurait entendus s'approcher s'il n'avait pas été sourd. Il aurait pu se défendre s'il les avait entendus arriver. Faudra-t-il qu'il soit toujours accompagné, dorénavant, comme un enfant ? La frustration qu'il ressentit lui fit oublier l'aiguille qui piquait son épaule dans un mouvement de va-et-vient. Enfin la torture fut terminée.

Le médecin fit un cataplasme de mixtures à fortes odeurs, l'appliqua sur les deux blessures et banda de lin son épaule en passant sous son bras. Le médecin lui présenta une bouteille de laudanum, que Gabriel refusa. Cela faisait seulement un peu mal et le gardait réveillé. Meade paya le médecin, et Gabriel se demanda combien d'argent son secrétaire avait sur lui, puis le médecin s'en alla avec la promesse de revenir le lendemain pour le voir et changer le pansement.

— Meade, vous devez alerter les autorités du vol que j'ai subi. Il y avait plus de cinq cents livres dans cette bourse. J'ai reconnu l'homme du bureau de poste. Il était entré et a dû entendre ma conversation avec le maître de poste. Il savait que j'étais un duc. Demandez-leur de vérifier l'identité de l'homme avec le bureau de poste. S'ils retrouvent l'argent, ils pourront nous l'envoyer.

— Oui, Votre Grâce.

— Combien d'argent avez-vous ? Et qu'avez-vous appris sur Alexandria ?

Meade prit le livre des mots.

Le nom d'Alexandria était sur la liste des passagers du Saint Patrick. Il est parti à 14h, un mercredi, il y a environ deux semaines. Sa destination était Belfast – directement de l'autre côté de la mer d'Irlande. Elle n'a pas été vue avec un homme, mais quand j'ai questionné le commis, il m'a dit qu'il se souvenait avoir remarqué un vieux gentleman qui se promenait avec autorité et portait une épée, que j'ai pensé être le même homme, comme décrit par le maître de poste. Le commis n'était pas certain, mais après avoir étudié la liste des personnes à bord de ce traversier, il croit qu'il devait s'agir de James Montague.

Gabriel regarda vers le haut, très surpris.

— Amiral James Montague ?

Meade répondit les yeux grand ouverts.

— Je n'avais pas considéré cette possibilité ; est-ce probable ?

Gabriel réfléchit à ce qu'il avait entendu à propos de l'homme. Il était certain de ne l'avoir jamais rencontré en personne, il n'avait donc pas de visage à mettre sur le nom. Il avait entendu parler que l'amiral était effectivement allé au nord au moment de sa retraite de la Marine royale. Il devrait avoir la soixantaine avancée, maintenant. Sa femme n'était-elle pas morte ? Selon les journaux à potins, il était devenu un reclus après la mort de sa femme. Mais que pouvait faire l'un des plus fameux chefs militaires de l'histoire britannique avec Alexandria ? Que Dieu les garde, il était impossible d'anticiper.

— Si Montague est avec elle, elle ne peut être entre de meilleures mains. Mais s'il est contre elle…

Gabriel essaya de se lever.

— Nous n'avons pas de temps à perdre. Embarquons sur le prochain traversier pour l'Irlande. Avez-vous assez d'argent pour payer le passage ?

Meade sortit sa bourse de cuir et la vida sur le lit. Il n'y en avait pas beaucoup, mais ce serait suffisant pour les mener de l'autre côté de la mer d'Irlande, puis, à Belfast, Gabriel pourrait rendre visite à la Banque d'Irlande.

— Mais monsieur, le médecin craint pour l'infection. Vous devez garder le lit et vous reposer au moins quelques jours. Vous ne devriez pas voyager jusqu'à ce que la guérison soit commencée.

— Il n'y a pas assez de temps pour dorloter mon épaule. Nous partons dans deux jours.

La brise fraîche soufflait sur les cheveux de Gabriel au moment où ils effleuraient la surface de l'eau à travers les vagues agitées qui s'écrasaient contre la proue du bateau. Il déglutit avec peine pour empêcher son estomac de se retourner et serra les dents, des perles de sueur se formant sur son visage. Juste quelques heures… et s'il fixait son regard sur la ligne d'horizon, cela l'aiderait quelque peu.

Il était dans un sale état ! Son ouïe était encore partie, son estomac se révoltait contre le roulis des vagues, et son bras était douloureux à cause de l'humidité, en écharpe sous son manteau. Il se sentait comme un mort-vivant et espérait que personne ne le reconnaîtrait. Il portait son collet relevé et son chapeau bas sur les yeux. Sa colère avait diminué, remplacée par un bourdonnement imperceptible au moment où ils passaient devant l'île de Man qui était habitée avec ses maisons pittoresques, son château de pierres et ses larges plages rocailleuses. Un peu plus tard, il vit la somptuosité de l'île d'Émeraude. Terre. Soulagement béni. Des falaises rocheuses menaient à de vertes collines ondulantes. Elles descendaient vers une vallée et vers l'anse de Belfast avec ses bâtiments formant des taches de noir et de blanc contre le vert.

Il n'était jamais allé à Belfast, mais seulement à Dublin, et quelques autres plus petites villes du Sud. Le nord-est de l'Irlande était connu pour être plutôt protestant, britannique sur tous les points. Il obtiendrait plus de respect ici, étant un pair du royaume britannique, bien que cela ne le dérangeait guère, avec la perte de son ouïe. Meade poserait les questions à partir de maintenant. Il mettrait du poids, en tant que duc, quand ce serait nécessaire, mais autrement, il espérait rester discret pour que les curieux ne s'adressent pas à lui.

« Alexandria, auriez-vous pu gentiment rendre les choses plus faciles ? Laisser le sentier ouvert ? Ce serait tellement plus utile. »

Il sourit à cette pensée. S'agrippant fermement à la rambarde, il s'y cramponna et essaya de penser comme elle avait dû penser. Elle recherchait ses parents alors elle recherchait des indices. À quel endroit irait-elle pour trouver de tels indices, là était la question. La lettre de sa mère l'avait conduite à Belfast, alors elle savait que sa mère était venue à cet endroit. Elle devait être allée au bureau de poste pour s'enquérir de ses parents. Cela était le meilleur endroit où commencer.

Une heure plus tard, ils remontèrent le canal et accostèrent. Dieu merci, il pouvait descendre et poser ses pieds sur la terre ferme. Ses genoux fléchirent et ses cuisses tremblèrent au moment où il suivit la foule qui débarquait du bateau. Une fois sur la côte, Gabriel inspira longuement, les yeux fermés, comme si son corps voulait s'adapter de nouveau, puis aboya des ordres pour retenir un carrosse, donnant la direction du bureau de poste au cocher. C'était réconfortant de savoir que si quelqu'un lui demandait quelque chose, Meade serait là pour s'en occuper. Son secrétaire devenait indispensable, il s'en fit la réflexion sans en être très heureux en s'installant dans le carrosse.

Des chaumières et des boutiques étaient alignées le long des rues avec des pubs et des églises à chaque coin de rue. Après le trajet, qui ne l'aida pas à combattre la nausée, ils s'arrêtèrent devant un bâtiment arborant le drapeau de l'Union britannique battant au vent sur les avant-toits. Gabriel suivit Meade à l'extérieur.

— Vous savez ce que vous devez demander, Meade ?

— Certainement, Votre Grâce.

— J'ai confiance en vous pour prendre en charge cette mission, et c'est bien... difficile, murmura-t-il en approchant de la porte.

— Je comprends, Votre Grâce. Je ferai de mon mieux.

Les lèvres de Meade étaient faciles à lire et sa réponse était attendue.

— Oui, bon, voyez à le faire. Et si vous avez des problèmes, sortez le livre des mots. Nous règlerons ces questions à mesure qu'elles se présenteront.

Meade approuva, ouvrit la porte, et permit à Gabriel de le précéder.

Gabriel observait, intensément frustré, pendant que Meade entamait une conversation avec le maître de poste. L'homme les regardait tous deux d'un œil suspicieux, un fait qui présageait l'obtention de renseignements difficile. Gabriel essaya de lire sur ses lèvres, comprenant seulement qu'il avait été présenté comme étant le duc de St. Easton, ici par affaires au nom du prince régent. Cela était risqué, mais peut-être que l'homme sentirait un peu de frayeur. Ils eurent une conversation animée avec des gestes de la main et des expressions faciales que Gabriel essayait de comprendre.

La barbe ! Meade ne gagnait pas la partie, Gabriel pouvait s'en rendre compte. Il ne savait pas de quelle façon s'y prendre. Il n'avait pas ce talent, qui venait facilement au duc, naturellement, ce charme doré, cette voix de velours qu'il savait utiliser d'instinct — avancer et s'esquiver, comme une partie d'échec ou d'escrime. Chaque homme devait être conquis de son plein gré ; les femmes, d'une façon différente, mais cela devait glisser, comme du satin contre du satin. Une personne n'a qu'à savoir comment réagir et contrer.

Le pauvre Meade semblait être à la dérive. Après plusieurs minutes, Gabriel ne pouvait plus se contenir plus longtemps et interrompit la conversation. Il se pencha audessus du petit pupitre qu'il aurait pu facilement briser de son poids seulement.

— Dites-nous tout ce que vous savez à propos de lady Alexandria Featherstone et sa famille, ses parents, ou vous verrez les propres hommes du prince régent à votre porte, mon ami.

Il secoua la tête et lui fit un petit sourire.

— Je veux seulement la protéger ; je ne lui veux aucun mal.

L'homme semblait visiblement secoué, mais il releva le menton d'une façon qui démontrait à Gabriel quelque chose d'important ; cela lui démontra qu'Alexandria l'avait touché. Durant leur brève rencontre, Alexandria Featherstone avait réussi à obtenir l'allégeance de cet homme… ce qui en disait long à son sujet.

Gabriel se redressa et sourit vraiment. Il se retint de rire, sachant que ce serait mal interprété.

« Voyez ce qu'elle a fait. Elle est vraiment tout ce que j'imagine. »

Ses pensées le martelaient au rythme du sang qui circulait dans ses veines. Il dut regarder ailleurs lorsqu'une vive sensation toucha ses yeux. Il plaça les doigts sur son nez et le pinça, toujours souriant, incapable d'arrêter.

— Mon bon monsieur…

Il regarda de nouveau le maître de poste, se pencha vers lui et insuffla à son regard une foi pénétrante.

— Je vous en prie, dites-nous ce que vous savez. Je vais, je vous le promets, la protéger pour la vie.

Ils attendirent. Le regard aux yeux bruns du vieux maître de poste fixé dans celui de Gabriel aux yeux verts. Comme deux épées se touchant et se défiant, ils attendirent pour un long moment silencieux.

— Elle est allée à Killyleagh.

Le maître de poste inspira profondément, comme s'il revenait d'une bataille.

— Le château de Killyleagh.

Gabriel battit des paupières une fois, prit une profonde inspiration, et se remit droit. Il avait lu sur ses lèvres. Et il connaissait l'endroit, il en avait entendu parler quelque peu.

— Merci.

Il toucha son front avec un signe de respect.

Se retournant vers Meade, il releva le sourcil.

— Venez, Meade, les pièces du casse-tête commencent à former une image.

Meade le regarda, les yeux remplis d'admiration.

Gabriel les ramena vers la rue, tous deux très excités et terrifiés à l'idée qu'ils verraient sous peu le visage de sa pupille.

Chapitre 20

— Alors ? Avez-vous trouvé ce que vous recherchiez ? demanda Baylor sur le chemin du retour entre le château de Killyleagh et l'auberge.

Alex soupira.

— Même avec l'aide de sir Archibald, j'ai seulement appris que oui, mes parents sont allés là, et qu'ils étaient à la recherche de quelque chose qui avait disparu de la collection de Hans Sloane, quelque chose à propos d'un sculpteur du XVe siècle du nom de Augusto de Carrara. Je n'ai rien pu trouver dans les livres qui mentionnait son nom. Je suis navrée de dire que c'est sans issues.

— Si seulement nous savions quel article a été volé, cela aiderait.

Les yeux bleus de Montague scrutaient l'horizon tout en marchant.

— Oui, je suis d'accord. Mais qu'est-ce que ce peut bien être ?

— Cela doit être quelque chose d'une grande valeur, ce qui est tentant pour un voleur.

— Oui, mais de quelle façon peut-on vendre un objet d'art volé sans se faire prendre ? À moins que la personne qui l'a volé ne voulût pas le vendre. Peut-être le voulait-elle pour elle-même ?

— Les pirates ont vendu des trésors volés depuis des siècles. Il y a des façons de faire — intermédiaires, méthodes sous le couvert et autres. Je ne rayerai pas cette possibilité.

Alex approuva, les possibilités tourbillonnant dans sa tête.

— Sir Archibald a dit que Sloane est né ici. Je me demande si nous pourrions trouver quelque chose à propos de ses descendants, s'il y en a encore ici. Il pourrait avoir raconté des histoires à propos des objets qu'il trouvait, particulièrement quelque chose de connu, qui aurait à voir avec de Carrara.

— C'est une excellente idée, approuva Baylor. Vous avez l'esprit d'un grand limier.

Alex sourit au grand homme.

— Autre chose. Nous devrions chercher et trouver tout ce que nous pouvons au sujet de cet Augusto de Carrara. Il existe peut-être des rapports concernant des objets d'art disparus. Un journal de société d'objets d'art antique pourrait avoir rapporté des disparitions. Il pourrait y avoir eu des rumeurs que nous pourrions vérifier.

— J'ai quelques vieux amis qui font partie de la Société des objets d'art antique de Londres. Je pourrais leur écrire, si vous voulez, suggéra Montague.

— Oh oui ! le pourriez-vous ? Ce serait merveilleux !

Elle regarda les deux hommes de chaque côté à tour de rôle.

— Si je ne vous l'ai pas dit récemment, je vous remercie tous les deux. Je ne sais pas ce que je ferais sans vous.

— Ah ! c'est ce que j'ai fait de plus excitant depuis longtemps. Je n'aurais voulu manquer ça pour rien au monde.

Baylor passa son bras par-dessus les épaules d'Alex et pressa, ce qui provoqua un éclat de rire de la part de cette dernière.

— Pourtant, je parie que votre femme vous manque.

— C'est bon pour elle, je dois dire. Elle appréciera beaucoup plus son homme à mon retour.

Les sourcils broussailleux de Baylor remontaient avec jubilation.

Baylor ayant relâché son étreinte, Alex fut capable de marcher de nouveau et elle jeta un petit coup d'œil vers Montague.

— Mille mercis, Montague. Je n'oublierai jamais votre bonté.

— Ah ! Bon, c'est comme l'a dit le géant. Cela m'a fait du bien de sortir du trou pitoyable que je creusais.

Il s'éclaircit la voix et regarda au loin, sa voix si basse qu'elle ne pouvait presque plus l'entendre.

— Cela a été difficile de continuer après la mort de ma femme. Vous m'avez redonné une cause, lady Alex.

Alex posa gentiment sa main sur son bras. Ils ne disaient rien, mais il y avait une profonde camaraderie qui les unissait alors qu'ils descendaient la colline balayée par le vent vers l'auberge.

Il n'y avait aucun signe de la présence des Espagnols au moment où ils retournèrent à l'auberge, s'asseyant dans la salle à manger où le repas serait servi, accompagné d'une performance musicale. Alex pensa que cela devait signifier qu'ils avaient été vus. Il était plutôt difficile de camoufler un géant, il n'y avait rien de surprenant à cela, mais encore ; le dicton énonçait de garder vos amis à proximité, et de garder vos ennemis encore plus près. Peut-être qu'ils se cachaient et l'espionnaient encore ? Ses poils se hérissèrent à cette pensée. Si elle pouvait juste renverser les rôles de nouveau et les espionner, elle pourrait en apprendre davantage. Ils en savaient certainement plus qu'elle à propos de la raison pour laquelle ses parents avaient été engagés. Elle repoussa son assiette et se leva de table.

— Messieurs, je crois que je vais aller voir maîtresse Tinsdale et lui poser quelques questions à propos de nos chers amis les Espagnols.

Baylor allait se lever, mais elle s'empressa de dire :

— S'il vous plaît, restez ici. Je serai partie juste un petit moment. Restez ici et finissez votre repas.

Montague plissa des yeux comme s'il voulait jauger de la véracité de ses paroles.

— J'ai quelques lettres à écrire.

Il se frotta le menton.

— Vous ne partirez pas de l'auberge ?

Alex répondit, irritée :

— Je ne suis plus une enfant.

— Pas beaucoup plus.

— Montague, je vais être prudente.

Elle croisa les bras sur sa poitrine et le fixa.

— Je vais garder un œil sur vous.

Baylor poussa Montague du coude et fit un clin d'œil à Alex.

— Je serai ici, avec ma chope de bière à écouter le morceau de musique. Vous me faites signe si vous avez besoin de moi, promis ?

— Je n'aurai pas besoin de vous. Je vais juste voir maîtresse Tinsdale, les rassura Alex.

— Très bien.

Montague se leva et ajusta sa ceinture qui tenait son épée.

— Dites à maîtresse Tinsdale que je la salue, voulez-vous ?

Alex secoua la tête, exaspérée, et s'empressa de s'en aller avant qu'ils ne trouvent autre chose pour la retenir.

Maîtresse Tinsdale était à la cuisine, juste où Alex pensait la trouver. Elle brassait quelque chose dans un gros chaudron, tournant le dos à la porte. Alex mit un pied à l'intérieur et s'éclaircit la voix.

— Ça sent bon. Qu'est-ce que c'est ?

La dame fut surprise, se retournant avec une cuillère de bois à la main. Elle la ramena sur sa poitrine avec un soupir.

— Bonté divine, mon enfant, vous m'avez fait peur.

— Je m'excuse. Je voulais seulement… avoir de la compagnie féminine. L'auberge semble remplie par les hommes.

— Pauvre agneau. Installez-vous ici et je vais vous servir un bon ragoût irlandais. Le meilleur ragoût du monde, j'en suis sûre.

— Merci.

Alex s'assit à la longue table de bois et joignit ses mains au-dessus de la table.

— Depuis combien de temps êtes-vous à l'auberge, maîtresse Tinsdale ?

— Oh ! appelez-moi Helga, chère. Mon mari et moi avons commencé à travailler ici au début de notre mariage. Nous avons épargné et avons pu l'acheter moins de deux ans plus tard.

Elle lui apporta un bol fumant et une cuillère, les plaça devant Alex et s'assit en face d'elle, un grand sourire aux lèvres.

— Nous en étions très heureux ! Encore jeunes, avec une ribambelle de bébés qui étaient toujours à nos pieds et dans nos jambes, mais nous les avons beaucoup aimés. Nous avions une vraie affaire de famille.

Ses yeux devinrent tristes et embués en regardant à travers la pièce, un doux sourire aux lèvres. Elle se tourna et regarda Alex qui prenait sa première bouchée de ragoût.

— Je peux toujours ressentir sa présence quelquefois, vous savez. Les morts, ils s'attardent quelquefois après qu'ils soient partis, spécialement ici, en Irlande, avec nos farfadets et nos fées de toutes sortes. C'est une terre magique, lady Alex. Où se produisent des choses magiques.

Alex approuva, prise par l'histoire et par la foi qu'elle y mettait.

— Je crois que vous avez raison.

Helga lui fit un large sourire, les joues roses, les yeux illuminés de rires.

— Vous êtes très gentille. Alors, racontez-moi votre histoire, ma chère. Qu'est-ce qui vous amène en Irlande ?

Alex se demanda si elle devait tout lui raconter et décida qu'elle était mieux de dire la vérité. Helga pourrait savoir quelque chose d'utile qui pourrait l'aider.

— Eh bien.

Elle prit une autre bouchée et avala, pensant que c'était le meilleur ragoût qu'elle n'avait jamais mangé.

— J'habite à Holy Island, dans le Northumberland.

— J'ai entendu parler de Holy Island. Nos moines irlandais y sont déjà allés, n'est-ce pas ?

— Oh ! oui. Le château de Lindisfarne est juste en haut de la route qui mène au vieux monastère. La baronnie est allée à la famille Featherstone il y a un siècle et demi. Mes parents sont présentement lord et lady Featherstone.

— Alors, vous avez vécu dans un château toute votre vie ?

Le visage d'Helga s'illumina, fasciné, ce qui plut à Alex et l'encouragea à continuer son histoire.

— Oui, mais je dois dire qu'après avoir vu Killyleagh, ma demeure n'est pas si moderne, ni si confortable. Cela me fait toujours penser aux châteaux médiévaux.

Elle ne mentionna pas que ses parents ne semblaient pas s'en faire et qu'ils étaient rarement à la maison pour en connaître l'inconfort. Chassant cette pensée, elle continua.

— Mes parents sont en quelque sorte des chasseurs de trésors ; ils sont réputés pour cela.

— Chasseurs de trésors ! Selon moi, c'est très excitant. Qu'ont-ils trouvé ?

— Oh ! toutes sortes d'articles disparus ou volés — objets précieux familiaux, pièces de monnaie de grande valeur, journaux remplis de secrets. Une fois, ils ont été engagés pour retrouver le tombeau d'une momie dans les pyramides d'Égypte !

Helga pressa ses mains contre sa large poitrine.

— Dieu du ciel, est-ce qu'ils l'ont retrouvé ?

— Oui.

Alex sourit et prit une autre bouchée.

— Ils trouvaient toujours ce qu'ils recherchaient.

Helga prit une profonde respiration et secoua la tête lentement.

— Je n'ai jamais entendu parler de rien de tel.

Alex regardait son ragoût délicieux.

— Ils ont toujours réussi jusqu'à maintenant. C'est pourquoi je suis en Irlande. Mes parents ont disparu il y a quelques mois, et le prince régent les croit morts. Je n'y crois pas, évidemment. Ils sont trop vifs d'esprit pour cela.

Elle regarda Helga à nouveau en fixant ses yeux bruns remplis de bonté.

— Quelque chose leur est arrivé et ils ont besoin de mon aide. Je dois les retrouver.

— Évidemment que vous devez les retrouver.

Alex poussa un soupir de soulagement à sa réaction.

— Est-ce qu'ils sont venus en Irlande, alors ? Est-ce pour cela que vous êtes ici ? Vous êtes à leur recherche ?

— Oui. Ils sont venus à Killyleagh il y a plusieurs mois. Ils ont visité le château et possiblement quelques autres endroits. Ils pourraient même avoir séjourné ici.

— C'est vrai ?

Helga se releva et pressa sa main contre sa joue rebondie.

— Il y a environ un an ? Il est possible que je les connaisse. Un couple très élégant venant d'Angleterre ? Ils ne parlaient pas beaucoup, se parlaient entre eux, et elle portait souvent un voile, mais je l'ai vue, une fois…

— Et ? insista Alex.

— Elle était ravissante ; ses yeux ressemblant aux vôtres. Nous n'avons pas beaucoup de clients venant d'Angleterre. Attendez. Je vais aller chercher le registre des clients. Ils l'ont signé, ne pensez-vous pas ?

Elle s'empressa de sortir de la pièce avant qu'Alex ne puisse répondre.

À son retour, elle se laissa tomber sur le banc et ouvrit le livre. Elle feuilleta toutes les pages. Soudainement, son doigt s'arrêta.

— Voilà ! Je l'ai, juste comme je le pensais. Ian Featherstone.

Elle tourna le livre et le plaça devant Alex.

Son cœur accéléra tandis qu'elle se penchait sur le livre en lisant les lignes. Elle reconnut le nom instantanément, l'écriture élégante de son père. Des larmes apparurent à ses yeux. C'était lui. Ils avaient séjourné ici. Elle regarda le haut de la page et vit la date : 7 novembre 1817. Juste quelques semaines de moins qu'une année.

— Ont-ils dit à quel endroit ils allaient par la suite ? Pouvez-vous vous souvenir de quelque chose ?

Helga se releva du banc avec un froncement de son large sourcil.

— Donnez-moi un instant, chère. Finissez votre ragoût, maintenant ; vous êtes aussi pâle qu'un fantôme.

Alex obéit, prenant des cuillerées de l'agneau délicieux, des patates et des carottes, et l'avalant avec une tasse de thé, le temps qu'elle attendait.

Quand elle eut terminé, elle poussa le bol de côté.

— Merveilleux ragoût, Helga. Merci.

Helga lui fit un signe de tête.

— Le meilleur ragoût du monde, c'est bien ça. Je vais vous donner par écrit ma recette secrète. Je me souviens maintenant d'une chose ou deux à propos de vos parents.

Premièrement, ils sont allés au château à deux reprises et semblaient satisfaits de leurs visites. Je me souviens qu'ils ont demandé à mon fils, qui travaille ici, à quel endroit se situait la maison où Hans Sloane a été élevé. La famille est partie en Angleterre, maintenant, mais ils ont visité quelqu'un là-bas.

Alex était plus que satisfaite de son intuition d'aller à la maison d'enfance de Sloane, d'autant plus que cette intuition était parfaitement identique à celle que ses parents avaient eue.

— Quelque chose d'autre ?

— Juste une autre petite chose.

Helga fronça les sourcils.

— Je ne sais pas ce que cela signifiait, mais j'ai entendu votre père inciter votre mère à acheter des vêtements chauds. Quelque chose au sujet d'un voyage quelque part où il fait froid. Je crois que c'est ce qu'il voulait dire.

— Quelque part où il fait froid ? Avez-vous une idée de l'endroit ?

Helga secoua la tête.

— Désolée, chère. Vous pourriez demander au cocher à quel endroit ils sont allés en partant d'ici. Ils voyageaient avec une diligence louée.

— Voilà une excellente idée. Merci beaucoup, Helga. Vous m'avez énormément aidée.

— Ah oui ? Bon, c'est quelque chose ! Moi qui vous aide dans une enquête.

Elle fit une pause et se pencha vers l'avant.

— C'est dangereux, par contre, n'est-ce pas ? Est-ce pour cela que vous avez deux hommes à toute épreuve qui voyagent avec vous ?

Alex approuva.

— Dieu m'a grandement bénie d'avoir trouvé des champions pour soutenir ma cause lors de mes voyages.

— Oui, en effet. Ce Montague ! Oh ! que je sois bénie, quel gentil homme !

— Il m'a demandé de vous faire ses salutations, la taquina Alex avec un sourire.

— Il a dit ça !

— Oh ! oui, il a dit ça. Je crois qu'il vous aime bien. Sa femme est morte il n'y a pas si longtemps, et il est plutôt perdu depuis ce temps.

— Le cher homme... il a besoin d'être réconforté, alors ? Je me souviens de cela, au moment où mon pauvre Cormac est mort. Je devrais lui faire cuire une tarte et voir à ce qu'il l'ait avant la nuit.

— Quelle excellente idée !

Alex se leva pour partir.

— Oh ! Est-ce que je peux vous poser une autre question ?

— Évidemment, ma chérie.

— J'ai l'impression que les deux Espagnols qui étaient ici hier recherchent le même objet que mes parents. Ils me suivent, et l'un d'eux m'a agrippée à Belfast et voulait savoir ce que je faisais en Irlande. Il m'a fait très peur. Savez-vous quelque chose à leur propos ?

Helga secoua lentement la tête.

— Ils ont payé leur compte et sont partis juste après que vous soyez arrivés. Je ne les ai pas revus depuis.

— Ils nous ont vus, alors. Comme je le pensais. Bon, si vous les voyez, pourriez-vous, s'il vous plaît, m'en aviser ? Je garde les yeux ouverts au cas où ils nous voudraient du mal.

– Oh oui, ma chérie. Je garderai aussi les yeux ouverts.

Elle contourna la table et enveloppa Alex d'une grosse étreinte maternelle. Une de ses mains tapota le dos d'Alex.

– Vous êtes une brave fille, lady Featherstone. Je prie pour que la grâce de Dieu soit avec vous.

Alex ravala la boule qui se forma soudainement dans sa gorge. Est-ce que sa mère l'avait déjà étreinte de cette façon ?

– Merci, Helga. Je crois que la grâce de Dieu est avec moi, qu'elle me garde et va au-devant de moi à mesure que j'avance. Je peux le ressentir dans les gens comme vous qu'Il a envoyés pour m'aider.

Avant qu'elle ne fonde en larmes, Alex la tint fermement, puis se retourna et s'empressa de sortir de la pièce.

Chapitre 21

Au moment où ils revinrent à leur auberge de Belfast, Gabriel fut avisé qu'un visiteur l'attendait depuis un moment dans le salon privé. C'était lady Claire Montgomery, une femme qu'il avait rencontrée il y a quelque temps pendant une saison de bals et de soirées à Londres. Une image de son visage étonnant, de ses yeux bleus, de son teint de crème, et de ce petit menton pointu qui lui donnait l'air d'un elfe lui revint en mémoire. Elle avait de beaux cheveux blonds lustrés, remontés de façon élaborée, et un langage cultivé qui démontrait sa bonne éducation. Elle avait fait sensation, puis s'était mariée à un baron, lord Montgomery, qui l'avait amenée en Irlande il y a quelques années. Gabriel n'avait pas entendu parler d'elle depuis ce temps. Comment avait-elle pu savoir qu'il était ici ?

Se retournant vers Meade, il soupira.

— Vous allez devoir m'accompagner, Meade, et apporter le livre des mots. Il n'y a rien d'autre à faire.

Au moment où ils entrèrent dans la pièce, une femme délicate se retourna. Elle était encore plus belle que dans son souvenir — vêtue de noir, à la dernière mode et croulant sous les bijoux. Elle n'avait que très peu vieilli et cela rendait son visage encore plus joli. Gabriel retint sa respiration, un mélange de chagrin et d'admiration lui nouant l'estomac. Le fait qu'il ait été atteint d'une balle récemment et qu'il ait son bras en écharpe n'aiderait pas les choses. Elle se sentirait désolée pour lui. Cela serait horrible.

— Lady Montgomery ! Comme c'est bon de vous revoir.

Avait-il parlé trop fort ?

« Calme-toi, mon homme. »

Il s'avança et prit sa main, plaça ensuite un léger baiser sur sa peau de soie. Elle rosit, d'un rose délicat qui colorait ses joues, et le regarda dans les yeux avec une vulnérabilité qu'il n'avait pas vue depuis très longtemps chez une femme. Ses lèvres roses s'ouvrirent pour laisser aller un flot de paroles qu'il ne pouvait lire, ni les fixer pour très longtemps. Il recula d'un pas et regarda Meade pour avoir de l'aide. Il ne savait pas s'il pouvait lui dire d'emblée : « je suis sourd ». Il n'avait jamais dit cela à personne.

Il fit un geste de la main vers le canapé et s'assit en face d'elle.

— J'ai bien peur de devoir demander à mon secrétaire d'écrire ce que vous me dites dans un livre, car j'ai de la difficulté avec mon ouïe.

Ses yeux s'agrandirent et sa bouche s'ouvrit, mais elle se ressaisit rapidement. Elle regarda vers le bas, comme si elle ne savait plus que faire, puis regarda Meade.

— Vous avez seulement à parler normalement, et Meade va l'écrire.

Gabriel lui fit un petit sourire.

— C'est un peu plus long, et je vais fixer vos lèvres plus que ce qui est respectable, mais nous nous en sortirons tant bien que mal.

Elle commença à parler plus lentement, regardant souvent Meade qui lui faisait signe qu'il pouvait suivre.

Gabriel lut la page.

C'est si bon de vous voir, Votre Grâce. Je suis désolée que vous soyez ainsi affligé. Vous avez cependant l'air bien. Mais qu'est-il arrivé à votre bras ? J'espère que ce n'est pas douloureux.

— C'est une longue histoire. Je me suis fait voler et j'ai reçu une balle dans l'épaule, le croiriez-vous ? Mais je m'en remets assez bien.

Il sourit et haussa une épaule.

— Dites-moi, je suis à Belfast depuis quelques jours seulement. Comment avez-vous entendu parler de ma présence en Irlande ?

Meade reprit le livre et écrivit pendant qu'elle parlait.

— Oh ! Votre Grâce, je viens juste de subir une grande épreuve, moi-aussi. Je suis à Belfast depuis quelques jours pour régler l'héritage de mon mari. Il est mort depuis peu, et après les funérailles à Ballymena, où est située notre maison, j'ai dû venir ici pour voir son notaire. Cela a été affreux. Je ne peux démêler ses papiers, car tout cela ne fait ni queue ni tête pour moi. Il y a des décisions qui doivent être prises, et j'étais perdue, je ne savais pas en qui avoir confiance et je ne connaissais personne pour me conseiller… Puis j'ai entendu un client, au bureau de mon notaire, mentionner votre nom. Et quand je me suis informée à votre sujet, ils m'ont dit qu'ils avaient entendu parler que le duc de St. Easton était à l'Auberge Ostrich.

Elle fit une pause et prit une profonde respiration.

— C'était comme une réponse à mes prières. Si qui que ce soit pouvait me guider durant ce moment difficile, c'était bien vous. Je vous prie de m'apporter un peu de votre temps et de votre aide, Votre Grâce. J'ai réservé une chambre ici pour que ce soit plus commode.

Le pouls de Gabriel s'intensifia dans ses veines. Il ne pouvait vraisemblablement dire non, mais il avait prévu de partir dès cet après-midi pour Killyleagh. Le délai était risqué. Qu'arriverait-il si Alexandria quittait la ville et qu'il ne puisse plus la retracer ?

La dame attendait patiemment sa réponse. Il la regarda et acquiesça de la tête.

— Je suis désolé pour votre perte, lady Montgomery. Je vais, évidemment, vous apporter l'aide que je peux. Ma propre affaire, ici en Irlande, tient compte du facteur temps, mais peut-être que je peux changer mes plans.

— Oh ! je vous en serais très reconnaissante.

Elle joignit les mains sur ses genoux au moment où des larmes noyèrent ses yeux bleus.

— Je peux demander à monsieur Donovan, le notaire, d'apporter tous les documents ici. Quelle heure vous convient le mieux ?

— Laissez-moi une heure pour m'occuper de mes affaires, puis nous nous rencontrerons de nouveau ici, si votre notaire est disponible à ce moment-là.

— Je vais m'assurer qu'il le soit, Votre Grâce.

Elle se leva et Gabriel se leva aussi. Elle semblait flotter sur des nuages de grâce vers lui et lui prit ses mains. Elle regarda ses yeux, puis ses lèvres, puis de nouveau ses yeux, et prononça très clairement le mot : « merci ».

Au moment où elle s'en alla, Gabriel dut se souvenir de respirer de nouveau.

— Meade, j'ai une idée pour que nous puissions passer un peu plus de temps ici. Je vais écrire une lettre à Alexandria, lui demandant de rester à Killyleagh jusqu'à ce qu'on puisse la rejoindre. Vous allez engager un homme, trouvez-en un bon et payez-le bien, pour voir à ce qu'elle reçoive ma lettre et qu'il attende sa réponse. La ville est petite, et nous savons qu'elle a été au château. Les gens là-bas doivent savoir à quelle auberge elle séjourne et où notre homme pourrait la retrouver.

— Mais, Votre Grâce, qu'arrivera-t-il si elle ne veut pas qu'on la retrouve ? On se brûle peut-être les mains, avec une telle lettre, rendus si près du but, ne pensez-vous pas ?

— C'est une possibilité.

Gabriel se frotta la barbe naissante au menton.

— Mais comme je tiens les cordes de sa bourse, et je sais qu'elle doit avoir passé à travers presque tout ce que je lui ai donné jusqu'à maintenant, je crois que la promesse de lui donner assez d'argent pour rechercher ses parents devrait la garder en place.

— Ah ! Oui, cela pourrait fonctionner. Mais avez-vous vraiment l'intention de lui donner la permission de faire un voyage si dangereux ?

— Une fois que je l'aurai fait venir à Londres et que j'aurai engagé les meilleurs enquêteurs pour retrouver ces indices qu'elle croit posséder, je vais espérer qu'elle soit satisfaite et reste sous ma protection, comme l'a ordonné le prince régent. Une visite au prince régent devrait être suffisante pour la convaincre d'obéir.

Meade serra les lèvres et ne dit rien. Cela était de mauvais augure, mais Gabriel ignora ce regard, s'installa au pupitre et prit une feuille de papier et une plume. Il réfléchit un long moment, puis s'empressa de donner ses instructions à sa pupille récalcitrante.

Ma très chère Alexandria,

Je reviens tout juste de votre demeure à Holy Island. Vous pouvez imaginer ma surprise quand j'ai franchi la porte de votre château (oui, tombé en ruines) ; vous n'étiez nulle part. Je suis certain que vous serez heureuse d'apprendre qu'il a fallu beaucoup de persuasion pour convaincre vos loyaux serviteurs de dire ce qu'ils savaient au sujet de l'endroit où vous étiez allée. C'est seulement après leur avoir donné l'assurance que ma mission auprès de vous était de vous garder en santé et devant mon inquiétude véritable au sujet de votre bien-être qu'ils ont changé d'idée. Depuis, c'est comme si je courais après la lune. J'ai finalement découvert que vous étiez partie en Irlande. Je suis présentement à Belfast, et je sais par le maître de poste (d'autres difficultés à soutirer des renseignements) que votre dernier indice vous menait à Killyleagh. Le fait que vous lisiez cette lettre me dit que je vous ai retrouvée, ce qui est bon pour nous deux, car le prince régent m'a ordonné de vous ramener à Londres.

Cependant, des obligations me clouent à Belfast pour quelques jours, prolongeant ainsi le délai avant que je puisse vous rejoindre. Je vous ordonne de rester où vous êtes jusqu'à ce que je puisse vous rejoindre.

Maintenant, ma douce pupille, je comprends que cette nouvelle ne soit pas très bonne pour vous, mais je vous assure que si vous obéissez, je vous donnerai une grosse somme d'argent pour engager des enquêteurs aguerris afin de retrouver vos parents. Nous avons des raisons de croire que vous êtes en danger, et je prie pour que vous soyez prudente. Est-ce que l'Amiral Montague vous accompagne ? Je dois dire que je suis ébahi de cette possibilité, mais cela me rassure que vous ayez eu le bon sens d'engager quelqu'un comme protecteur et que vous n'ayez pas essayé de faire quelque chose de si irréfléchi que de voyager seule. Quand vient le moment de dormir, je ne peux trouver le sommeil qu'en l'imaginant gardant votre porte, de quelque manière que vous ayez pu vous y prendre avec lui.

J'attends votre réponse et j'anticipe notre rencontre pour finalement mettre un visage sur toutes vos chères lettres.

Votre dévoué,

St. Easton

Gabriel scella la lettre et la donna à Meade en espérant qu'il puisse trouver un bon messager assez rapidement. Une tâche fastidieuse l'attendait, éplucher les comptes de lord Montgomery, mais la présence d'une jolie veuve serait une bonne compensation. Il était maintenant temps de soigner son apparence et de commander des rafraîchissements pour être servi dans le salon privé au moment où ils arriveraient.

Il y avait de la légèreté dans ses pas, ce qui le surprit. Lady Montgomery avait été plus sympathique que compatissante. Peut-être qu'il portait plus d'attention que nécessaire à son « affliction », comme elle disait. Des gens de toutes les classes et de toutes les origines, depuis toujours, avaient souffert de bien plus grandes douleurs que sa surdité. Peut-être devrait-il être reconnaissant pour ce qu'il avait, ce qui était déjà beaucoup. Cela avait été un soulagement de le dire à quelqu'un, de toute façon. Garder le secret était épuisant et déprimant. Peut-être que son monde ne tomberait pas en morceaux, après tout, s'il laissait voir que le duc de St. Easton était humain, lui aussi.

Une heure plus tard, une femme de chambre cogna à sa porte et l'informa que ses visiteurs étaient arrivés. Se sentant rafraîchi, Gabriel descendit le grand hall menant au salon privé du deuxième étage réservé pour les visiteurs importants de l'auberge. Lady Montgomery était là, assise à côté d'un beau jeune homme distingué, vêtu à la dernière mode.

L'homme se pencha vers l'avant au moment où il entra et fit une révérence jusqu'à ce que son nez touche presque ses genoux. Après que Gabriel eu souhaité la bienvenue à lady Montgomery, elle demanda en prononçant très lentement et avec des expressions faciales pour qu'il puisse facilement lire sur ses lèvres où était monsieur Meade et s'il assisterait à la conversation.

— Meade est parti faire une course à l'heure actuelle.

Gabriel fit signe à la servante dans la pièce de verser du thé et de servir les petites crêpes, le fromage, les sucreries et de fins petits gâteaux.

— S'il vous plaît, prenez des rafraîchissements.

Il sortit le livre des mots et l'ouvrit sur une nouvelle page, bien que le réconfort qu'avait apporté sa dernière conversation semblait s'être évaporé maintenant qu'il devait le faire devant le jeune homme. Dieu savait comment enlever toute fierté à un homme, pensa-t-il avec morosité.

Regardant vers l'avant, il chassa cette pensée et dirigea ses questions à monsieur Donovan, le notaire. Il pouvait bien comprendre pourquoi Claire n'était pas prête à lui faire confiance ; il était beaucoup trop complaisant.

— Alors ? Monsieur Donovan, dans quel état se trouve l'héritage ?

Donovan prit le livre et écrivit plusieurs pages. Gabriel scruta les lignes, s'appuyant sur un côté de sa chaise, dans une position d'aisance et de confiance, un coude sur le bras de la chaise, le pouce sous le menton, le relevant à l'occasion en se concentrant. C'était bien comme il le pensait, et il se doutait que ce n'était pas ce qu'il y avait de pire. Montgomery était au bord de la faillite. Le coup final avait été donné juste quelques jours avant sa mort. Pauvre Claire. Les créanciers frapperaient bientôt à sa porte, et il n'y avait pas beaucoup de choses à vendre.

— Claire, il prononça son prénom d'une voix empreinte d'amabilité, vous ne m'avez jamais dit de quelle façon Carrick est-il décédé ?

Elle devint aussi pâle que les murs de plâtre. Gabriel lui tendit lentement le livre des mots. Ils attendirent, Donovan buvant son thé à petites gorgées et détournant les yeux, Gabriel la regardant avec un chagrin sincère tandis que les larmes coulaient le long du joli visage de Claire et diluaient l'encre encore humide des lignes qu'elle écrivait.

Il avait remarqué quelque chose, au sujet du livre des mots. Les gens, en général, parlent sans trop réfléchir, juste en laissant sortir les mots au fur et à mesure qu'ils viennent, mais quand ils doivent les écrire, ils prennent leur temps, quelques-uns, du moins, et ils parlent plutôt avec leur cœur qu'avec leur tête. Il en vint à mieux connaître son meilleur ami, Albert, depuis les derniers mois en utilisant le livre des mots. Il était plus difficile de dire des paroles en l'air en les mettant sur papier. Et tout cela les avait rapprochés, mais il ne s'en était pas soucié.

Claire lui rendit le livre, prit le mouchoir qu'il lui offrait, et essuya ses merveilleux yeux bleus rehaussés de cils sombres et humides. Quelle chère créature elle était.

Il tenta de lire les lignes embrouillées. Elle l'avait trouvé dans les écuries, pendu à une poutre. Un oiseau noir sur l'épaule picorant son visage. Elle avait crié, s'était enfuie, puis s'était évanouie. Les gens désespéraient de la voir se réveiller jusqu'à ce qu'une servante la transporte vers une grande auge remplie d'eau et la jette dedans. Elle revint à elle en bégayant, puis se souvint de ce qu'elle avait vu et souhaita ne s'être jamais réveillée.

Après avoir passé les comptes en revue et vu sa plus récente récolte détruite par le mauvais temps… Enfin, ce n'était pas la première fois qu'un homme manquait de courage. Il ne connaissait pas beaucoup Carrick, mais encore, il était difficile d'imaginer que l'on ne puisse avoir aucun espoir que les choses aillent mieux. Il n'était pas un joueur, quoique l'étude approfondie des comptes pourrait révéler qu'il était devenu si désespéré et qu'il avait perdu encore plus d'argent. C'était assez courant. La question était, jusqu'à quel point fallait-il tout lui dire ? Elle souffrait déjà beaucoup. Il pensa qu'il avait besoin de plus de réponses, avant tout. Elle méritait de savoir toute la vérité.

Il se tourna vers Donovan.

— Vous avez apporté tous les livres de comptes ?

Donovan opina de la tête en disant clairement :

— Oui, Votre Grâce.

— Laissez-les ici et donnez-moi une journée pour les réviser. Claire, je vous dirai tout ce que j'aurai découvert, mais, entre-temps, vous devez rester forte. Votre mari devait avoir des raisons pour faire ce qu'il a fait, et nous trouverons ce que c'est pour que vous puissiez, un jour, être en paix. Me comprenez-vous ?

Elle approuva et renifla. Elle s'avança ensuite pour prendre le livre.

Je ne peux vous remercier assez, Votre Grâce. Est-ce que vous voulez dîner avec moi ce soir ? Je ne peux supporter d'être seule.

— Monsieur Donovan, vous êtes libéré.

L'homme se hérissa, mais Gabriel ne s'en fit pas. Il les regardait de beaucoup trop près. Gabriel ne voulut pas l'admettre, mais il aimait se sentir utile. Et à vrai dire, c'était peut-être ce qu'ils avaient besoin tous les deux, trouver du réconfort auprès d'un vieil ami.

Chapitre 22

— Oh ! je ne peux y croire !

Alex s'écrasa sur une chaise, assise en face de Montague et de Baylor dans le salon de l'auberge Dufferin Coaching à Killyleagh.

— Vous ne pouvez pas croire qu'il m'a écrit cette lettre ! Il est tout ce qu'il y a de plus arrogant, brutal et…

Elle hésita, incapable de penser à une autre insulte du même genre.

— Tout à fait ce qu'un duc ferait !

— Qui est ce duc et que dit-il pour la mettre dans cet état ? demanda Baylor à Montague.

Montague se pencha avec un sourcil relevé et un demi-sourire.

— Son tuteur, le seul et unique duc de St. Easton.

— Il a l'air d'être un gars important.

Montague gloussa.

— Il est seulement l'un des hommes les plus riches du monde. Il est connu pour son grand savoir. On dit qu'il a tout étudié et qu'il se souvient de presque tout. Et il a tout fait, aussi. S'il avait eu seulement ses gains de courses de chevaux, il aurait valu la rançon pour le prince régent. Il touche à tout – mines, entreprises maritimes, échanges commerciaux de l'Orient vers les Amériques. J'ai déjà entendu dire qu'il y a des peintres et des musiciens reconnus qui sont allés chez lui pour des discussions privées et des concerts. Mais ce n'est pas la raison pour laquelle j'ai toujours voulu le rencontrer.

– Non ? Dites-nous pourquoi, alors. Il semble que nous le rencontrerons bientôt par l'état dans lequel s'est mise lady Alex.

Alex avait cessé sa tirade et avait entendu la description du duc donnée par Montague. La crainte montait en elle à mesure qu'il en parlait. Elle repensa à ses lettres saugrenues et referma le poing sur la dernière lettre qu'elle avait reçue avec une pointe d'horreur. Elle avait été si impétueuse... imprudente même, dans ses demandes... était-il vraiment si estimé, comme l'avait dit Montague ? Si riche et si puissant ?

Mais elle voulait entendre la réponse de Montague, alors elle se calma et se retourna, vraiment curieuse de savoir la raison pour laquelle le fameux amiral était si fasciné par le duc de St. Easton.

– On dit qu'il a les yeux verts d'une panthère. Les iris de ses yeux, disent certains, ne sont pas tout à fait ronds, mais plutôt d'un léger ovale. Comme les yeux d'un chat.

Montague rit et fit un regard interrogateur vers Alex.

– Ce pourrait être que des rumeurs et des exagérations, évidemment.

Alex devint encore plus pâle, puis reprit avec une soudaine détermination.

— Oh ! quelle histoire. Des yeux de chat ? C'est insensé, c'est tout ce que c'est. Pourquoi *Son Altesse Royale* dit juste ici, dans cette lettre, que vous êtes très estimé et qu'il est surpris que j'aie été capable de vous engager. Pas que je l'ai fait, mais tout de même. L'homme a une trop grande opinion de lui-même, si vous me le demandez. Je n'aurai pas peur de lui.

— Il mentionne mon nom ?

Montague s'avança pour prendre la lettre.

— Est-ce que je peux la voir ?

Alex la lui donna, roulant des yeux.

Montague émit un petit rire après l'avoir lue.

— Regardez ici, Baylor.

Il fit un mouvement pour tendre la lettre au géant, mais Baylor secoua la tête.

— Pouvez-vous me la lire ?

Montague le regarda, étonné, et Alex demanda gentiment :

— N'avez-vous jamais appris à lire, Baylor ?

Il secoua la tête d'un mouvement exagéré, les yeux grand ouverts.

— Ma douce mère est morte en donnant naissance à mon petit frère, et quelques années plus tard, mon père est parti. Il restait juste nous deux. Il avait quatre ans et j'en avais dix, nous vivions dans les montagnes avec quelques moutons et quelques poulets. J'étais assez vieux pour m'occuper de mon frère, mais je n'ai jamais pensé à aller à l'école. Il y avait tant de choses à faire et nous ne voulions pas que quiconque sache que nous vivions seuls, tous les deux. J'avais peur qu'ils m'enlèvent Tommy, pour le placer ailleurs, ou dans un de ces affreux orphelinats.

Il frotta ses grosses mains ensemble, sa voix avec un gros accent irlandais devint plus basse.

Quelques années plus tard, un jour d'hiver très froid, Tommy est tombé vraiment malade.

— Oh ! Baylor. Qu'avez-vous fait ?

Alex imaginait le grand enfant aux cheveux roux qu'il avait dû être, essayant de rester fort malgré tout.

— J'avais très peur, je peux vous le dire. Je ne savais pas quoi faire pour l'aider, sa fièvre montait tellement, et il ne se nourrissait plus. Alors, je l'ai emmitouflé et l'ai mis dans une brouette que j'ai poussée jusqu'à l'hôpital de Belfast.

Il fit une pause et baissa les yeux. Alex avait peur de lui demander si Tommy avait survécu et elle regarda Montague.

— C'est quelque chose de très difficile, Baylor, de perdre la seule famille qui nous reste. Je le sais, dit calmement Montague.

Baylor leur fit à tous les deux un grand sourire.

— Oh ! il s'est remis après quelques jours. Nous avons fini par vivre avec un médecin et sa femme, que Dieu la bénisse. Elle avait décidé de nous garder. Je suis resté là quelques mois, mais les montagnes me manquaient trop. Je voulais devenir un berger, mais Tommy est allé à l'école et il est maintenant médecin à Belfast. Alors, tout s'est bien terminé.

— Et vous êtes retourné à la ferme ?

Baylor approuva.

— Ils savaient que j'étais assez débrouillard, même si j'avais juste quatorze ans. J'ai pris soin de moi toute ma vie, et ils savaient que j'en étais capable. D'autre part, il y avait une jolie fille qui pouvait chanter comme jamais je n'avais entendu chanter auparavant qui habitait au village, dans les montagnes. Je trouvais des raisons pour aller là et l'entendre chanter.

— C'est Maeve ! Votre femme, n'est-ce pas ?

Alex se pencha vers l'avant.

— Nous nous sommes mariés alors qu'elle avait seulement seize ans et que j'en avais dix-sept. Nous sommes heureux comme larrons en foire depuis ce temps.

— Êtes-vous retourné à Belfast voir votre frère ?

— Oh oui ! Je l'ai fait souvent. Le médecin m'avait laissé aller seul dans les montagnes à la condition que je revienne les visiter. Quelquefois, je restais avec eux pour plusieurs jours ou plusieurs semaines. Ils étaient comme de la famille, pour moi. Je regrette de ne pas avoir appris à lire, par contre. Il y a des moments où je souhaiterais en être capable. Tout particulièrement pour lire la Sainte Bible. J'aimerais apprendre à lire ça.

— Ce n'est pas trop tard. Je serais heureuse de vous le montrer, dit Alex.

— Vous feriez ça pour moi, jeune fille ? Est-ce très difficile ? Pensez-vous que je pourrais l'apprendre ?

— Oui, bien sûr que vous le pouvez. Nous commencerons ce soir, juste après le dîner.

Il avait l'air trop heureux pour parler.

— Maintenant, Montague, lisez cette lettre. Je veux savoir ce que le duc pense de vous.

Baylor fit signe à Montague de continuer.

Montague lut la lettre à voix basse.

— « Est-ce que l'Amiral Montague vous accompagne ? Je dois dire que je suis ébahi de cette possibilité, mais cela me rassure que vous ayez eu le bon sens d'engager quelqu'un comme protecteur et que vous n'ayez pas essayé de faire quelque chose de si irréfléchi que de voyager seule. Quand vient le moment de dormir, je ne peux trouver le sommeil qu'en l'imaginant gardant votre porte, de quelque manière que vous ayez pu vous y prendre avec lui. » Pouvez-vous imaginer cela ? demanda Montague.

— Fameux duc ou pas, nous ne pouvons rester ici et attendre qu'il soit libre. Nous devons partir avant qu'il arrive, et ne laisser aucun indice de notre prochaine destination, leur rappela Alex.

— Savez-vous ce que vous dites, jeune fille ? Cet homme a reçu des ordres du prince régent.

Baylor secoua ses cheveux broussailleux en essayant de lui faire comprendre ce destin imminent.

— Alexandria, vous devez lui faire confiance. Il offre d'engager des enquêteurs professionnels pour faire ce travail. Ils auront beaucoup plus de succès que nous pour retrouver vos parents.

Montague se pencha vers l'avant, la regardant sérieusement.

Alex roula ses mains en deux poings et les regarda à tour de rôle.

— De meilleurs résultats, dites-vous ? N'ai-je pas retrouvé leurs traces ? Je les retrouverai… avec ou sans vous.

Elle ne s'en aperçut pas, mais, pour la première fois, des larmes coulèrent le long de ses joues.

— C'est moi qui sauverai mes parents ! Personne ne les connaît comme moi. Personne ne les croit vivants. Le duc ne s'en préoccupe pas. Personne ne s'en préoccupe comme moi !

Elle tomba sur ses genoux et cacha son visage dans ses mains.

Baylor se pencha pour la remettre debout et la replacer doucement sur sa chaise. Montague lui versa un verre d'eau et le lui apporta.

Elle accepta leur soutien, puis les regarda, le visage en larmes.

— J'ai déjà répondu à sa lettre et j'ai assuré le duc que je resterais ici. Il accusera un retard de plusieurs jours si nous partons maintenant.

— Alexandria, vous devez cesser de mentir à tout propos. Cela n'est pas de mettre sa confiance en Dieu, mais de prendre les choses entre vos propres mains, dit Montague avec douceur.

— Vous avez raison. Je ne savais pas quoi faire d'autre ! Si j'avais répondu par la vérité, il serait à notre porte, en ce moment. S'il vous plaît, viendrez-vous avec moi ?

Ils se regardèrent tous les deux. Baylor haussa les épaules.

— Je n'étais pas tout à fait prêt à quitter cette aventure et à retourner à ma belle harpie de toute façon. Qu'en dites-vous, Montague ?

Montague les regarda tous les deux de son regard perçant.

— Je dis qu'à moins de l'attacher et de la garder ici, elle s'en ira sans nous. Nous n'avons pas vraiment le choix. Mais où irons-nous, lady Alex ? Savez-vous où aller ?

Alex se redressa, se moucha avec le mouchoir que Montague lui avait offert et hocha la tête.

– Je ne vous ai pas encore dit ce que j'ai découvert à la maison de Hans Sloane. C'est un indice. Nous approchons du but, je le sens.

– Alors, dites-nous, qu'est-il arrivé quand vous êtes allée à sa maison ?

Baylor s'assit sur la seule autre chaise de la pièce, une chaise en bois branlante qui craqua et gémit lorsqu'il s'assit. Les yeux d'Alex s'ouvrirent encore plus grands en regardant les pattes supportant la chaise qui arquaient vers l'extérieur. Montague retint un petit rire. Ils poussèrent tous un soupir de soulagement quand la chaise sembla parvenir à supporter son poids.

– Premièrement, commença Alex, sir Hans a vécu dans une des meilleures maisons du village. Elle a deux étages et est plus belle que celles de ses voisins. Quand j'ai frappé à la porte, j'ai demandé s'ils étaient parents avec sir Hans, ce à quoi la femme a répondu que non, mais qu'elle connaissait bien la famille, et elle m'a invité pour prendre le thé. Nous nous sommes assises et je lui ai raconté que je recherchais mes parents disparus depuis longtemps, qui étaient venus à Killyleagh il y a environ un an. Elle se souvenait d'eux et a dit qu'ils étaient venus poser des questions au sujet de Hans Sloane. Elle m'a dit la même chose que ce qu'elle avait dit à mes parents, c'est-à-dire que le père de Hans est mort quand il était encore un enfant et que sa mère s'était remariée, et a ensuite abandonné le pauvre Hans et ses deux frères. Quand ils furent un peu plus vieux, ils sont tous allés à Londres pour faire fortune. Hans, évidemment, a bien réussi, devenant le médecin du roi et poursuivant sa quête pour les objets d'art antique.

Alex fit une pause et prit une profonde inspiration.

— Je lui ai demandé si les Sloane avaient laissé quelque chose derrière eux, si quelqu'un avait fait des recherches dans le grenier ou s'il y avait eu des histoires à leur propos, qu'elle connaissait. Elle m'a dit qu'il n'y avait eu personne et que mes parents avaient posé les mêmes questions. J'allais tout abandonner et partir au moment où j'ai remarqué les chaumières de ses voisins. J'ai décidé que je devais essayer, alors j'ai frappé à la porte de chacune des maisons et demandé si quelqu'un savait quoique ce soit au sujet de Hans Sloane.

En effet, cela avait été plutôt éprouvant de poser des questions à de parfaits étrangers. À l'une des chaumières, il y avait une vieille femme qui a dit que son grand-père avait joué, enfant, avec les frères Sloane et avait raconté plusieurs histoires à leur sujet.

— *Venez vous asseoir un brin, mon enfant, et je vais voir si je peux me souvenir d'une histoire pour vous.*

Elle sourit en douceur comme une mère.

— *Je vous en serais très reconnaissante.*

Alex s'assit dans la petite pièce sombre où étaient la table et les chaises, un gros foyer et des ustensiles pour cuisiner ici et là, et un coin sombre avec un banc et une baratte à beurre sous une fenêtre basse qui laissait filtrer un peu de lumière. La femme fit du thé et posa des questions à Alex.

Alex raconta l'histoire de ses parents et dit qu'elle était déterminée à les retrouver. Tout le monde qui avait entendu son histoire était prêt à l'aider et cette femme, madame McHenry, ne fut pas différente des autres.

— *Bien, maintenant…*

Elle s'assit en face d'elle et lui tendit une tasse de thé.

– Voyons voir ce dont je peux me souvenir. Ils étaient trois frères, mais Hans était le compagnon favori de mon grand-père. Ils passaient la plupart de leur temps sur les rives de Strangford Lough. Ils pêchaient et exploraient les îles du lac. Mon grand-père et Hans revenaient avec toutes sortes de trésors comme des roches et des plumes et d'autres choses rares. Mon grand-père s'est vite lassé de ce jeu, mais Hans ne pouvait s'en empêcher. Il gardait tout ce qu'il trouvait dans des petits pots et des boîtes, ce qui devint le début de sa fameuse collection, voyez-vous ?

– Quel petit garçon intelligent il a dû être ! dit Alex pour l'encourager à continuer son récit. Mes parents ont été engagés pour trouver quelque chose qui est porté disparu de sa collection. Cela m'aiderait à les retrouver si je savais ce qu'ils recherchaient. Avez-vous entendu parler d'un article manquant à sa collection ?

– Non, mademoiselle. Je suis désolée, mais je ne sais rien à ce sujet sauf que sa collection a été donnée au British Museum.

Alex se sentit chavirée de l'intérieur. Dans un ultime effort, elle posa une autre question.

– J'ai des raisons de croire que cet objet pourrait avoir un lien avec un sculpteur italien du nom de Augusto de Carrara. Avez-vous déjà entendu parler de lui ?

– Il me semble me souvenir de quelque chose à propos d'un sculpteur italien qui aurait été mentionné par mon père, mais je ne suis pas certaine du nom. S'il y avait une chose lui appartenant en Irlande, je crois que ce serait à Dublin, au Royal Irish Academy. Mon père et mon grand-père avant lui en ont été membres pendant plusieurs années, et ils parlaient souvent entre eux de Sloane et de sa collection. Vous devriez y aller et visiter Dublin, ma chère.

— Alors, vous voyez, dit Alex à Baylor et Montague après avoir raconté l'histoire, nous devons aller à Dublin et parler aux membres de la Royal Irish Academy.

— Humm. Comme par hasard, j'ai mon neveu à Dublin.

Montague se leva et fit valser sa cape sombre.

— Faites vos bagages, Alexandria, et demandez à maîtresse Tinsdale un panier de nourriture pour nous soutenir durant un voyage de deux jours. Ne mentionnez pas où nous allons.

Au moment où Montague s'en allait, Alex murmura à Baylor :

— Peut-être devrions-nous mettre le duc hors d'état de nuire et l'envoyer dans une autre direction. Je vais dire à maîtresse Tinsdale que nous allons à Downpatrick pour visiter la fameuse cathédrale là-bas. C'est l'endroit où est supposé être enterré saint Patrick. Cela ressemblerait à ce que nous ferions en suivant une piste. Baylor, voyez à nous procurer des chevaux. Nous ne voudrions pas risquer de prendre la diligence de la poste.

Alex s'empressa de monter les marches pour faire ses bagages, se sentant un peu coupable de mentir encore une fois, mais il était vraiment trop tentant d'envoyer Son Altesse Royale sur une autre fausse piste.

Au moment où elle ouvrit la porte de sa chambre, elle eut le souffle coupé. La chambre avait été saccagée. Tout était en désordre sur le plancher : ses vêtements, articles de toilette, les quelques livres qu'elle avait apportés. Son cœur battait à tout rompre en faisant un pas dans la chambre et en regardant dans tous les coins. La personne qui avait fait cela était partie depuis longtemps, mais sa fenêtre du deuxième étage était ouverte, les rideaux flottant autour de l'ouverture.

Alex traversa la chambre et se pencha un peu à l'extérieur de la fenêtre. Il y avait un arbre tout près, assez près pour y grimper en étant agile. Elle se pencha pour atteindre la branche la plus proche et tira dessus. Il était possible que quelqu'un se soit enfui par la fenêtre, mais comment était-il entré ? Elle n'avait pas laissé la fenêtre ouverte, alors elle ne pensait pas que le voleur soit entré par là. Elle retourna vers la porte et remarqua que le loquet avait été endommagé. Qui que ce puisse être — et elle se doutait que c'étaient les Espagnols — il semblerait qu'ils soient entrés par la porte, mais partis par la fenêtre.

Elle fut prise de panique quand elle pensa soudainement à l'argent qui lui restait. Elle se dépêcha d'ouvrir le tiroir de la grande commode. Il était vide. Elle s'accroupit, essayant de trouver le bas où elle rangeait son argent. Après plusieurs minutes de recherche frénétique, elle se releva en pleurant. Ils avaient tout pris ! L'argent et un de ses livres sur l'Irlande. Qu'allait-elle faire ?

Elle fouilla à l'intérieur de la poche de sa robe et en sortit les lettres du duc, qu'elle gardait toujours sur elle, et les dernières pièces de monnaie qui lui restaient. Pas assez pour se rendre à Dublin. Elle tenait les lettres du duc contre sa poitrine. Il avait son argent. Bon, pas sur lui, mais à la banque. La banque à Londres.

Le fait que Dublin était la deuxième plus grande ville du Royaume-Uni lui vint à l'esprit. Évidemment que le duc pouvait obtenir de l'argent de la banque à Dublin. Le pouvait-il ? De plus, étant la pupille du duc, peut-être pourrait-elle avoir une marge de crédit ? Elle avait des lettres prouvant qu'elle était sa pupille. Elle pourrait seulement entrer dans la banque et jouer le rôle d'une aristocrate attitrée, demandant à ouvrir un compte pour elle. Si ce que Montague avait dit était vrai, que le duc fût si puissant et si riche, peut-être les gens de la banque seraient-ils prêts à faire n'importe quoi pour plaire à sa pupille, n'est-ce pas ?

Chapitre 23

« Restez », dirent les lèvres roses.

Gabriel regardait le visage de Claire, son regard allant de ses lèvres à ses yeux de cristal bleu entourés de cils foncés. Elle ferma les yeux et leva le menton un tout petit peu plus haut, une invitation au baiser, sans contredit. Elle était très belle. Et lui, il était dans un état de faiblesse qu'il n'avait jamais éprouvé auparavant dans sa vie. Il n'avait pas eu, depuis les deux derniers jours, la sensation d'être stupide ou mal à l'aise parce qu'il était sourd. Elle l'avait regardé avec ses grands yeux confiants et avait écouté tous ses conseils, utilisant le livre des mots quand c'était nécessaire, écrivant d'une main tellement féminine, en demandant encore plus avec ses yeux. En ce moment, en regardant son visage d'albâtre et ses lèvres pleines, il savait qu'elle lui offrait tout ce qu'il voudrait prendre — en commençant par un baiser.

Cela était tentant. Mais la facilité avec laquelle elle se donnait juste après avoir perdu son mari refroidissait son ardeur. Elle était seule et avait peur, oui, il comprenait son désespoir. Mais où était sa fierté ? Elle devait s'être envolée depuis longtemps en devenant une duchesse.

Gabriel leva la main pour prendre doucement le menton de Claire et frotter son pouce sur sa joue.

— Claire, dit-il d'une voix douce, vous n'êtes pas prête pour ceci. Vous avez à faire votre deuil, puis, après un certain temps, vous saurez ce vous devez faire. Je vais attendre que vous ayez eu ce temps.

Il lui avait déjà expliqué l'état de ses finances et avait offert de couvrir la partie de la dette qui pourrait au moins lui laisser son domaine. Tout le reste serait vendu, mais il y aurait assez de revenus provenant de ses rentes, si elle était prudente, pour s'organiser une vie confortable et tranquille. Elle avait approuvé rapidement, mais en ce moment, il l'avait offensée et embarrassée.

Ses paupières s'ouvrirent et un regard chagriné traversa son visage. Elle tourna son visage pour éviter le regard de Gabriel.

— Je ne veux pas de votre charité, Gabriel.

— Vous ne voulez pas ?

Elle s'avança prestement vers lui, le couvrant de petits coups de poing qui ressemblaient plutôt à des coups d'ailes d'un oiseau contre lui. Il se défendit jusqu'à ce qu'elle s'écrase sur sa poitrine, s'accrochant à lui en pleurnichant. Il ne pouvait entendre cela, mais le visage de Claire montrait tout ce qu'elle avait de chagrin, ses bras autour de lui pour cacher sa peine, puis elle l'agrippa par le devant de sa chemise, son corps pesant sur le corps de Gabriel, haletant, cette respiration…

« Oh ! mon Dieu ! Aidez-nous quand nous sommes peinés. »

Il la tint contre lui et partagea sa douleur pendant un moment.

Peut-être était-elle le genre de femme qu'on s'attendait à ce qu'il marie. Elle possédait ce qu'il fallait pour être duchesse, et une si jolie femme en quête de fortune était rare parmi la haute société. Ce serait… une vie sans complications, chacun d'eux connaissant son rôle dans la partie à jouer.

Tout ce qu'il avait à faire était de demander. Il n'y avait aucun doute qu'elle répondrait oui.

— Claire…

Elle tourna son joli visage vers le sien… Il pouvait sentir sa respiration augmenter dans sa poitrine. Il pourrait être heureux avec elle… Le pouvait-il ?

— Claire. Je…

Qu'était-il en train de faire ? Il ne voulait pas de la vie qui était prévue pour lui ; il ne voulait pas de Claire. Il voulait de l'amour.

Il voulait Alexandria. Son nom fit accélérer son pouls dans ses veines, le faisant inspirer et reculer.

— Claire, je suis désolé, je ne peux plus vous aider.

Il prit les mains de Claire et les pressa.

— J'avais pensé… que peut-être…

Elle releva ses merveilleux yeux bleus le questionnant avec une telle innocence.

Gabriel lâcha ses mains et recula.

— Je suis désolé. Au revoir, Claire.

Il la regarda prendre son réticule et sortir de la pièce, le menton relevé très haut. Après qu'elle eut fermé la porte, il laissa échapper un éclat de rire. Quelle toile elle tissait !

Il n'y avait aucun doute qu'elle serait remariée avant que l'année ne se termine.

Après avoir vu partir Claire, Gabriel retourna à sa chambre et s'assit au pupitre. La fatigue l'envahissait. Il prit sa tête entre ses mains et soupira. Il se sentait comme s'il venait de gagner une bataille, ce qui faisait peu de sens, mais la sensation était là tout de même. Il se frotta le visage avec les mains, puis s'étira au-dessus du pupitre pour prendre ses lettres. C'était idiot, le ruban vert foncé qu'il avait mis pour les tenir ensemble. Il ne savait même pas pourquoi il avait fait cela, acheter ce ruban en secret au magasin pour ne pas que Meade s'en aperçoive.

Et les lettres elles-mêmes, lues tant de fois qu'il craignait qu'elles tombent en lambeaux. C'était juste que… c'était comme s'il la connaissait déjà. Et il était temps de savoir si ce qu'il croyait était vrai. Il était temps de rencontrer finalement sa pupille en personne. Il déplia sa dernière lettre et la relue.

Cher duc, mon tuteur,

Il eut un petit rire en lisant. Elle avait toujours une nouvelle manière d'adresser ses lettres, sans égards à la convenance.

Je m'excuse de vous avoir causé des inconvénients, Votre Grâce, lors de votre venue à Holy Island alors que j'étais absente. Si j'avais su que vous alliez venir, j'aurais, évidemment, retardé mon voyage, malgré qu'il relève de la plus haute importance pour moi. Comme vous l'avez sûrement compris, je ne crois pas que mes parents soient morts, mais seulement accablés par une terrible mésaventure. Une mésaventure que je dois connaître et où je dois leur apporter mon aide.

En ce qui concerne les ordres du prince régent de retourner avec vous à Londres, je suis certaine que je ne le pourrai pas. La raison pour laquelle le prince régent s'intéresse tant à mon sort me dépasse. Pourrait-il souffrir d'une autre de ses « fascinations », pensez-vous ? C'est assez flatteur que vous ayez voyagé jusqu'en Irlande pour me rejoindre, mais je vous prie, aidez-moi à retrouver mes parents. Je vous attends à mes côtés, et je sais qu'ensemble, nous pourrons découvrir ce qui est arrivé à ma mère et à mon père.

Je vous attends à Killyleagh, cher sir, avec le même empressement que vous avez exprimé et avec la ferme conviction de vous rallier à ma cause.

Avec toute mon affection,

Alexandria

Avec toute mon affection. Cela était un pas en avant de tout ce qu'elle avait déjà proclamé ressentir pour lui. Une nouvelle sensation de force l'envahit à cette réflexion. Il n'y avait pas de temps à perdre. Il se leva, fit ses bagages, puis dit à Meade de se préparer pour le voyage vers Killyleagh. À cheval, ils devraient y être en fin d'après-midi.

La route pour Killyleagh fut meilleure que ce qu'il pensait. Même si son épaule faisait mal, Gabriel était content d'avoir fait traverser ses chevaux en Irlande plutôt que d'avoir pris une diligence. Il était certain que Meade ne partageait pas son bonheur, mais son secrétaire s'était amélioré en voyageant. Quand ils seraient de retour à Londres, il serait un cavalier accompli malgré le fait qu'il détestait cela.

Aux abords de Killyleagh, ils firent une pause et admirèrent la scène pittoresque. Des collines ondulantes de vert parsemées de pâturages ocre, et, à une certaine distance, dans les faibles rayons de lumière de l'après-midi, il y avait le château de Killyleagh. Gabriel devait admettre qu'il était majestueux, un château approprié pour faire partie des histoires de la Terre de la jeunesse éternelle. La ville était érigée en rangées nettes de maisons et de boutiques au pied du château. Derrière cette scène s'étendait une large bande bleue qui était Strangford Lough. Tout cela était très pittoresque. Du lac émanait une beauté véritable, la paix, la tranquillité, un morceau de paradis sur terre.

Gabriel éprouva une sensation grandissante, une sensation de grâce et de respect qu'il n'avait pas ressentie depuis longtemps. La douleur fulgurante de sa « condition » avait fait revenir ses sentiments, un long réveil de l'ennui, un émerveillement des choses les plus simples qu'il avait connu auparavant, au moment où il était encore un enfant. Il fut soudainement très heureux d'être en vie et d'être à cet endroit. Les paroles d'Alex qui lui suggéraient de mettre tout son espoir en Dieu semblaient possibles, en ce moment. Et cela était l'endroit parfait pour rencontrer sa pupille pour la première fois.

Ils trottaient en descendant la rue vers le centre de la ville. Le messager était revenu avec l'adresse de l'endroit où Alexandria séjournait — l'auberge Dufferin Coach —, qui était facile à localiser.

Après avoir pris soin de leurs chevaux, Gabriel regarda Meade longuement, puis avança sur les marches menant à la porte de l'auberge. Il fit une pause, sa main sur le loquet de laiton, prit une grande inspiration, et entra.

— Meade, trouvez-la. Je vais aller à la salle commune et nous garder une table. Je suis enclin à célébrer notre rencontre. Vous me l'amènerez.

Meade hocha la tête, ses yeux scrutant autour de la pièce et se posant sur ceux de Gabriel. Il avait une perle de sueur à sa lèvre supérieure. Ah ! il était nerveux de la revoir. Gabriel sourit. Peut-être avait-il peur qu'elle lui tire encore dessus ? Il ne pouvait le blâmer, n'est-ce pas ?

Gabriel se retourna vers l'aubergiste rondelette et commanda leur meilleur repas pour être servi à sa table… une table pour trois. Après avoir été à la banque, il pouvait commander de nouveau comme un duc.

Elle fit une grande révérence, un petit sourire au visage.

Il entra dans la salle commune et enleva ses gants, un mouvement difficile avec un bras encore en écharpe. Au moins, il avait fait faire l'écharpe assortie à son manteau foncé, et elle n'était pas aussi apparente que celle de bandes de tissu blanc que le médecin lui avait donnée.

Des clients prenaient place à quelques tables, absorbés par leurs conversations, quelques-uns l'ayant regardé lors de son entrée. Il les ignora, comme il essaya aussi d'ignorer le pouls qui s'accélérait dans ses veines. Il s'assit, plaçant son chapeau et ses gants sur la chaise à côté de lui. Non. Ce n'était pas la bonne place. Elle pourrait s'asseoir ici. Tout juste à côté de lui. Il déglutit avec peine, se sentant aussi nerveux qu'un écolier à son premier jour à Eton. Cela ne lui ressemblait pas et il détestait cela. Il plaça ses accessoires de l'autre côté de la table, son chapeau couvrant ses gants. Tout cela avait l'air idiot, mais il ne semblait pas se souvenir qu'en faire.

Avec une expiration, il se rassit et se tourna vers la fenêtre. Il pouvait voir la route qui se continuait à l'extérieur, quelques bâtiments délavés, puis, à une certaine distance, le bleu pâle du lac. Il prit une profonde respiration et se concentra sur la tache bleu pâle qui rencontrait la ligne d'horizon d'un bleu encore plus intense. Avait-il le livre des mots avec lui ?

S'en faisait-il avec cela ?

Est-ce qu'*elle* s'en ferait avec cela ? Sa réaction était plus importante qu'il voulait l'admettre. Et il ne pouvait s'imaginer pourquoi. Qu'est-ce qui n'allait pas chez lui ? Dieu, aidez-le. Il n'a jamais été si anxieux de toute sa vie.

Un mouvement provenant de la porte attira son attention. Une servante s'approcha, apportant un plateau. Elle le plaça sur la table à côté de lui et commença à le vider en déposant une théière de fine argenterie, des tasses si délicates qu'on n'oserait y toucher, des assiettes aux dorures en filigranes remplies de mets délicats contenant toutes sortes de sucreries et de sauces, viandes et fromages, pains et fruits. Elle s'inclina très bas, sans un mot, et se retourna pour s'en aller.

Gabriel prit une gorgée du thé sucré et regarda vers la porte. Sûrement qu'à tout moment, ils entreraient.

Un moment plus tard, Meade entra dans la pièce, son visage devenu sévère, absent de couleurs, ses cheveux ayant l'air d'avoir été frappés par un éclair. Gabriel se leva tandis qu'il s'empressait de s'approcher.

— Que se passe-t-il ? Ne me dites pas qu'elle vous a encore tiré dessus ?

Meade secoua la tête dans un mouvement au ralenti.

— Qu'est-il arrivé, Meade ? Où est-elle ?

Les mots étaient crachés à travers de petites inspirations, son estomac se nouant lentement en des rugissements de terreur.

« Elle n'est pas ici. »

Chapitre 24

— C'est l'une des choses les plus difficiles que je n'ai jamais faites, dit Alex aux autres occupants de la diligence de la poste, un mode de transport abordable qu'ils ont été forcés d'utiliser depuis que son argent avait été volé, en roulant vers Dublin.

— Que se passe-t-il, mademoiselle ?

Baylor, assis en face d'elle, rebondit dans le coin du siège, entouré par des sacs de poste. Il semblait avoir peur des sacs, ce qui encouragea Montague à se pencher vers l'avant et à chuchoter à l'oreille d'Alex au moment où ils avançaient sur la route pour Dublin.

— Il a l'air d'un géant aux cheveux roux entouré de sacs remplis de serpents, s'il y a des serpents en Irlande.

Ce qui a mené à une discussion à propos de saint Patrick à savoir s'il avait ou non sorti tous les serpents de l'Irlande, tel que Baylor insistait pour le dire.

Après deux jours de voyage, ils venaient juste de traverser l'aqueduc Foster, donnant à Alex une belle vue de la ville et des montagnes Wicklow, au loin. Les flèches des églises et les dômes étincelants érigés plus haut que les bâtiments de la ville donnaient l'impression d'être dans un conte de fées, encore une fois.

Alex répondit à la question de Baylor.

— La chose la plus difficile que je n'ai jamais faite est d'essayer d'empêcher mon nez de se coller sur cette vitre, évidemment, dit-elle en riant. Avez-vous déjà vu quelque chose d'aussi somptueux ? Dublin est incroyable !

— C'est la deuxième plus grande ville du Royaume-Uni, juste après Londres, et elle est beaucoup plus jolie.

Montague leur montrait les points de repère en passant devant. Ils traversèrent le pont Carlisle, où Alex vit clairement le fleuve Liffey et une longue ligne de quais qui allaient jusqu'au milieu de la ville.

Un peu plus tard, Montague leur fit remarquer l'architecture classique de la maison des douanes avec son dôme supporté par de hauts piliers et une statue géante sur le toit. C'était un édifice massif fait de pierres de Portland, sis près de la baie et entouré de toutes sortes de bateaux flottants, allant des grands voiliers jusqu'aux petits bateaux de pêche. Ils tournèrent sur la rue Westmoreland et arrivèrent au collège Trinity, juste devant, à gauche. En face du fameux collège, il y avait le bureau de poste et la Banque d'Irlande.

Alex se releva sur son siège et étira le cou pour noter l'endroit où la banque était située. Très bientôt, elle devrait y aller. Après avoir vu sa chambre saccagée, Alex avait vendu le seul bijou de valeur qu'elle possédait, un collier de perles, à maîtresse Tinsdale. Ce fut suffisant pour les amener à Dublin et pour se loger et se nourrir pour quelques jours. Elle aurait à convaincre une modiste de sa capacité de payer en passant par le duc ; il y avait cette lettre écrite de la plume du duc citant qu'elle avait besoin de nouveaux vêtements. Cela devrait faire l'affaire. Puis elle serait capable d'amener la banque à lui donner une marge de crédit substantielle à partir des comptes du duc — c'était son argent à elle, après tout. Mais premièrement, ils devaient trouver un endroit où rester, et elle devait se faire confectionner une nouvelle robe. On ne se présente pas en étant la pupille du duc sans être habillée à la dernière mode. Cela prendrait un peu de temps et de persuasion, mais elle était déterminée à faire fonctionner son plan.

Une visite au Royal Irish Academy, qui se trouvait au 114, rue Grafton, selon le conducteur de la diligence de la poste, s'imposait également. Elle demanderait à Montague ce qu'il pouvait faire pour cela. Les hommes le respecteraient, étant un amiral reconnu et tout. Baylor pourrait l'escorter chez la modiste en étant son garde du corps. Il serait utile pour transporter tous les paquets et serait intimidant à ses côtés au moment d'aller à la banque. Elle se fit une liste en tête : l'hébergement, la robe, une visite à la banque, puis l'académie. Tout devrait être fait rapidement. Elle ne savait pas si le duc la trouverait à Dublin, mais elle pensa que possiblement, il la trouverait.

À la pensée d'avoir carrément menti... sa colère... Alex en trembla même si la diligence était chaude, à l'intérieur. Elle ne voulût même pas penser à ce qu'il lui ferait si jamais... au *moment* où il la rattraperait, finalement. Elle n'était pas si naïve pour penser qu'il laisserait tomber. Il avait des ordres du prince régent, après tout.

En essayant d'échapper à cette réflexion d'un événement futur et redoutable, elle regarda par la fenêtre les rangées de boutiques qui vendaient tout ce qui était imaginable. Elle n'avait jamais été du genre à magasiner juste pour le plaisir, mais il est vrai qu'elle n'avait jamais eu d'argent, et certainement pas d'endroits où dépenser à Holy Island non plus. Sa vie avait été de savoir comment allaient les moutons, qu'est-ce que les pêcheurs avaient attrapé, et quelles étaient les récoltes de l'été, mais aussi de savoir s'ils avaient assez de nourriture pour passer à travers la saison froide de l'hiver. Tenir le château au chaud était un travail en soit. Soutenir le moral des gens de l'île qui étaient las quelques fois, trop superstitieux pour être sensés et être la gardienne de tous, des demeures et des cœurs — voilà ce que connaissait Alex. Dublin semblait un rêve venant du paradis, et elle avait un peu peur de voir où cela pourrait la mener.

Ils se rendirent jusqu'au bureau de poste et décidèrent de s'arrêter. Baylor se déroula de son siège comme un gros ours brun, se glissa à l'extérieur par la porte, puis grogna et s'étira vers le ciel. Alex pouvait presque entendre son dos craquer quand il se déplia pour défaire ses nœuds. Montague ajusta sa longue cape et jeta un coup d'œil à la lumière du soleil qui éclairait la ville et réchauffait les pierres d'un rose ambré et de miroitements bruns. Alex sourit, appréciant le fait qu'elle les connaissait maintenant si bien. Elle s'étira elle aussi, son estomac affamé gronda. La première chose à faire était de trouver où rester.

— Montague, j'ai bien peur que le choix d'auberges me dépasse. Où devrions-nous rester ?

Il se tourna vers elle.

— Ai-je oublié de le mentionner ?

Au moment où Alex hochait la tête, les sourcils ramenés ensemble, il continua :

-- J'ai un neveu qui habite Dublin. Lord John Lemon. Il nous hébergera et ce sera plus sécuritaire que de demeurer dans une auberge. Le duc, s'il peut s'imaginer où nous sommes, essayera de vous trouver dans des voitures ou des auberges. Je doute qu'il connaisse ma parenté en Irlande.

— Êtes-vous certain que l'on puisse débarquer chez lui comme cela ?

Les yeux de Montague s'agrandirent en réfléchissant avec une pointe d'humour.

— Il est jeune et célibataire, à ce que je sache. Je crois qu'il en sera ravi.

Cela prit peu de temps pour retenir une diligence et trouver l'adresse de lord Lemon au 31, carré Fitzwilliam. Ils s'arrêtèrent devant une rangée de maisons de ville en briques rouges surplombant la rue Fitzwilliam. Alex leva les mains pour replacer ses cheveux, pensant qu'elle devait faire peur après deux jours sur la route. Elle descendit du carrosse et regarda autour. C'était tellement paisible. Une allée de pierres rondes dans les tons de jaune, ocre et brun sinuait entre les arbres et les arbustes menant à de larges marches et à une porte peinte en bleu. Montague leva le heurtoir de laiton et cogna fortement sur la porte.

Une servante répondit, portant le bonnet et le tablier.

— Puis-je vous être utile ? demanda-t-elle d'une voix plaisante.

Montague inclina la tête devant elle.

— Je suis l'amiral James Montague et je voudrais voir mon neveu, lord Lemon. Vit-il toujours ici ?

— Oh ! Oui, monsieur. Il est ici, actuellement.

Elle regarda Alex et Baylor derrière Montague, ouvrant grand les yeux en apercevant le géant, puis les fit entrer.

— S'il vous plaît, entrez ; je vais aviser lord Lemon.

Ils entrèrent tous les trois. Alex était impressionnée par l'intérieur de l'endroit. Des plafonds hauts avec des fioritures de plâtre et des chandeliers suspendus, des arches de portes supportées par des colonnes, du bois travaillé lustré et de grandes fenêtres laissant entrer beaucoup de lumière. Les meubles avaient un côté masculin et confortable, des tons de bruns riches, de bleus foncés et de verts. C'était invitant et élégant à la fois.

Lord Lemon entra dans la pièce, un grand sourire traversant son beau visage en enlaçant Montague. Alex pensa qu'il allait parfaitement bien avec ce qui l'entourait. Il était grand, avec des cheveux blonds dont la ligne était légèrement reculée, ce qui n'enlevait rien à son visage ciselé aux traits nobles. Il était vêtu à la dernière mode, d'un veston bleu sombre, d'une culotte havane et d'une chemise blanche avec un foulard. Sa voix fut très agréable lorsqu'il leur souhaita la bienvenue.

— Mon cher oncle, quelle bonne surprise ! Je devrais dire que je n'arrive pas à croire que vous soyez à Dublin. Ce doit être pour une bonne cause, en effet !

— C'est bien cela, approuva Montague se tournant vers Alex. Puis-je vous présenter mes compagnons de voyage, lady Alexandria Featherstone, de Holy Island, et Baylor, de Belfast.

Les yeux bleu gris de lord Lemon brillèrent d'intérêt en se posant sur le visage d'Alex. Elle soutint son regard, un petit sourire aux lèvres. Lord Lemon lui prit la main et fit une révérence, mais à son grand désarroi, la main d'Alex devint moite de nervosité.

— Puis-je m'avancer en disant que cette charmante créature fait partie intégrante de votre bonne cause, Montague ?

Il ne relâcha pas sa main.

— Vous le pouvez.

La voix de Montague révélait une note de résignation.

Alex retira sa main.

— Cette cause est réservée à des amis de confiance, mon lord. Allez-vous devenir notre ami ?

Elle était surprise d'entendre sa propre voix remplie de confiance et lui sourit, prenant plaisir à l'attaque et la riposte de la conversation.

— Ah ! comment ne pourrais-je pas l'être, milady, quand il appert que votre beauté n'est qu'un de vos admirables talents ?

— Une langue bien pendue ne vous mènera pas très loin, le taquina Alex.

Baylor toussota et attira l'attention de lord Lemon sur lui.

— Mon bon monsieur, soyez le bienvenu chez moi. Aimeriez-vous avoir des rafraîchissements ? J'ai l'un des meilleurs cuisiniers de Dublin, parti de la France avec moi après la guerre.

— Nous n'avons pas mangé depuis tôt ce matin, et j'ai entendu grogner l'estomac de lady Alex, au bureau de poste, les informa Baylor au moment où Alex rougit et lui jeta un regard qui signifiait : « Je ne peux croire que vous venez de dire cela. »

Lord Lemon rit et leur fit signe de le suivre dans le salon. Il passa quelques minutes à commander le repas et les breuvages, et s'assit en face d'Alex en croisant une jambe sur son genou, donnant l'image d'un homme distingué à son aise.

— Vous devez vous imaginer ma surprise de voir mon oncle. L'Irlande n'est pas l'endroit favori de Montague, vous savez, sa femme, la sœur de ma mère, venait d'Irlande et n'a jamais été très bien traitée en Angleterre, après s'être mariée avec lui.

Alex jeta un coup d'œil dans la direction de Montague. Son peuple à Holy Island pouvait être méfiant et avait sa part de préjudices. Elle connaissait bien le type.

— Je suis désolée de l'apprendre. Était-elle si malheureuse en Angleterre ?

— Elle gardait tout pour elle, mais je n'aurais pu avoir une meilleure femme, dit Montague avec chaleur.

— Il a raison. Je l'ai rencontrée une fois, quand j'étais encore un garçon. Je me souviens encore de son amabilité.

La servante entra, puis versa du thé et passa un plateau de petits gâteaux.

— Le cuisinier dit qu'il fera de son mieux pour faire le dîner tôt, mais ceci devrait vous satisfaire en attendant.

Une fois qu'elle fut partie, lord Lemon demanda à connaître l'histoire. Alex la raconta, à propos de ses parents et de sa recherche, le voyage à partir de Holy Island et la façon par laquelle Montague l'avait sauvée, puis à propos de sa rencontre avec Baylor, et leur voyage à Killyleagh. La seule partie qu'elle omit de raconter était celle de son tuteur, le duc. Il n'était pas nécessaire d'alarmer un collègue, pair du royaume. Quand elle eut terminé de raconter son histoire, elle dit :

— Quand nous sommes arrivés à Dublin, Montague a mentionné que vous pourriez avoir des chambres pour nous, pour rester quelques jours. J'ai besoin d'entrer en contact avec les membres de la Royal Irish Academy. J'ai besoin de trouver le prochain indice pour savoir où sont allés mes parents.

— Évidemment que vous devez rester ! acquiesça lord Lemon. Quelle histoire fascinante ! Je serai heureux de vous apporter mon aide de quelque façon que ce soit, lady Featherstone.

— Je vous en prie, mes amis m'appellent Alex.

Un regard enchanté éclaira son visage.

— Et les miens m'appellent John.

Sa voix avait baissé d'un ton, et cela lui fit chaud au cœur.

Montague les regarda à tour de rôle et poussa un soupir. Baylor éclata de rire.

Montague gloussa :

— Faites attention, cher neveu, son tuteur est le duc de St. Easton, et il prend son rôle très au sérieux.

Les sourcils blond cendré de John s'arquèrent.

— Ah oui ? songea-t-il, regardant Alex encore une fois avec un curieux mélange d'intérêt et d'intention.

Chapitre 25

Gabriel se tenait sur la berge de Strangford Lough, à Killyleagh, regardant au loin les îles aux nuances de vert par-dessus les clapotis de l'eau et essayant de reprendre son souffle.

Qu'allait-il faire avec elle ? De tous ses agissements planifiés, manipulateurs, outrageux — lui avoir menti, l'avoir pris au piège... Il prit une autre profonde respiration et s'imagina lui donner une fessée bien méritée. Il aurait à l'enchaîner une fois qu'il l'aurait trouvée pour l'empêcher de fuir ! Et cela le fâchait encore plus. Petite espiègle. Qu'allait-il faire avec elle ?

Premièrement, il devait retourner à l'auberge, consoler Meade et questionner la femme qui tient l'auberge. Elle devait savoir quelque chose. Peut-être que Meade devrait la questionner. Dans l'état d'esprit où il était, se sentant plutôt comme une panthère qui rôde, à laquelle il est souvent comparé, il allait l'effrayer et ferait plus de mal que de bien. Oui, Meade questionnerait l'aubergiste et irait au château. Alexandria devait être allée au château.

Il retourna à l'auberge et trouva Meade en train de s'essuyer le visage avec un mouchoir.

Gabriel lui tapa sur l'épaule.

— Désolé, Meade, je ne sais pas ce qui m'a pris. J'aurais dû m'en attendre, venant d'elle, mais dans la dernière lettre… Bon, je ne me ferai plus prendre.

Meade sortit le livre des mots et écrivit une longue réplique.

Maîtresse Tinsdale a dit que lady Featherstone, l'amiral Montague et un géant irlandais du nom de Baylor avaient effectivement séjourné ici, et qu'ils étaient partis depuis trois jours. Elle ne savait pas où ils allaient, mais elle croyait qu'ils avaient retenu une diligence, et m'a donné l'adresse de la maison des diligences. Devrais-je aller là en premier lieu et voir ce que je pourrai y trouver ?

— Oui, faites cela.

Les yeux de Gabriel se rétrécirent.

— Meade, pensez-vous que maîtresse Tinsdale vous a dit la vérité ? Semblait-elle sous le charme d'Alexandria de la même manière que tous ceux que nous avons vus qui l'avaient rencontrée ?

Meade opina lentement de la tête et écrivit :

Ses yeux se sont illuminés d'une façon particulière en parlant de votre pupille. Elle trouvait le trio « charmant », elle l'a dit plusieurs fois. Je crois ce qu'elle dit, par contre. Elle ne semblait pas mentir ni cacher quelque chose.

— Hummm.

Gabriel avança le bras pour prendre le livre des mots.

— Je crois que je vais rendre visite au château et voir ce que je peux y découvrir le temps que vous cherchez l'endroit où ils sont allés.

— Très bien, Votre Grâce.

Meade s'inclina, mit son chapeau sur sa tête et se retourna pour s'en aller.

Gabriel remit ses gants et le suivit à l'extérieur, allant dans la direction du château. S'il se souvenait bien de l'histoire, les Hamilton Rowan tenaient en ce moment le siège de Killyleagh, et le propriétaire actuel était Archibald Hamilton Rowan, qui était un personnage en soi. Il était l'un des fondateurs de la Société des Irlandais unis, un groupe révolutionnaire qui voulait faire cesser l'emprise britannique sur l'Irlande. Il était un homme qui avait beaucoup voyagé et qui avait passé quelque temps en prison à cause de ses opinions politiques. Il était raconté qu'il s'était échappé par la fenêtre avec une corde faite de draps noués. Gabriel devait l'admettre, il avait hâte de rencontrer cet homme.

Moins d'une heure plus tard, il était assis en face de lui, riant des vieilles histoires à travers les volutes de fumée d'un cigare. Finalement, il fit tourner la conversation sur sa pupille.

— Alors, vous avez dit qu'elle est venue ici ? Recherchant des indices à propos de ses parents ?

Sir Archibald opina de la tête, un petit sourire aux lèvres, et écrivit sa réponse.

Je dois dire qu'elle m'a convaincu que ses parents étaient encore en vie. Très déterminée, cette lady Featherstone.

— Vous ne savez pas toute l'histoire.

Gabriel lui remit le livre des mots.

— On m'a dit que ses parents étaient à la recherche d'un article disparu de la collection de Sloane, alors c'est plausible qu'ils soient venus ici, mais personne ne semble être au courant de ce qu'ils ont trouvé ou à quel endroit ils sont allés par la suite. Est-ce que lady Featherstone aurait mentionné quelque chose ?

Non, vous en savez plus qu'elle, je crois. Je lui ai parlé de Sloane et ai soulevé la question à savoir quel article serait manquant à sa collection. Je sais une chose que ses parents ont trouvée, car je leur ai prêtée. C'était un vieux journal de Sloane qui s'était retrouvé dans la bibliothèque du château. Les Featherstone le voulaient absolument, et je ne voyais pas de raison de ne pas le leur prêter. Je l'ai dit à Alexandria. Un autre livre à propos de l'histoire de Killyleagh a été volé par deux Espagnols. Je ne sais pas ce qui leur est arrivé.

— Il semble qu'elle ait trouvé peu d'indices, ici.

— J'en ai bien peur.

Sir Archibald haussa les épaules.

— Je ne crois pas que cela la découragera, par contre. Elle est très entêtée.

Gabriel ne put qu'approuver. Il se leva pour partir et tendit la main vers sir Archibald.

— Je vous remercie, monsieur. Ce fut un plaisir de rencontrer l'un des héros de l'Irlande.

Sir Archibald se mit à rire et serra la main de Gabriel.

— J'aimerais être encore jeune et toujours à la tâche.

Gabriel était en train de se retourner pour partir quand sir Archibald l'arrêta d'une main sur l'épaule. Prenant le livre des mots, il écrivit rapidement :

Attendez ! Je viens juste de me souvenir de quelque chose. Avant de partir, les Featherstone avaient demandé s'il y avait une modiste à Killyleagh, quelque chose à propos de vêtements chauds. Je leur ai donné le nom de Peggy O'Callaghan. Ma femme a fait confectionner des vêtements par cette dame, et elle était très satisfaite du travail. Elle a une boutique sur la rue Frederick.

— Merci, monsieur. Je vais y aller dès maintenant.

Comme il l'avait dit, Gabriel apparut sur le seuil de la porte de la boutique O'Callaghan Tailoring and Fine Dress quelques minutes après être parti du château. C'était un endroit intéressant, avec des piles de tissus, des vêtements à différentes étapes de confection, et un fouillis d'articles de couture étaient étalés pêle-mêle dans toute la pièce. Une vieille femme arriva rapidement de l'arrière-boutique au moment où il fermait la porte derrière lui.

Elle regarda longuement l'habit de Gabriel et devait avoir senti que c'était un homme important, car elle lui fit un large sourire et lui enjoignit de s'asseoir et de se réchauffer près du feu. Avant que Gabriel ne puisse lui dire la raison de sa visite, il avait une tasse de thé fumant à la main et une assiette de friandises à sa hauteur sur la table à côté de la chaise. Elle s'assit elle aussi et commença à parler d'une manière si rapide que Gabriel grogna. Sortant le livre des mots, il en expliqua la nécessité, les joues rougissantes, embarrassé, puis s'enquit des Featherstone.

Oh ! oui ! Un couple si élégant ! Seigneur, et les vêtements qu'ils ont commandés ! Cela a pris tout ce que j'avais, et j'ai dû supplier pour avoir tout le tissu nécessaire dans les villes avoisinantes. Ils voulaient aussi des fourrures. Tout était fait de tissus de qualité, chaud, mais pratique. Et ils voulaient avoir tous les vêtements dans les teintes de brun, de gris et de noir, alors j'ai essayé de convaincre lady Featherstone de choisir quelques couleurs pour rehausser son merveilleux teint.

— Ont-ils mentionné la raison pour laquelle ils avaient besoin de tels vêtements chauds ? Ont-ils mentionné à quel endroit ils allaient ?

Gabriel retint sa respiration au moment où elle faisait un signe de tête, puis elle écrivit dans le livre des mots.

Elle tourna le livre. Un mot était écrit sur la page.

Islande.

Le soleil se couchait avec des rayons rougeoyants créant des lignes horizontales à travers le ciel au moment où Gabriel revenait à l'auberge. Islande ? Qu'est-ce que l'Islande avait à voir avec ce casse-tête ?

Il se remémora ses études de l'Islande. Il avait fait l'étude de plusieurs pays par mois, habituellement cinq. Cela lui avait pris deux ans et demi pour apprendre les cultures et l'histoire du monde connu. Il avait visité plusieurs de ces endroits, mais jamais l'Islande. Elle était encore à se remettre du *Móðuharðindin* — les Épreuves de la brume — quand il y eut l'éruption du Mont Laki. Puis, il y eut cette affaire du Sermon du feu. Une histoire qui racontait que des prières avaient arrêté l'écoulement de la lave. La dévastation provenant des gaz de l'éruption a détruit les pâturages et les animaux d'élevage. La famine s'ensuivit, et ils commençaient tout juste à s'en remettre, ayant entendu parler de la liberté en Amérique comme le reste du monde, et se défaisant de l'emprise des Danois.

En quoi ce pays a-t-il à voir avec la collection de Hans Sloane et un manuscrit disparu que les rois de différents pays s'arrachent, il n'en avait pas la moindre idée. Pas plus qu'Alexandria. Elle n'avait pas parlé à la modiste, il en était certain. Elle ne savait pas encore qu'il y avait un lien avec l'Islande. Le savait-elle ? Il ne devait plus jamais la sous-estimer.

Il pensa à Meade et à sa tâche de trouver des renseignements ou l'endroit où elle est allée, et il s'arrêta et regarda les choses en face. Il ne pouvait faire confiance à sa pupille pour dire la vérité. Elle était une tête forte et était déterminée à retrouver ses parents à n'importe quel prix, même en mettant en colère le prince régent. Elle portait attention à Gabriel, et il se refusait à penser autrement, mais elle n'arrêterait devant rien pour convaincre les gens autour d'elle de l'aider, et elle était très bonne pour le faire. Et, en plus, elle n'était pas sûre de lui, qu'il se rallierait à sa cause, alors elle s'en débarrassait, inconsciemment, il en était certain. Elle essayait juste de faire l'impossible d'un cœur désespéré. Néanmoins, il était vrai qu'elle était une opposante sans pitié quand venait le temps de s'occuper des choses qui avaient une grande importance pour elle.

Gabriel s'arrêta et rit, d'un vrai fou rire qui dura longtemps. Que Dieu la bénisse, mais il l'aimait pour cela. Il admirait sa ténacité et il comprenait sa volonté derrière un besoin comme le sien. Ce n'était pas comme si elle voulait de l'argent ou de la reconnaissance ou du pouvoir, ni même une position. Non, sa chère pupille, son Alexandria, voulait de l'*amour*. Et il allait voir à ce qu'elle en reçoive.

En prenant une profonde inspiration, il continua à grimper la longue colline, passant plusieurs boutiques qui étaient fermées pour la nuit. Un peu plus loin, la rue devint bondée devant une place avec des fenêtres luisantes et des gens, des hommes pour la plupart, entrant et sortant. Gabriel ralentit pour regarder à l'intérieur, voyant un pub. Les tables étaient occupées de citadins regardant tous vers le devant de la pièce où une petite scène prenait le coin. Un groupe de quatre musiciens jouaient. Sans penser à ce qu'il faisait, Gabriel entra dans le pub.

Il trouva une table libre dans un coin et s'assit. Il était étrange de voir de quelle façon la scène était animée et de se rendre compte que, sans aucun son, elle semblait vide. C'était difficile d'être assis là. Presque comme s'il était seul ou invisible dans la pièce bondée. D'une part, il voulait se sauver de cette sensation, mais d'autre part, quelque chose lui disait que c'était de la lâcheté, et il n'avait jamais été un lâche.

Gabriel ferma les yeux, étirant les mains au-dessus de la table de bois brut, essayant de s'emparer de la musique. Une sensation de calme l'envahit quand il se rendit compte qu'il pouvait sentir les vibrations. Son pied les sentait, provenant du plancher jusqu'à sa jambe, puis sa poitrine où, s'il se concentrait assez fort, elles devenaient un battement, une pulsation. Ses mains aussi sentaient à travers les planches de bois et dans les airs, attrapant les vibrations plus légères du flûteau. Il déglutit et les entendit, à l'unisson avec son corps alors que chaque respiration et chaque muscle s'étiraient avec la musique.

Soudainement apparurent des éclats de couleur derrière ses yeux clos, des couleurs si intenses et si riches qu'il n'avait jamais rien vu de tel sur cette terre. Les vibrations, tapies au fond de sa pensée, pouvaient construire une réalité distincte de ce qui semblait normal, de ce qui semblait diriger leurs mouvements. Les couleurs ondulaient… il n'essaya pas de les chasser comme il l'avait fait avant… il garda son calme et continua de se concentrer sur les vibrations montant et descendant de ses jambes et de ses bras et à travers sa poitrine. Une larme coula sur sa joue et il se rendit compte qu'il était en train de pleurer. Sa concentration était si profonde qu'il s'était divisé en deux, et l'autre moitié, la partie émotionnelle, avait vu quelque chose que la partie viscérale n'avait pas vu.

Il pouvait voir la musique.

Une respiration tremblante le traversa et il ouvrit les yeux.

Des bleus et des violets, des jaunes et des verts ondulaient autour des musiciens. Le violon était violet et bleu, le flûteau était jaune avec des bandes de rouge, la flûte était vert, le tympanon, vert et jaune. Ensemble, les couleurs bougeaient, se séparaient, puis se rassemblaient de nouveau. Gabriel étudia les musiciens quand ils jouaient, chacun leur tour, et les éclats de couleur les entourant valsaient avec leurs mouvements.

« Mon Dieu, si je me concentre assez fort, je peux presque entendre le morceau. »

Une sensation d'immense gratitude l'envahit. De tout ce que cette nouvelle vie lui avait pris et lui avait apporté — ceci était un cadeau.

Et il ne devait le dire à personne.

Ils pourraient croire qu'il est fou.

Chapitre 26

Une des meilleures modistes de Dublin pinçait les lèvres et opinait de la tête à son assistante.

— Cette couleur, oui, ce devrait être ça. Vous êtes magnifique en rouge, lady Featherstone, vraiment magnifique. Ne le pensez-vous pas, lord Lemon ?

— Je le dirais, murmura John près du foyer où il se tenait, de l'admiration illuminant ses yeux.

Alex tenta d'arrêter la rougeur qui lui montait aux joues. Elle n'était pas habituée d'être admirée de cette façon, et de la part d'un si bel homme, si agréable. Se retournant, elle se regarda dans le miroir qu'ils avaient apporté dans le salon pour elle. Cela avait pris deux jours pour faire confectionner trois robes — une robe pour le jour, dans une mousseline jaune pâle, et deux robes de soirée, John ayant insisté, car elle aurait besoin de toutes les deux durant son séjour à Dublin. Elles étaient toutes de tailles hautes avec des manches et un corsage ajusté. Il y avait des gants blancs qui lui allaient aux coudes, des souliers assortis avec des rubans qui se nouaient autour des chevilles, et des bijoux et des bandeaux pour retenir les cheveux que la servante de John avait réussi, par magie, à transformer en cascade de boucles. Au moment où elle regarda la créature qui se réfléchissait dans le miroir, elle ne vit pas Alex, la fille, elle vit lady Alexandria Featherstone, la femme. Cela lui donna le frisson et la terrifia en même temps.

— John, quelle robe devrais-je porter pour aller à la banque ?

Il était devenu indispensable pour tout ce qui avait à voir avec la société et les convenances. Il l'avait déjà présenté à un petit groupe de son cercle d'amis, et ce soir, ils assisteraient à un événement musical à la Rotunda où la réputée Angelica Catalani allait chanter. C'était un événement, comme Alex l'avait appris par ses nouvelles connaissances, qui ne pouvait être manqué, et elle devait admettre que tout cela l'excitait.

— Portez la rouge ce soir, au spectacle, gardez votre autre robe de soirée pour un bal dont je ne vous ai pas encore parlé.

Il lui fit un clin d'œil.

— Une surprise pour plus tard. Et pour cet après-midi, à la banque, la robe de jour, la jaune, est parfaite, ajouta John. Avec ce parasol rose et les escarpins d'un rose plus foncé, vous semblerez aussi fraîche et douce que l'air de la campagne. Puis vous emprunterez le collier de diamants de ma mère, juste pour leur rappeler qui vous êtes.

Alex rit ; il la faisait toujours rire.

— Je ne le pourrais pas.

— Vous le pouvez et vous le ferez. Si ma mère était encore vivante, elle insisterait pour que vous le portiez, je vous le dis. Elle agissait toujours comme une bonne conspiratrice, et d'avoir soutiré une petite fortune du duc sans qu'il s'en rende compte serait devenu le fait accompli de l'année.

— Oh ! dit de cette manière, c'est vraiment très audacieux. Quelle est la pire chose qui pourrait m'arriver ? Pourrais-je être emprisonnée comme un imposteur ?

— Mais vous n'êtes pas un imposteur. Et vous avez les lettres avec le sceau du duc pour le prouver. La pire chose à laquelle je puisse penser est qu'ils nous riraient en face et nous tourneraient le dos.

Il avait dit « nous ».

— Vous allez venir avec moi ?

— Évidemment. Nous amènerons Baylor, pour faire de l'effet, comme vous l'avez mentionné plus tôt, et je vais jouer le rôle d'un ami et d'un conseiller.

Il rit et fit un petit sourire.

— Ils pourraient me connaître, et cela pourrait aider — un peu.

Alex prit une grande inspiration. C'était un bon plan, un très bon plan, et cela devait fonctionner.

— Quand devrions-nous partir ?

— Aussitôt que vous serez prête, mon cœur.

Il s'éloigna du foyer, prit quelques pièces de monnaie de sa poche et les donna à la modiste qui avait maintenu un silence professionnel pendant leur discussion. Alex commença à protester, mais John l'arrêta avec un petit regard d'avertissement. Elle allait lui dire plus tard qu'elle planifiait le rembourser. En argent. Non qu'il lui demanderait d'autres sortes de faveurs ; elle se sentait seulement idiote de laisser aller son imagination d'une telle façon.

Une heure plus tard, ils descendaient du carrosse de John à la grande entrée de la Banque d'Irlande. Alex ferma son parasol pendant que John lui tint la porte ouverte. Baylor les suivit de près.

— Ayez l'air intimidant, murmura John vers lui.

Ses yeux s'agrandirent avec un regard de frayeur.

— Comment vais-je faire ?

— Ne vous en faites pas.

Alex lui tapa sur le bras.

— Soyez seulement vous-même.

Cela ne sembla pas rendre Baylor moins nerveux.

Ils montèrent les marches et entrèrent par la grande porte. À l'intérieur, il y avait un long hall avec des bureaux de chaque côté, des planchers de marbre et des plafonds élevés qui faisaient de l'écho. Alex tenta de ralentir le battement de son cœur alors qu'ils s'avançaient vers le pupitre principal.

Un homme les regarda. Il vit ensuite Baylor derrière Alex ; ses yeux s'agrandissant de la façon dont ils avaient espéré, et Baylor fit un faux sourire à l'homme et lança :

— Comment allez-vous, mon bon monsieur ? C'est une belle journée, n'est-ce pas ?

Alex lui lança un coup d'œil pour le calmer et John grogna silencieusement. Baylor prenait son rôle beaucoup trop au sérieux. Il pouvait tout gâcher !

En essayant de regagner l'attention du banquier, Alex plaqua un sourire radieux sur son visage et se pencha un peu vers l'avant. Il se leva et s'inclina devant eux.

— Bonjour. Comment puis-je vous être utile ?

John s'empressa de jouer son rôle.

— Bonjour monsieur. Voici lady Alexandria Featherstone, nous visitant de l'Angleterre, et je suis lord John Lemon, des Kilkenny Lemon.

Il dirigea sa main vers Baylor.

— Et voici notre bon ami, Baylor, de Belfast.

— J'ai déjà dit : « Comment allez-vous ». Est-ce que je suis censé le dire encore ? lança Baylor, sa voix faisant écho sur les grands plafonds voûtés.

Ses grandes mains avaient l'air de trembler à cet instant.

Alex fit un autre sourire au banquier, qui les regardait tous les trois en se méfiant, et poussa un petit soupir.

— Il est juste un peu nerveux. Hum.

Oh ! non, cela n'allait pas bien du tout.

John s'empressa d'ajouter.

— Nous sommes venus pour une affaire urgente qui a un rapport avec le duc de St. Easton.

L'homme cligna des yeux plusieurs fois, jetant un coup d'œil à John, puis à Alexandria et à Baylor.

— Bien. S'il vous plaît, asseyez-vous.

Il fit un geste vers les chaises tout près.

Baylor regarda la petite chaise, commença à s'asseoir, puis changea d'idée. Il ne semblait pas possible qu'il puisse placer ses hanches entre les bras de bois. John prononça des paroles qu'Alex était heureuse de ne pas avoir bien entendues.

— Faites seulement vous tenir derrière nous, siffla-t-il.

Alex se retrouva à faire un geste de la main pour attirer l'attention du banquier, souriant et battant des paupières, sa tête de côté à la façon d'une écervelée.

— Vous voyez…

Alex commença à parler en repliant ses mains sur elle pour ne pas faire de mouvement étrange.

— Je suis la pupille du duc de St. Easton. Lui et moi avons correspondu par lettres depuis quelque temps et avons discuté de sa venue en Irlande pour me rejoindre. Il m'avait donné, il y a quelques semaines, des billets de banque pour mon indemnité, mais on m'a tout dérobé, à Killyleagh, et je suis dans une sorte de dilemme.

Alex sortit son réticule de perles et prit les lettres du duc. Elle en donna deux au banquier.

— Comme vous pouvez le voir par le sceau et le contenu de la lettre, le duc garde ma fortune à la banque d'Angleterre. Je n'ai pas été capable de le joindre pour lui apprendre la nouvelle de cet horrible vol, mais au moment où je le ferai, je suis certaine qu'il m'enverra des fonds. Entre-temps, j'aimerais ouvrir une marge de crédit pour me soutenir durant mon séjour à Dublin.

— Ah!

L'homme ouvrit les lettres, les lut, puis étudia le sceau. Il était difficile de lire sur son visage, mais Alex craignit le pire et regarda John pour avoir de l'aide.

— Mon bon monsieur, le duc est en Irlande et viendra prochainement à Dublin. Je ne peux imaginer son… mécontentement… si l'on ne s'occupe pas de sa pupille de la meilleure façon qui soit dans cette affaire.

John frémit.

— Je ne peux même pas y penser.

L'homme pâlit et approuva.

— Je dois voir avec mon supérieur. S'il vous plaît, attendez ici.

Il disparut vers l'arrière de la grande pièce, puis passa sous une arche de porte. Alex fit un sourire rempli d'espoir à John, mais demeura silencieuse.

Baylor n'eut pas le même bon sens.

— C'était du beau travail, mon lord. Vous lui avez fait peur, n'est-ce pas ?

— Chut ! les deux lui sifflèrent de se taire.

Alex se sentit immédiatement désolée pour lui. Son visage devint penaud et ses épaules tombèrent. Dieu du ciel, comme elle sera heureuse quand le tout sera terminé.

Ils attendaient dans un silence intense depuis une bonne vingtaine de minutes quand le banquier revint avec un homme plus vieux. Son regard perçant se posa sur Alexandria, faisant trembler ses genoux au moment où elle se levait et fit une courte révérence à l'homme.

— Monsieur Tyler a démêlé la situation et nous sommes prêts à vous allouer deux cents livres. Est-ce que ce sera suffisant ?

Son regard la mettait au défi et elle eut la nette impression que c'était un joueur, et que deux cents livres étaient tout ce qu'il était prêt à parier sur l'authenticité de son histoire. Alex pensa à la fortune à laquelle elle avait droit, la fortune qui lui avait été laissée par ses parents, et leva le menton d'un cran. Son regard ne vacilla pas un instant, elle tenait bon, un reflet d'acier lui venant aux yeux.

— J'ai bien peur que ce ne soit pas suffisant. Je n'ai aucune idée de la date d'arrivée du duc et il y a… des dépenses. Cinq cents livres devraient être suffisants, pour l'instant… Mais, évidemment, avec la possibilité d'avoir une plus grosse somme, si le besoin s'en fait sentir.

Elle serra les lèvres en un mince sourire et attendit.

— Cinq cents livres.

Il avait l'air surpris, mais sembla y réfléchir.

— Oui.

Elle hocha de la tête.

Il prit une longue inspiration.

— Très bien, lady Featherstone. Vous allez évidemment signer pour l'avoir.

— Évidemment.

Il fit un signe de tête à monsieur Tyler.

— Voyez à ce que ce soit fait.

Et il s'en alla sans paraître très heureux.

John se pencha vers son oreille et murmura :

— Bravo ! au moment où l'autre homme se dépêchait de prendre les papiers.

— Bravo ! ajouta Baylor dans un murmure très théâtral.

Alex sourit, les dents serrées.

— Je vais prendre cent livres en billets de banque et en pièces de monnaie, s'il vous plaît. Le reste sera retiré par marge de crédit avec les marchands.

— Oui, madame.

Après quelques minutes, elle avait un réticule plein d'argent, et tous les trois étaient de retour dans la rue, affichant le sourire de la victoire.

— J'ai besoin de célébrer.

John prit son bras et les mena dans la direction du College Green.

— Allons trouver à manger, d'accord ? Puis nous ferons un peu de magasinage pour le spectacle de ce soir.

— John, vous allez me faire dépenser mon argent dans un seul après-midi !

Alex rit et le frappa amicalement au bras.

— Je m'occupe du repas, mon cœur. Mais je suis certain que vous allez désirer acheter quelques friperies des boutiques. Un nouvel éventail ? Un foulard coloré ? De la dentelle irlandaise ? Vous ne connaissez pas Dublin tant que vous n'êtes pas allée le long des quais et que vous n'avez pas vu tous les beaux articles que vous aimeriez posséder.

— Oh ! très bien.

Alex le regarda avec de l'adoration dans les yeux. Il était si facile de se laisser distraire de sa mission, quand on était au bras d'un gentleman aussi élégant et si amusant.

Baylor décida que la rencontre à la banque l'avait fatigué et qu'il voulait se reposer. Ils louèrent un carrosse et lui souhaitèrent de beaux rêves tandis qu'Alex et John s'en allèrent vers les boutiques le long du quai. L'après-midi s'écoula rapidement en se promenant le long des rues bordant le fleuve Liffey. Comme il le lui avait dit, John lui montra toutes sortes de boutiques — de la chapellerie féminine aux confiseries, de l'ameublement, des tissus, des marchés avec un grand choix de fruits de mer et de légumes, de gâteaux et de tartes. Il y avait même un encan qui se tenait sur un coin.

Ils s'arrêtèrent et surveillèrent les prix misés sur une toile prisée de John Henry Campbell, de Glendalough, dans le comté de Wicklow. Alex fixait les montagnes bleu pâle au fond de la toile, surplombées par le lac au-devant et des collines de vert autour. C'était exactement ce à quoi ressemblait l'Irlande. Elle l'aima immédiatement. Aura-t-elle un jour une maison chaude et invitante où elle pourrait accrocher une telle chose ?

C'était la première fois qu'elle y pensait.

John se pencha à son oreille.

— Vous l'aimez, n'est-ce pas, Alexandria ?

Elle le regarda dans ses yeux bleu-gris et fronça des sourcils.

— Oui, je l'aime. Est-elle peinte par un artiste connu ? J'en connais très peu sur l'art.

— Campbell est populaire, ici. Si vous étiez ma femme, je vous l'achèterais sur le champ.

Il y avait une note de sérieux dans sa voix qui fit faire une pause à Alexandria. Il l'avait toujours taquinée et s'était toujours montré désinvolte et amusant, mais cette nouvelle facette de lui l'intriguait et lui faisait un peu peur. Ce n'était pas le bon moment pour courtiser quelqu'un. Elle avait une mission et elle ne pouvait se laisser aller à l'oublier.

Optant pour la légèreté, elle toucha son bras et le taquina :

— Et qu'arriverait-il si votre femme aimait cinq autres toiles, et aussi ce beau pupitre que nous avons vu dans la dernière boutique, et ces boucles d'oreille en saphir chez le bijoutier ?

John lui jeta un regard signifiant qu'il savait ce qu'elle faisait et qu'il admirait son habileté à amener le sujet à ses fins, même s'il voulait songer à la possibilité de quelque chose de plus sérieux avec elle. Il se joignit à elle.

— Une expédition de magasinage d'une semaine. Notre maison serait si remplie que nous aurions de la difficulté à nous croiser le long du corridor.

Alex se mit à rire et le moment passa. Ils continuèrent à descendre le long du quai ; le fleuve était à marée basse et la foule montait et descendait la rue dans un flot de circulation et de gens. Alex se sentit étrangement vivante, entrant dans cet autre monde où il y avait plus qu'un troupeau de moutons et les derniers commérages du village. Elle constata qu'elle aimait cela. Elle aimait bien cela. Ils décidèrent finalement qu'il était temps de partir et de s'habiller pour le dîner et le spectacle musical à la Rotunda.

Une autre première, réfléchissait Alex quelques heures plus tard en se regardant dans le miroir, vêtue de la robe de soirée rouge. Elle était en satin brodé de noir, avec une taille haute et une encolure carrée qui faisait ressortir les os de ses omoplates, et faisait paraître son cou long et droit. Ou peut-être était-ce ses cheveux relevés vers l'arrière et sur le dessus de sa tête, lustrés par une pommade qui sentait la douce lavande qu'elle avait préparée avec Reagan, la servante de John.

Cela avait été amusant de mélanger les ingrédients, lui rappelant le temps à la maison quand elle allait cueillir des herbes, des baies et des plantes aux odeurs sucrées pour essayer et mélanger avec le suif des chandelles et des savons. Elle avait même fait de jolis petits pots de rouge et les avait apportés au marché, à Holy Island. Cela avait causé un petit scandale, mais elle les avait vendus en trois jours et ils en demandaient encore. Sa teinture à lèvres s'était vendue en deux jours. Au cours des années, elle a fait des huiles parfumées, des cosmétiques, des savons et des chandelles. Cela lui donnait quelque chose à faire durant les longues heures solitaires, quand ses parents étaient partis.

Elle soupira comme dans un rêve en enlevant ses gants. Elle n'avait jamais ressemblée à cela. Elle ressemblait à sa mère.

Cette pensée changea son excitation en détermination. Cette soirée n'était pas seulement pour le plaisir, elle se rappela. John avait promis de la présenter à chaque personne possible qui était membre de la Royal Irish Academy. Aussi merveilleuse que la musique sera, et aussi bon qu'il faisait d'être escorté par l'un des plus beaux célibataires de Dublin, Alex releva le menton dans le miroir et se rappela sa mission.

« Je vous en prie, mon Dieu, aidez-moi à retrouver mes parents. »

Chapitre 27

Meade attendait dans la salle commune de l'auberge Dufferin Coaching au moment où Gabriel revint, encore sous le choc de sa découverte et retournant dans sa tête toutes les possibilités. Devrait-il utiliser ce nouveau cadeau qui venait de lui être donné ? Est-ce qu'il pourra un jour encore profiter de l'opéra ? La pensée de ne jamais pouvoir entendre la musique n'avait pas été considérée — c'était trop douloureux. Et maintenant, la possibilité qu'il n'ait pas à ressentir cette douleur à chaque fois qu'il pensait à la musique lui donnait l'impression que Dieu avait fait apparaître une ligne d'espoir directement du paradis. Peut-être que l'amour de Dieu était parfait, et qu'il n'avait pas encore appris à reconnaître tous les signes.

Il était toujours dans un état d'ahurissement au moment de s'asseoir en face de son secrétaire. Meade prit le livre des mots et écrivit ce qu'il avait découvert.

Oui, il y a eu une diligence retenue sous le nom de l'amiral Montague. Elle est partie il y a trois jours, en direction de la petite ville de Downpatrick, juste au sud de Killyleagh. Les routes, selon ce qu'on m'a dit, sont en très mauvais état, mais avec des chevaux, ce serait plus facile. Quand j'ai demandé à l'homme s'il savait pourquoi ils allaient là, il a secoué la tête et a dit que ces gens avaient des affaires à s'occuper et il n'a pas insisté. Je l'ai encouragé avec quelques pièces et il était persuadé les avoir laissés à la Down Cathedral.

Gabriel mit ses coudes sur ses genoux et se frotta l'arête du nez avec un doigt. Pourquoi irait-elle dans une petite ville perdue ? Et à une cathédrale ? Cela n'avait aucun sens. Il avait besoin de dormir là-dessus — trop embrouillé, trop fatigué et euphorique en même temps. Ils iront là le lendemain pour avoir des réponses.

Le jour suivant, ils se dirigèrent vers Downpatrick, allant au sud le long de la berge de Strangford Lough, à travers les marais Quoile, et traversèrent le fleuve. L'inquiétude gagna son estomac en repensant à cette dernière direction. C'était beaucoup plus long qu'il l'avait anticipé de retrouver Alexandria, et il y avait l'armée qui attendait à Holy Island. Il savait qu'ils n'avaient aucune nouvelle ; il les avait dirigés dans une mauvaise direction, après tout, et il ne leur avait envoyé aucune nouvelle.

Cela faisait des semaines, maintenant, et le capitaine devait s'impatienter. Combien de temps attendrait-il était une question importante. Bientôt, s'il ne l'avait déjà fait, il abandonnerait son poste et retournerait à Londres, et ce ne serait pas une bonne nouvelle. Pas bonne du tout. Gabriel l'imagina aller devant le prince régent, racontant sa version de l'histoire. Cela n'aiderait pas le cas de Gabriel. Ce pourrait même avoir l'air de ce que c'était en réalité — une ruse.

Ce n'est pas qu'il n'essayait pas de retrouver sa pupille entêtée et de la ramener à Londres. Oh ! non, il anticipait de plus en plus le moment où il mettrait la main sur elle. Mais le fait d'avoir échappé à l'armée et d'être parti seul avec Meade ? Le prince régent ne serait pas enchanté d'apprendre cela. Et le fait qu'il avait échoué jusqu'à maintenant, et qu'Alexandria se baladait dans le Royaume-Uni avec des Espagnols à ses trousses ? Et qu'il semblerait qu'elle ait réussi à retracer chaque indice que ses parents avaient laissé sur l'île d'Émeraude ? Non, ça ne fera pas l'affaire du prince régent d'entendre tout cela. Il serra des dents à cette pensée. Cela l'agaçait, non, cela le rendait furieux, qu'une petite femme étourdie l'ait déjoué si facilement.

« Attends une minute. »

Gabriel tira sur les rênes du cheval et regarda Meade, attendant que lui aussi fasse arrêter son cheval.

— Meade, ce cocher que vous avez questionné…

Meade opina de la tête, arquant des sourcils.

— A-t-il hésité à un moment donné quand vous l'avez questionné ?

Meade secoua la tête.

— Quand il a dit qu'ils allaient à Downpatrick… a-t-il répondu promptement ?

Meade approuva, les sourcils arqués.

— Et quand vous l'avez payé, il a dit qu'il les avait laissés à la cathédrale. Avez-vous remarqué quelque chose, quand il a dit ça ?

Meade pencha la tête de côté pour réfléchir.

— Il a hésité à ce moment-là. J'ai seulement pensé qu'il était peu enthousiaste à répondre, dit Meade en silence.

– Ou qu'il inventait une histoire. Meade, j'ai bien peur que notre chère Alexandria essaie de gagner du temps en nous envoyant sur une autre fausse piste. Où qu'elle soit partie, ce n'est pas à Downpatrick.

– Devrions-nous y aller pour voir, juste au cas ?

– Non. Nous allons retourner à Killyleagh et voir si nous ne pourrions pas convaincre notre bon cocher de parler.

Gabriel sourit, plissant les yeux.

– Suivez-moi.

Il fit tourner son cheval et le mit au galop, espérant que Meade pourrait suivre ce rythme.

De retour à Killyleagh, Meade montra le chemin de la maison des diligences. Monsieur Kelly, le cocher à qui Meade avait parlé, était en train de polir un carrosse noir dans l'allée. Gabriel vint à lui et l'attrapa par le collet, levant ses pieds de terre jusqu'à ce que ses yeux soient vis-à-vis des siens.

Kelly en eut le souffle coupé et donna des coups de pied, attrapant Gabriel au tibia. Gabriel ne le sentit même pas. Il repoussa l'homme, qui tomba sur le dos, étendu par terre.

Sans même tenter de se relever, il dit quelque chose comme :

– Que signifie ceci ?

Gabriel se pencha au-dessus de lui.

– Je crois que vous avez menti à mon secrétaire, dit-il d'une voix basse et sérieuse.

Kelly regarda de côté vers Meade, son visage blêmissant.

— Meade m'a raconté que vous avez dit que l'amiral Montague et ceux qui l'accompagnaient sont allés à Downpatrick, à la cathédrale. J'ai compris que c'était faux, alors j'ai pensé que vous devriez nous accompagner à Downpatrick, et s'il appert que c'est un mensonge, eh bien, je ne voudrais pas être à votre place. Vous voyez, je suis le duc de St. Easton, en mission ici pour le prince régent. Le prince régent ne pardonnerait pas facilement s'il apprenait que quelqu'un entrave ma mission. Comprenez-vous ?

Kelly commença à parler — rapidement. En pleurant. Gabriel ne pouvait suivre et regarda Meade qui opinait de la tête. Meade se tourna vers Gabriel et articula silencieusement les mots. *Elle l'a payé pour qu'il mente.*

— Où est-elle ?

Gabriel le demanda une fois que la bouche de l'homme eut cessé de parler.

— Je ne le sais pas, je le jure.

Gabriel le comprit. L'homme était visiblement terrifié, alors il le crut. Gabriel se pencha au-dessus de lui et le regarda.

— Si quelque chose vous venait, n'importe quoi, nous sommes à l'auberge Dufferin Coaching. Je pense que je pourrais oublier le mensonge si vous pouviez vous souvenir de quelque chose d'autre, quelque chose d'important.

Il fit un signe de tête, les yeux remplis de terreur, au moment où Gabriel reculait.

Au moment où ils revinrent à l'auberge, maîtresse Tinsdale courut vers eux, agitant une lettre.

— Je suis si heureuse que vous soyez revenus, Votre Grâce. Nous venons juste de trouver cette lettre dans le bac à ordures. Je vous confesse que je l'ai lue en reconnaissant l'écriture de lady Featherstone, et j'ai pensé que ce pouvait être important, avec ce mystère qu'elle essaie de résoudre avec ses parents et ces hommes espagnols qui la suivent, le saviez-vous ? Elle vous est adressée.

Elle la mit dans ses mains comme si elle lui brûlait les doigts.

Gabriel se tourna vers la lumière provenant de la fenêtre et la déplia. Son cœur battait la chamade en la lisant.

Cher Gabriel,

Hum. Elle l'appelle par son prénom seulement quand elle ne veut pas qu'il voie la lettre.

J'ai honte de vous avoir menti et je me déteste pour cela. Cependant, je ne peux encore laisser tomber ma recherche, et vous êtes lié au prince régent et celui-ci a donné des ordres. Ne comprenez-vous pas ? Je donnerais ma vie pour cette quête, je le ferais, et ferais des choses dont je ne suis pas fière pour la continuer. C'est juste que je ne savais pas que je serais coincée de tous les côtés, et qu'un si grand nombre de personnes trouveraient ma mission si folle et si égoïste et souhaiteraient que je laisse tomber tout espoir. Je vous demande de penser avec votre cœur, cher duc. Si vous étiez à ma place, que feriez-vous ?

Je suis prête à vous faire confiance et à vous dire où je suis. Je confesse, mon cœur bat comme un tambour dans ma poitrine en écrivant, mais j'ai besoin de vous. J'ai besoin que vous ayez confiance en moi, et si vous ne pouvez me joindre à cause de votre devoir, au moins laissez-moi du temps… une chance. Je vous en prie, étant le duc de St. Easton – Foy pour devoir – je vous en prie, cette fois, de choisir la foi.

Dublin.

Votre dévouée,

Alexandria

Il prit soudainement une inspiration. Comment savait-elle le slogan de sa famille, « Foy pour devoir » ? Ils étaient toujours en désaccord, et il avait choisi le devoir depuis longtemps. Cela était plus facile, plus aisé. La foi était un non-sens en chute libre. Il regarda de nouveau son écriture. Elle avait changé un tout petit peu, semblant être brusque et désespérée. Il y avait une tache de larme sur les lignes d'encre.

Elle serait l'une de celle qui choisirait la foi.

Il le savait et il sentit qu'il la connaissait plus profondément que ce qui était imaginable de quelques lettres. Mais c'était vrai. On ne pouvait le nier. Et il l'aimait. Il ne l'avait pas encore vue, mais il l'aimait. Il ne savait pas quelle sorte d'amour c'était… il n'avait jamais connu rien de tel auparavant. Il savait seulement que c'était si profond dans son cœur que cela y resterait pour toujours.

Et merci Seigneur, elle lui a dit où la retrouver ; Dublin.

Dublin était l'une de ses villes favorites. Gabriel était déjà venu ici et l'avait beaucoup appréciée ; le sens poétique de l'atmosphère et les nombreuses facettes de l'histoire créative des gens. C'était un endroit qui avait beaucoup d'élégance, de charme, et de contes de fées.

Gabriel et Meade trottaient sur le pont de pierres qui traversait le fleuve Liffey sur leurs montures, les hommes et les chevaux arborant les couleurs bleu royal et doré de la maison de St. Easton. Gabriel avait acheté une diligence et avait fait peindre sur les côtés le sceau ducal, même si personne ne s'en servait. Il avait engagé des cavaliers, leur avait fait porter l'uniforme de la famille, quatre servantes, un valet, deux majordomes, et un cuisinier, juste au cas où l'hôtel ne pourrait acquiescer à ses demandes. Il avait un plan.

Il était temps d'être de nouveau le duc de St. Easton.

Il était temps de montrer sa puissance.

Ils s'arrêtèrent devant l'hôtel Morrison, un endroit renommé pour la royauté, et descendirent de cheval. Il fit un signe de tête au porteur, demanda à ce que ses bagages soient transportés directement dans la suite du prince régent et, ignorant tout le monde et leurs bavardages, entra dans le grand hall. Meade s'occuperait de placer le nouveau personnel et lui-même. Gabriel regarda autour avec de l'approbation dans les yeux. L'endroit était comme dans son souvenir. Somptueux, avec de l'opulence par ses plafonds élevés avec un millier de lumières dans le candélabre et les bougeoirs aux murs. Un ameublement luxueux de différentes couleurs, une fontaine dans le jardin intérieur, et assez de place pour héberger une cavalerie. C'était parfait et il ne tenait plus en place pour commencer son plan.

On le mena à une grande suite de pièces où ses vêtements avaient été défaits, repassés et rangés. Il commanda de la nourriture, un bain chaud, et dit à son valet de trouver le meilleur tailleur de Dublin et le meilleur cordonnier. Il avait besoin d'habits pour cette mission, et les vêtements qu'il avait apportés sur la route ne faisaient pas l'affaire. Il devait tout jeter. Quand Alexandria le verra pour la première fois, elle sera impressionnée et… un peu terrifiée.

Mais ce n'était pas le cœur du plan. Seulement une partie. Non. Il sourit pour lui-même. Il utiliserait chaque avantage pour la retrouver.

Et cette fois, il jouait le jeu selon ses règles à lui. Cette fois-ci, que Dieu lui vienne en aide, ce ne serait pas très long.

Chapitre 28

John mena Alex à leurs sièges à la Rotunda de Dublin. Judicieusement nommée, c'était une énorme pièce ronde avec des colonnes corinthiennes et un imposant chandelier central. La foule de gens élégamment vêtus réchauffait la pièce, mais Alex ne s'en faisait pas. Ceci ne ressemblait en rien à ce qu'elle avait vu et c'était passionnant juste de regarder la foule.

— Vous vous amusez ?

John lui tendit une paire de lunettes d'opéra.

Alex opina de la tête, jetant un coup d'œil à son visage. Elle ne pouvait cesser d'admirer l'allure qu'il avait dans ses vêtements formels — chemise blanche, veste blanche au collet haut, avec une cravate parfaitement nouée. Pantalons blancs entrés dans ses bottes, et un veston bleu croisé qui luisait comme si ses fils étaient de laine soyeuse. Ses cheveux ramenés négligemment vers l'arrière dans une vague lui donnaient un air sophistiqué naturel, et ses yeux bleus étincelaient en la regardant. Elle déglutit avec difficulté et détourna son regard, essayant de faire fonctionner les lunettes d'opéra.

— Attendez, je vais vous montrer.

Ils s'installèrent, Montague assis de l'autre côté, pendant que John fit tourner la poignée des lunettes pour que les verres soient bien droits. Alex regarda à travers les lunettes.

— Mon Dieu, tout est deux fois sa taille normale !

— Attendez juste un instant, promit John, les rideaux vont se lever.

Elle se tourna vers la scène et regarda les rideaux de velours rouge se lever, révélant une petite scène. Quelques instants plus tard, Angelica Catalani apparut, belle et frêle avec une couronne de roses entrelacées dans ses cheveux bruns. Aussitôt qu'elle commença à chanter, tout ce qu'il y avait autour s'effaça. Chanson après chanson, Alex était captivée, emportée par le charme magique de la soprano de renommée mondiale.

Pendant la pause, John l'amena vers le hall où des rafraîchissements étaient servis et où les spectateurs faisaient un brin de causette.

— Là-bas, il se pencha et chuchota à son oreille, voyez-vous le vieil homme aux cheveux roux et aux joues roses ?

Alex lui fit un signe de tête.

— C'est Tad Molony. Il est l'un des hommes dont je vous ai parlés, un des membres de la Royal Irish Academy.

Alex étreignit le haut du bras de John avec sa main gantée et pressa.

— Le connaissez-vous ?

Il y avait une trace de désespoir dans sa prise.

— Pas beaucoup, mais je connais un peu son fils, assez pour vous présenter, dans ce cas. Venez avec moi.

Ils se frayèrent un chemin jusqu'au petit cercle où se tenait monsieur Molony parmi les autres hommes. Alex pouvait sentir son cœur accélérer et elle prit une profonde inspiration calmante avant de s'avancer près de lui. John se plaça à côté d'elle et s'inclina devant les cinq ou six hommes, tous plus vieux qu'eux d'une génération ou deux. Il était tout à fait confiant, pensa Alex avec un sourire. Ils formaient une bonne équipe.

La conversation tomba au moment où les hommes les regardèrent tous les deux, ce qui donna à John l'opportunité de parler.

— Messieurs, nous nous excusons d'interrompre votre discussion sur les qualités de la Guinness. J'espérais seulement présenter ma jeune amie, ici, à monsieur Molony. Ils ont un intérêt en commun.

Un homme gloussa. Un autre dit quelque chose de grivois sous sa barbe, mais monsieur Molony se retourna pour les regarder avec intérêt.

— Je dois dire que je suis flatté d'être demandé par une si belle créature, dit-il avec un charme typiquement irlandais.

Il prit sa main gantée et s'inclina.

— À quoi vous dois-je ce plaisir ?

Il regarda John, de l'intelligence et de la curiosité dans les yeux.

John s'avança pour lui serrer la main.

— Je suis John Lemon. Je crois connaître votre fils, Brant Molony. Nous fréquentons les mêmes clubs.

Un regard de mécontentement traversa ses yeux bruns foncés, ce qui donna l'envie à Alex de donner des coups de pied à John. Vous ne rappelez pas à un père les indiscrétions de son fils à moins que le père ne soit au courant. Elle ne savait pas de quelle façon elle connaissait cette perle de sagesse, mais cela semblait être le bon sens. Elle s'empressa de corriger l'erreur.

— Monsieur, je comprends que vous êtes membre de la Royal Irish Academy ?

Son regard revint se poser sur son visage et s'adoucit.

— Vous avez un intérêt pour les affaires scientifiques, mademoiselle ?

— Alexandria Featherstone, monsieur. De Holy Island, dans le Northumberland. Et, oui, j'ai un grand intérêt pour les objets d'art antique. J'espérais pouvoir vous poser quelques questions.

Elle jeta un coup d'œil aux hommes du cercle qui écoutaient attentivement.

— En privé. C'est une affaire très... délicate.

Elle releva les sourcils et lui fit un petit sourire.

— Humm, fit-il en y réfléchissant.

— Il y a quelqu'un d'autre de notre cercle que nous devrions peut-être inclure.

Il se tourna vers un homme mince aux cheveux argentés.

— Monsieur Sean Healy, lady Alexandria Featherstone.

Il fit un geste d'un mouvement du bras.

— Healy est aussi membre de la Royal Irish Academy et un expert des objets d'art antique, n'est-ce pas, Sean ?

Monsieur Healy haussa une épaule.

— Je possède une petite collection.

Monsieur Molony gloussa.

Un autre membre du cercle se mit à parler avec un gros accent irlandais.

— Vous ne pouvez nous laisser languir de curiosité, lady Featherstone. N'y a-t-il pas quelque chose que nous pourrions savoir de l'histoire ?

John secoua la tête, son torse se bombant juste un peu. Alex voulait rouler des yeux. Où était parti son charme légendaire ? Peut-être qu'il le gardait pour courtiser les dames. Elle sourit à l'homme et lui dit :

– Je travaille sur un cas, monsieur. Un objet d'art important a disparu, volé sans aucun doute, et j'ai été engagée pour le retrouver.

Ce n'était pas la pure vérité. C'étaient ses parents qui avaient été engagés pour le retrouver. Elle ne pouvait se retenir d'avoir du plaisir à regarder ses yeux s'agrandir avec intérêt.

Une cloche sonna, signalant à la foule de retourner dans la salle. Dans un mouvement un peu trop désespéré, Alex mit sa main sur le bras de Molony.

– S'il vous plaît, monsieur. Juste encore un peu de votre temps et de celui de monsieur Healy ?

Il hocha de la tête et monsieur Healy se rapprocha, formant maintenant un cercle de quatre personnes au moment où les autres hommes, quelques-uns maugréant au sujet des scientifiques qui avaient toute la chance, se frayaient un chemin vers leurs sièges.

– Dites-nous, maintenant, lady Featherstone. Quelle est cette affaire ?

– J'ai un peu exagéré ma dernière phrase. Ce n'est pas moi qui ai été engagée pour retrouver cet objet d'art disparu, mais mes parents. Voyez-vous…

Elle entreprit de raconter l'histoire de ses parents et de l'article disparu de la collection de Hans Sloane. Les deux hommes écoutaient intensément, s'exclamant à certains moments et se murmurant des propos entre eux qui ne signifiaient pas grand-chose pour elle.

— Alors, vous comprendrez, messieurs, je suis convaincue que mes parents ont de graves problèmes. Je dois les retrouver. Et la seule façon de le faire est de retrouver cet article disparu de la collection de Sloane. N'avez-vous jamais entendu parler de quelque chose à ce sujet ?

— La collection de Sloane est très loin de ce que nous étudions, ces temps-ci, dit Healy en fronçant des sourcils.

— Je me souviens de rumeurs à propos d'un vol, par contre, il y a environ sept ou huit ans, ajouta monsieur Molony, puis il secoua ensuite la tête. Mais je n'y ai pas vraiment porté attention à ce moment-là.

— Il y a quelqu'un qui devrait en savoir plus que nous, ronchonna Healy en disant ces paroles.

— Oui, mais ce ne sera pas très bon pour elle.

Molony regarda de nouveau Healy, avant de rajouter :

— Nous ne devrions même pas le mentionner ; il ne voudra jamais la voir.

— Oh ! s'il vous plaît ! dit Alex en se penchant vers l'avant. Il doit y avoir un moyen. Qui est-il ?

— Je vais voir à ce qu'il la rencontre, dit John avec autorité.

Ils ignorèrent John tous les deux.

— Il y a le bal masqué. C'est le seul événement social auquel il assiste. Cela vaudrait la peine d'essayer.

Les sourcils de Molony s'arquaient, interrogateurs.

— Je n'ai reçu des invitations pour cet événement que deux fois dans ma vie. Comment proposez-vous de la faire entrer ? demanda Healy.

Molony regarda John.

— Lord Lemon a des connaissances. Êtes-vous invité au bal masqué annuel du vice-roi ?

— Oui, j'ai été invité.

— Pensez-vous que vous pourriez la faire entrer ? dit Molony en tournant la main dans la direction d'Alex.

— Évidemment que je le peux. C'était déjà mon intention. Nous avons déjà fait confectionner nos costumes.

— Mais de quoi parlez-vous ? demanda Alex.

— Du bal masqué, ma chère. Vous en souvenez-vous ? La robe spéciale ?

— C'est pour un bal masqué ? Vous ne me l'avez pas dit.

John haussa les épaules.

— Je voulais garder la surprise.

— C'est la seule raison pour laquelle il y assiste. Il n'aime pas sortir en public. Son visage est… défiguré. Mais une fois par année, il porte un masque et s'amuse en valsant.

— Qui est cet homme ?

— Il s'appelle Jeremy Lyons. Et il est un expert de Sloane. Il en est obsédé depuis des années. Si quelqu'un sait quelque chose à propos de l'article disparu dont vous parlez, c'est lui.

Alex prit une profonde inspiration.

— Alors, nous devons assister à ce bal.

Elle regarda John et demanda :

— Êtes-vous certain que vous pouvez réussir ?

— Vous pouvez compter sur moi.

— Mais s'il est masqué, comment allons-nous le reconnaître ? demanda Alex au groupe.

— Bonne question.

John regarda Molony, qui ne fit qu'hausser les épaules.

— C'est pour nous tous une grande chance que j'aie une invitation permanente pour ce bal.

La voix venait de derrière eux.

— Et Lyons et moi avons fait quelques affaires ensemble dans le passé.

Ils se retournèrent tous pour voir Montague.

Les yeux de Molony et de Healy s'agrandirent, puis ils s'inclinèrent.

— Amiral Montague. Monsieur, quel plaisir !

Ils se saluaient pendant qu'Alex penchait la tête de côté et lançait un regard à Montague. Pourquoi ne lui avait-il pas dit cela ? Pourquoi lui fallait-il toujours oublier qu'elle voyageait avec une légende ? Au diable cet homme avec sa personnalité modeste, humble et merveilleuse. Comme pour la rassurer, il se pencha et déposa un baiser paternel sur sa joue.

— Nous allons devoir trouver à quoi ressemble son costume, par contre. Juste pour rendre les choses plus faciles. Pensez-vous à quelque chose, mes amis ?

— Les serviteurs, dit John catégoriquement. Il faut trouver qui prépare son costume, et nous serons capables d'obtenir tous les détails.

— Cela ressemble à un travail pour un jeune homme rempli de charme et d'esprit, dit Healy en riant. Nous vous laissons cette tâche, lord Lemon.

John avait l'air déchiré entre savoir s'il avait été insulté ou s'il en était excité.

— Oh ! très bien, marmonna-t-il pour sauver la face tout en souriant.

— Retournons au concert. Après vous ?

Montague fit un geste du bras vers la porte.

Alex se retourna vers Healy et Molony.

— Je ne peux assez vous remercier, messieurs. Quand je trouverai mes parents, vos noms seront parmi tous ceux qui m'ont aidée.

Sa lèvre inférieure commença à trembler, alors elle serra ses lèvres et inclina la tête vers chacun d'eux, puis se tourna, plaçant son bras sur celui de Montague. Alors qu'elle partait, elle entendit un petit rire et ces mots :

— N'est-elle pas quelque chose ?

Lorsque le concert se termina, Montague, John et Alex se frayèrent un chemin à travers la foule vers la porte. Montague s'arrêta soudainement et secoua la tête.

— J'ai laissé ma cape derrière. Rejoignez le carrosse, je vous rattraperai.

John fit un sourire satisfait, pencha sa tête de côté et prit le bras d'Alexandria, la tenant près de lui.

— Très bien, mon oncle.

Montague lui lança un regard d'avertissement et s'empressa de retourner vers la Rotunda.

La nuit était noire ; les nuages couvraient la lune au moment où ils marchaient sur le trottoir avec les autres gens qui étaient allés au concert et allaient d'un pas décontracté vers leur carrosse.

— Je dirais que ce fut un succès, ce soir, ne pensez-vous pas, mon cœur ?

Alex laissa échapper un rire.

— John, vous ne devriez pas m'appeler comme cela. Et, oui, ce fut un grand succès, ce soir. Je ne peux imaginer de quelle façon vous remercier.

— Je peux imaginer quelque chose.

Alex tenta d'augmenter la cadence, sachant où la mènerait cette discussion, à demi apeurée, à demi euphorique, mais il ralentit délibérément le pas.

— Est-ce que le carrosse est encore loin ? Il fait terriblement noir.

— Soyez sans crainte, lady Alex. Je vais vous protéger.

Ils tournèrent sur une rue secondaire et furent soudainement seuls.

— John, j'ai peur. Sommes-nous proches du carrosse ?

Alex se tint encore plus près de lui.

— Il fait si noir.

— C'est juste un peu plus loin. Restez près de moi.

Sa voix semblait aussi remplie de malaise.

Elle se tint près de lui en marchant vers le carrosse. Le cocher serait là, sans doute en train de dormir, une fois qu'ils seraient rendus. Alex fut réconfortée à cette pensée.

Tout à coup, John s'arrêta, lui agrippa les épaules, et la tourna vers lui.

— Alex, je...

Elle le regarda dans les yeux, un faible rayon de lune passant au travers des nuages.

— Oui ?

Allait-il faire sa demande si rapidement ? Est-ce qu'elle voulait de lui, elle aussi ? Elle ne savait que penser, au-delà du battement de son cœur.

Il pencha la tête vers la sienne. Il s'apprêtait à l'embrasser.

À moins qu'elle ne recule et fasse quelque chose immédiatement, il l'embrasserait.

Elle ne recula pas. Elle attendit, la respiration courte, ne sachant vraiment que faire.

Ses lèvres étaient chaudes en touchant les siennes. Elle retint sa respiration et resta immobile comme une statue de marbre de Carrara au moment où ses lèvres commencèrent à bouger contre les siennes.

Crac ! John trembla et se détacha d'elle. Il avait été frappé ! Alex se retourna, trop tard. Un homme la fit tomber par terre. Il plongea sur elle, mais elle roula sur le côté et lui donna des coups de pied, entendant un grognement au moment où son escarpin pointu trouva le bon endroit. Elle se leva, prête à courir, et regarda vers John. Il se faisait attaquer par un deuxième homme ; il lui sembla qu'ils étaient pris dans une bataille et se faisaient ruer de coups.

Alex se mit à crier au moment où le plus petit des deux hommes agrippa sa jupe et la tira vers lui. « Oh ! mon Dieu ! » pensa-t-elle au moment où un rayon de lune apparut derrière les nuages.

C'étaient les Espagnols.

— Que voulez-vous ? dit-elle les dents serrées. Je ne sais rien. Je suis seulement à la recherche de mes parents.

Elle espéra que cette réponse les arrêterait, mais ce ne fut pas le cas. John ne semblait pouvoir faire beaucoup mieux.

Tout à coup, une autre ombre noire fonça sur eux. Alex se mit à crier, se débattant entre les bras de l'homme qui essayait de l'attraper. Les bras de cette ombre se levèrent au-dessus de sa tête et descendirent sur les Espagnols avec une telle force qu'Alex fut libérée sur le champ.

Elle recula, tremblant et les yeux grand ouverts, pendant qu'il tournait sur lui-même, attrapait l'homme le plus grand et lui donnait un coup sur la tête, ce qui libéra John. Alors, dans un tourbillon, la cape au vent, il martela de coups le plus petit homme jusqu'à ce qu'elle entende un bruit de craquement et un gémissement. Elle retint sa respiration, envahie par la crainte, tandis qu'il tombait au sol.

Avant de toucher les pierres rondes, elle vit l'éclair de la lame d'un couteau venant de derrière celui qui les avait sauvés. Elle donna un avertissement. Mais il était trop tard. L'autre Espagnol tourna sur lui-même, lui aussi, et fit un geste de côté avec son poignet si rapidement qu'il fut difficile de voir ce qui venait d'arriver. Elle entendit un soupir guttural et vit tomber l'homme à la cape au sol. Non… non. Qui était-il ?

« S'il vous plaît, levez-vous. S'il vous plaît, ne soyez pas blessé. »

Elle voulut accourir près de lui. Mais le grand Espagnol se tourna vers elle et avança.

John l'attrapa et la garda près de lui. Il était en train de prendre quelque chose, quelque chose dans son dos. Alex se tenait rigide entre son bras qui l'encerclait et sa poitrine. Il prit un objet et le pointa. L'éclairage de la lune diffusait juste assez de lumière pour voir ce que c'était. Un pistolet.

John avait porté sur lui un pistolet pendant toute la soirée.

Au spectacle.

Cela était insensé, mais elle n'était pas en position de percevoir le sens de quoi que ce soit. Elle serra les dents au moment où il appuya sur la gâchette, sentit le contrecoup traverser leur corps, et vit tomber l'Espagnol.

Elle cria. Elle le savait, mais ne pouvait l'entendre. Devait-elle crier ? Elle ne semblait pas pouvoir s'arrêter pour réfléchir.

L'Espagnol se leva et s'enfuit, traînant l'autre avec lui. John s'élança derrière eux.

— Non !

Alex lui tira le bras.

— Aidez-moi !

Elle courut vers l'homme à la cape, la peur faisant vibrer son corps en entier. Elle savait qui il était. Elle connaissait ce protecteur et, s'il perdait la vie pour elle, cela deviendrait impossible pour elle de continuer.

Ils s'agenouillèrent devant la forme immobile. Alex plaça sa tête sur ses genoux.

Montague ! Elle ne savait pas si elle l'avait vraiment dit à voix haute ou à l'intérieur de sa tête.

— Réveillez-vous ! Ne mourrez pas ! M'entendez-vous ?

« Oh ! Dieu, sauvez-le, s'il vous plaît. Je ferai n'importe quoi. »

— Lady Alexandria Featherstone !

C'était un ordre aboyé avec autorité. Son échine se redressa instantanément. Elle renifla, s'apercevant pour la première fois que son visage était plein de larmes.

— Oui ? demanda-t-elle avec une très petite voix.

— Cessez de pleurnicher et agissez comme la femme que je sais que vous êtes.

Sa voix devint plus basse, avec une pointe d'humour.

— En plus, vous mettez du sang partout sur votre nouvelle robe.

Ceci provoqua une nouvelle crise de larmes, mais cette fois, elle pleurait et riait en même temps. Elle demanda :

— Comment allez-vous ? Où êtes-vous blessé ?

— Attendez que je voie, dit son neveu.

John, qui était penché sur lui, recula quand il vit le couteau enfoncé dans sa poitrine.

— Oh ! Mon oncle, cela ne va pas bien. Nous devons vous amener voir un médecin.

Alex commença à pleurnicher de nouveau jusqu'à ce que Montague empoigne son bras et la tire vers son visage.

— Regardez-moi, ordonna-t-il. Mon cœur n'a pas été touché, je crois. Et je respire bien malgré la lame tranchante sur mes côtes. J'ai besoin que vous retiriez le couteau et stoppiez le saignement avec quelque chose.

Alex hocha la tête, s'accrochant désespérément à son assurance, la seule chose qui la gardait encore cohérente.

— Je peux le faire.

Elle le dit à tous, mais surtout à elle-même.

— Voilà la fille que je connais.

Montague se retourna vers John.

— Votre foulard, monsieur. Il y aura peut-être beaucoup de sang quand elle retirera le couteau. Vous allez devoir presser fortement et le tenir pour arrêter le saignement.

John hocha la tête.

— Oui, mon oncle. Je comprends.

Tous les deux regardèrent Alex. Seigneur ! Était-elle vraiment obligée de faire cela ? Elle était à genoux, mais le fait qu'elle allait peut-être devoir y mettre du poids en même temps la fit se lever et se pencher au-dessus de lui. Elle empoigna le manche du couteau.

Un… deux… trois. Elle tourna la tête de côté, ferma les yeux très serrés, et tira aussi fort qu'elle le pouvait.

Montague décolla du trottoir avec un grognement. Le couteau vola de ses mains et atterrit, ensanglanté, au milieu de la rue.

Alex se mit à pleurer de nouveau.

John appliqua de la pression sur la blessure.

Montague agrippa ses mains et soupira :

– C'est bien, ma chère. Si j'avais eu une fille…, j'aurais aimé… qu'elle soit… juste… comme… vous.

Chapitre 29

Les serviteurs, les porteurs, le personnel de l'hôtel et son valet s'empressaient d'aller et de revenir entre la suite du duc de St. Easton et le pupitre principal de l'hôtel où des paquets ne cessaient d'arriver. Durant la dernière semaine, il avait rencontré des tailleurs, des cordonniers, des gantiers et des chapeliers ; il y avait toutes sortes d'articles en cuir, incluant de nouvelles selles pour les chevaux. Son personnel avait trois ensembles de livrées assorties, et Meade, une nouvelle garde-robe, même s'il ne trouvait pas cela nécessaire et malgré les séances d'essayage fastidieuses chez le tailleur.

Gabriel s'asseyait à son pupitre en face de Meade au moment où les paquets arrivaient, étaient déballés et présentés. Il en retournait autant qu'il en conservait.

— Voici les invitations qui sont arrivées jusqu'à maintenant.

Meade commença à les ouvrir et les tendit au-dessus du pupitre dans une routine familière qu'ils avaient depuis des années. Il y avait au moins une trentaine d'invitations pour toutes sortes de divertissements, et il n'était arrivé en ville que depuis une semaine. La machine à rumeurs avait visiblement fait son travail. Le plan fonctionnait.

— Acceptez la fête de ce soir chez les O'Brien et le bal de lord Donovan pour demain soir. Avons-nous reçu une invitation du vice-roi ?

— Oui, Votre Grâce.

Meade lui tendit une lettre aux plis épais.

— Le comte Talbot a répondu exactement comme nous l'espérions.

Gabriel déplia la lettre, une note personnelle de bienvenue du lord lieutenant d'Irlande, et, joint à la lettre, une invitation dorée sur tranche pour le bal masqué au château de Dublin. Il s'appuya au dossier de sa chaise avec un sourire. Il y aurait un certain nombre de gens qui auraient entendu parler des Featherstone, du manuscrit disparu de Sloane, et sans doute quelqu'un connaîtrait lady Alexandria. Il aurait seulement à poser les bonnes questions et surveiller leurs réponses. Meade l'accompagnerait et le dirigerait pour répondre correctement.

Ce n'était pas un système parfait, un certain nombre de choses pouvaient mal tourner, mais les invités, ses collègues, auraient entendu parler de la puissance et de la richesse du duc de St. Easton et le croiraient excentrique plutôt que sourd, s'il choisissait de mettre fin à une conversation. C'était la meilleure façon de la trouver dans une ville aussi grande. Non qu'il ait déjà engagé des enquêteurs pour passer la ville au peigne fin. Il ne laisserait rien au hasard, cette fois-ci.

— Excellent.

Gabriel fit un regard entendu à Meade.

— Est-ce que mon costume est prêt ?

Meade grogna.

— Oui, Votre Grâce. Vous allez certainement semer la frayeur dans leur cœur.

— De la frayeur, vous dites ?

Gabriel pouvait presque lire sur les lèvres de Meade, mieux que sur les lèvres de quiconque, mais il manquait toujours un mot ici et là.

Meade n'en était pas perturbé et semblait être fier qu'ils se débrouillent sans utiliser le livre des mots trop souvent.

— Oui, prononça-t-il en exagérant, de la frayeur.

Gabriel se mit à rire.

— Eh bien, c'était ce nous voulions, n'est-ce pas ? Nous ne voulons pas que les gens soient trop à l'aise en posant beaucoup de questions.

— C'est un excellent plan, si je peux dire.

Un autre brouhaha venant de la porte attira leur attention. Un serviteur de l'hôtel s'empressa vers eux, s'inclina sans oser regarder Gabriel dans les yeux. Il parla avec Meade plusieurs minutes, puis se retira de la pièce, s'inclinant et frôlant les murs.

Meade se retourna vers Gabriel qui avait les sourcils relevés. Il prit le livre des mots et écrivit le message.

Nous avons trouvé plusieurs hommes qui sont reconnus pour connaître la collection de Sloane. Ils sont : sir Kiefer Donovan, Sean Healy, Patrick Sullivan et Jeremy Lyons. Trois sont membres de la Royal Irish Academy, et deux d'entre eux sont attendus au bal. Vous aviez encore raison, Votre Grâce. Le bal sera un bon endroit pour poser des questions.

Gabriel étudia les noms, permettant à son esprit de chercher à travers ses souvenirs. Lyons ne lui était pas inconnu, mais il n'était pas certain de savoir pour quelle raison.

— Lesquels sont attendus au bal ?

— Healy et Lyons.

Excellent.

— Trouvez tout ce que vous pouvez sur chacun d'eux. Et trouvez de quoi auront l'air les deux qui assisteront au bal, ce qu'ils porteront. Nous ne voudrions pas les manquer.

— Oui, Votre Grâce.

Meade s'empressa d'exécuter les ordres tandis que Gabriel ferma les yeux et pensa à sa proie, maintenant si près d'être agrippée.

Ils étaient arrivés tard, délibérément.

Se mêler aux grandes foules en étant sourd représentait un défi que Gabriel n'aurait jamais pensé être un problème pour lui. Il avait toujours projeté l'image de la confiance en soi et de la maîtrise. Sa présence était recherchée partout où il allait et il se sentait important. Maintenant, quand il s'avançait dans une pièce bondée, il se sentait désorienté, perdu, laissé pour compte et seul. Quelquefois, l'anxiété montait jusqu'à ce qu'un étourdissement l'envahisse, passant par son esprit et faisant résonner ses oreilles. Cela était pire que tout. Puis il y avait la scène d'horreur qu'il pouvait causer si jamais il s'effondrait de nouveau. Il ne pouvait risquer de le faire ici, pas après avoir convaincu les bonnes gens de Dublin qu'il était si grand que sa richesse et sa puissance en étaient presque surnaturelles.

Alors, Meade et lui arrivèrent avec une heure de retard. C'était sans surprise. Ils auraient probablement tous envie de lui parler après avoir entendu les rumeurs audacieuses à son sujet. Le vice-roi et la vice-reine avaient été en extase du fait qu'il ait accepté leur invitation pour le bal masqué, du moins, c'est ce qu'on lui avait dit.

Le château de Dublin était comme dans son souvenir. Une masse informe construite de pierres. Il était déjà allé dans les pièces du haut, où le lord lieutenant avait ses appartements. Mais il avait rejeté l'offre de séjourner dans une tour, les offensant sans doute à ce moment-là, mais après avoir vu la plupart des palais du monde, il ne s'était pas senti d'humeur conciliante. Il avait, à sa surprise, très hâte de le voir, maintenant, particulièrement la grande salle de bal.

Ils passèrent une grille rendus à Cork Hill et virent les deux gigantesques statues de la justice et du courage de chaque côté des colonnes centrales. La diligence arborant les armes ducales sur le côté s'avança jusqu'au-devant et s'arrêta. Gabriel attendit que le valet de pied lui ouvre la porte, puis replaça sa cape et descendit dans l'allée entourée de pelouse.

Il attendit que Meade le rejoigne, le regarda et sourit. Meade était habillé comme un crocodile, et il ne pouvait qu'à peine se retenir de rire chaque fois qu'il le regardait.

— Je ne peux croire que vous portez cela, Meade. Vous ferez trébucher tout le monde qui s'approchera de vous, et vous devez rester près de moi.

Meade se tourna vers lui, la partie inférieure de son visage tout à fait visible de la large bouche du crocodile.

– C'est parfait, Votre Grâce. Seulement vous serez capable de voir ma bouche.

Gabriel poussa un soupir.

– Si je n'ai pas l'air de me pâmer pour vous ce soir, ce sera un miracle. Dieu du ciel, à quoi ai-je pensé pour être d'accord avec ce plan ?

– Si je me souviens bien, il s'agissait de votre plan, Votre Grâce.

– Laissez tomber.

Son humeur commençait sérieusement à devenir maussade.

– Prions pour que nous puissions passer au travers de ces quelques heures.

Il n'attendit pas de savoir ce qu'en pensait Meade. Il avait prié. Plus qu'il n'avait jamais prié dans sa vie.

Ils se frayèrent un chemin jusqu'au haut de la volée de grandes marches pour arriver dans un grand hall vide. Gabriel fit une pause pour ajuster sa grande cape noire. Elle atteignait presque ses chevilles, de dos, et virevoltait autour de lui en de grands plis chaque fois qu'il tournait. Son loup noir était attaché autour de ses yeux, mais il s'était assuré qu'il serait facile à reconnaître. Il avait besoin d'être reconnu pour obtenir les réponses qu'il voulait.

– C'est bon ?

Il fit un geste à Meade de le précéder.

– Suivez le bruit, mon homme, et trouvez la salle de bal.

Meade répondit comme un cheval à qui l'on donne un petit coup. Ils descendirent un grand hall, passant par une chambre vide où il y avait le trône du vice-roi. Ils tournèrent un coin, et Meade s'arrêta. À l'entrée de la salle de bal se tenaient des serviteurs en livrée arborant le vert et le doré, les couleurs du vice-roi. Ils le virent, parlèrent brièvement avec Meade pendant que Gabriel fit semblant de les ignorer, puis les invitèrent à entrer dans la salle. Meade se tourna vers lui et articula silencieusement :

— Le vice-roi.

Il comprit que les serviteurs l'attendaient et qu'ils avaient reçu les ordres de le mener directement au vice-roi au moment de son arrivée. Jusqu'à maintenant, tout allait bien.

Gabriel avança encore, sentant l'imminence de la bataille couler dans ses veines en combattant l'anxiété qui l'envahissait. Il prit une profonde inspiration, hocha la tête à ceux qui étaient près de lui, et continua d'avancer. Comme si un feu de projecteur le suivait, ceux qu'il dépassait s'arrêtaient et le regardaient. Son regard balaya la foule étincelante vêtue de toutes sortes de costumes, des plus exquis aux plus ridicules.

Il y avait des bouffons avec des têtes géantes, des chiens menant en laisse des chiens identiques, des rois et reines du temps médiéval, des dieux et déesses grecques, des sultans et des danseuses du ventre, des romanichels, des plaisantins peints de couleurs étincelantes, et des femmes aussi douces que des filles de laiterie et aussi séduisantes que les prostituées de Covent Garden.

Leurs yeux semblaient outrageusement brillants, leur voix, trop fortes, même s'il ne pouvait rien entendre. Une perle de sueur descendit dans son dos et il se sentit mal. Il se mit à penser qu'il avait l'habitude de s'amuser en de telles circonstances ; il avait l'habitude, du moins, de prétendre qu'il s'amusait. Alors que maintenant, il combattait l'envie folle de déguerpir.

Meade lui tapota le bras et dirigea son attention vers le vice-roi. Il était habillé comme un Turc avec un grand turban violet et doré sur la tête qui avait l'air ridicule et un faux serpent enroulé autour de son dos et de son bras.

Gabriel cligna des yeux en voyant le serpent, puis déclama d'une manière condescendante.

– Bonsoir, lord Talbot. Vous avez un nouvel ami, à ce que je vois. Avez-vous charmé les Irlandais pour qu'ils acceptent les reptiles ?

L'homme rit, creusant les rides autour de ses yeux. Gabriel se retourna, comme s'il était ennuyé par la réponse, mais il regarda le long museau de Meade pour savoir s'il y avait quelque chose d'impératif qu'il aurait dû dire. Meade fit rouler ses yeux et gesticula pour lui signifier qu'ils devaient partir. Cela voulait probablement dire que le vice-roi se répandait en compliments à son propos.

Il se tourna rapidement vers son hôte et lui fit une révérence, assez basse pour montrer son respect.

– Excusez-moi, vice-roi. Je n'ai pas assisté à un bal masqué depuis des années. Je me trouve… curieux.

Il regarda avec envie une beauté tout près de lui qui exhibait ses attributs.

Le vice-roi suivit son regard, les yeux étincelants. Il fit un geste de la main vers la femme et la fête, et lui demanda de bien s'amuser. Gabriel le remercia et s'en alla de l'autre côté de la salle de bal. Il était temps de trouver Jeremy Lyons et Sean Healy, les véritables raisons de sa venue ce soir.

Il scruta la foule pour trouver les deux hommes, un devant être habillé comme un domino, un costume typique tout en noir avec un masque noir, et l'autre comme

Benjamin Franklin, le fameux politicien américain, homme de sciences et inventeur.

Soudainement, Gabriel s'écrasa sur quelqu'un, ce qui lui fit perdre l'équilibre. Il regarda et vit une femme. Elle tomba à la renverse, se heurta sur un autre homme qui avait le dos tourné, puis bascula vers le plancher.

Gabriel l'attrapa par réflexe, sans même y penser. Il la prit dans ses bras et la remit en équilibre pour qu'elle tienne sur ses pieds en quelques secondes.

Elle se balança pour un moment, puis posa ses yeux bleus étincelants sur lui. Son costume lui tourna les sens en un instant — des bleus, des verts et des violets, rehaussés de jaune pâle, encore plus de violet avec des teintes de rouge, toutes les couleurs se fondant les unes dans les autres et descendant du corsage de la robe en stries de tissus colorés, organza sur taffetas. Les stries de couleur se mélangeaient et flottaient avec chacun de ses mouvements. La plus grande partie de son visage était couverte d'un masque turquoise bordé de dentelles pourpre. Ses yeux bleu pâle, encerclés de bleu plus foncé, se soudèrent aux siens.

— Je suis si désolée.

Il saisit ces quelques mots de ses lèvres roses. Puis, en relevant le menton, elle ajouta quelque chose qu'il ne put saisir. Le désespoir et la panique l'envahirent. Il voulut savoir ce qu'elle avait dit. Qui était-elle ?

Avant qu'il n'ait la chance de lui faire peur et de la faire fuir avec son silence confus, il encercla sa taille d'une main et sa main de l'autre. « Dansez avec moi », pensa-t-il avoir dit. Il espérait l'avoir dit tout haut. Si elle a protesté, il ne le sut pas ; il n'avait pas le courage de la regarder en face.

Son corps, par contre, suivit le rythme. Il sentit ses muscles le suivre sous ses doigts gantés. Elle tourna dans ses bras, et prit une grande inspiration comme lui, puis il ferma les yeux et se concentra sur les vibrations de la musique, les longs pas connus de la valse qu'il a déjà dansée un grand nombre de fois et la sensation bien connue de tenir une belle femme entre ses bras.

C'était bon de danser à nouveau.

Elle était aussi légère que des rayons de lune dans ses bras et se déplaçait avec chacun de ses mouvements, dansant à l'unisson avec lui. Il ouvrit les yeux, ressentant le silence d'une nouvelle façon, voyant sa robe prendre vie et flotter autour d'eux comme une chose vivante qui agrippe et incite, caresse et ondule… comme le vent. Elle était comme le vent.

Sa respiration était longue et égale, sa poitrine montant et descendant en accord avec la sienne. Il n'y avait aucun son, mais c'était comme si elle était la chef d'orchestre et que, par elle, il pouvait tout entendre — la musique, les rires, les couples qui valsaient, la femme entre ses bras. Elle le regarda alors dans les yeux, et un regard de stupeur emplit ses yeux bleus.

Elle s'arrêta. Les arrêta au beau milieu de la danse. Elle couvrit sa bouche avec sa main gantée de blanc, laissa tomber sa main, secoua la tête lentement d'un côté à l'autre, puis recula.

— Ce n'est pas possible, disaient ses lèvres.

Elle secoua la tête de nouveau, se retourna et s'en alla, les stries soyeuses dans un nuage bleuté qui disparurent rapidement dans la foule.

Qu'avait-il fait pour qu'elle s'enfuit ?

Meade s'empressa de le rejoindre avant qu'il ne soit seul, la regardant aller comme un amoureux qui se languit d'amour.

Le crocodile au milieu des danseurs ne faisait pas bonne figure. Il se faisait regarder, les dames hurlaient après lui, il était poussé de tous les côtés et finalement maudit au moment où un homme trébucha sur sa longue queue, mais rien de tout cela ne le dérouta pour un seul instant. Non. Son loyal secrétaire se faisait un devoir de le sauver.

Gabriel soupira, ne sachant s'il devait rire ou se sauver de lui. Il décida de glousser et s'avança vers le monstre des marais, agrippa son épaule écailleuse et s'empressa de le sortir du plancher de danse.

— Alors ? demanda Gabriel, essayant de retrouver son sens de l'équilibre.

Cette soirée n'allait pas du tout comme elle avait été planifiée.

— Avez-vous trouvé Healy et Lyons ?

Meade pointa derrière eux avec sa longue griffe jaune.

Un petit groupe d'hommes distingués un peu plus vieux se tenaient ensemble, ayant l'air d'être en grande conversation. Il y avait un Ben Franklin, parmi eux, et deux hommes habillés de dominos. Un des deux était probablement Molony. Des hommes intéressés par les excentricités comme les objets d'art antique gravitaient souvent les uns autour des autres dans les événements comme celui-ci.

Gabriel se fraya un chemin jusqu'au petit groupe, son animal favori derrière lui.

La foule se sépara comme la mer Rouge alors qu'il s'approchait du petit groupe. Ils cessèrent de parler et se retournèrent pour le regarder. Il inclina la tête.

— Messieurs.

Il vit que quelqu'un prononçait son nom et il continua avec son plan, leur visage laissant voir un certain degré de curiosité et de respect.

— Je suis désolé de vous interrompre, mais je cherche Jeremy Lyons et Sean Healy. J'ai des affaires importantes à discuter. Est-ce que l'un de vous, par hasard, serait le gentleman en question ?

Ben Franklin s'avança et s'inclina.

— Je suis Sean Healy.

Gabriel était presque certain d'avoir bien lu. Meade lui fit un signe de tête derrière les rangées de dents inégales.

— Et voici — il fit un geste de la main vers l'un des hommes au grand masque — Jeremy Lyons.

Cet homme ne fit que le regarder en retour, les yeux trop sombres pour voir derrière le masque, mais quelque chose à son sujet donna le frisson à Gabriel. Cet homme n'était pas idiot. Il aurait à tout lui raconter pour obtenir sa collaboration.

— Voulez-vous m'accompagner dans un endroit plus tranquille où nous pourrions discuter ?

Les deux acquiescèrent.

Ils suivirent Meade et Gabriel dans un salon vide à l'extérieur de la salle de bal qui était ouvert pour les invités pour se rafraîchir. Pendant que les trois hommes prenaient place près du foyer, Meade leur prépara des assiettes de mets délicats et s'affaira dans la pièce pour leur apporter des boissons et les mettre à l'aise.

Gabriel enleva son masque et, au début, fit toute la conversation en espérant que son servile crocodile s'asseye et l'aide quand viendrait le tour des autres de parler.

Il leur raconta l'histoire du manuscrit disparu et les ordres du prince régent de le retrouver. De quelle façon le roi, et les rois de France et d'Espagne étaient déterminés à le retrouver. Il raconta l'histoire des Featherstone et leurs instructions de le trouver. Il parla ensuite de sa pupille. Il laissa son ton de voix s'adoucir, parlant d'elle comme si elle était sa fille perdue depuis longtemps. Puis vinrent les ordres du prince régent. Il devait obéir à son prince régent – *à leur prince régent,* maintenant qu'ils faisaient parties du Royaume-Uni de la Grande-Bretagne et de l'Irlande – et ramener Alexandria à la maison, en sécurité. Avaient-ils vu les Featherstone ? Savaient-ils quelque chose à propos du manuscrit disparu ?

L'homme au grand masque commença à parler et Gabriel se tourna vers Meade. C'était inutile de vouloir lire sur ses lèvres entièrement couvertes par le masque. Meade se tint derrière l'homme, regarda Gabriel et parla lentement et clairement.

Ils avaient entendu parler du manuscrit disparu, et, oui, il y avait eu une visite des Featherstone plusieurs mois auparavant. Le seul indice qu'ils avaient était l'endroit, selon les rumeurs, où le manuscrit de Sloane avait été vu, au *Dimmu borgir,* les châteaux noirs d'Islande.

L'Islande. Alors, c'était vrai. Les parents d'Alexandria devaient être allés en Islande. Les avait-elle déjà suivis là-bas ? Avait-il traversé toutes ces épreuves pour rien ? L'avait-il manquée ?

Meade fit un geste à Gabriel pour lui dire de porter attention. L'homme parlait toujours.

Il y avait autre chose. Une autre personne avait posé les mêmes questions. Ce soir. Ici. Au bal.

– Qui ? demanda Gabriel, pensant aux Espagnols qui suivaient Alexandria.

Le visage de Meade pâlissait dans la caverne verte de son costume.

– Une femme. Portant une robe colorée et flottante dans les teintes de bleu et de violet. Elle a dit qu'elle était vêtue comme le vent.

Chapitre 30

— Je pensais qu'il était vieux ! s'exclama Alex en marchant vers la chambre de Montague, le lendemain matin.

Il était alité, récupérant de sa blessure depuis le spectacle et, comme toute la maisonnée s'en était rendu compte, il devenait de plus en plus grincheux chaque jour de confinement. Alex s'affala sur la chaise à côté du lit.

— Je croyais qu'il aurait une canne et un monocle, et… la goutte ! Je n'avais pas imaginé qu'il puisse être si… qu'il serait si…

— Mais de quoi parlez-vous, Alexandria ?

Montague se releva dans son lit, grimaçant à la douleur causée par le mouvement.

— Le duc. Il était au bal, hier soir. Je le sais.

— Comment le savez-vous ? Spécialement avec tout le monde costumé ?

Alex joignit les mains sur ses genoux.

— Nous avons dansé. J'ai regardé ses yeux, ses yeux vraiment verts, puis j'ai eu un doute et je suis partie. J'ai vu monsieur Meade dans un costume de crocodile se diriger vers nous. C'était lui, j'en suis certaine.

— Est-ce qu'il vous connaît ?

La voix de Montague était basse et grave.

— Je ne crois pas. Je me suis enfuie. J'avais déjà parlé à Jeremy Lyons, et j'ai tant de choses à vous raconter ! Mais après avoir vu le duc, je me suis sauvée. Il est ici, à Dublin, et je ne sais pas ce qu'il veut faire.

— Décrivez-le-moi. Un grand nombre de personnes ont les yeux verts.

La chaleur lui monta aux joues en se le remémorant.

— Il était grand, presque une tête de plus que moi, et il avait… — elle regarda vers le bas — de très larges épaules. Je ne sais pas vraiment danser, mais il m'a transportée tout autour du plancher de danse comme si je pesais une plume. Il avait les cheveux noirs, coupés courts, et derrière son loup, il avait de grands yeux verts. Je n'ai jamais rien vu de tel.

— Vous a-t-il parlé ?

— Il m'a seulement dit : « Dansez avec moi ».

Elle ne pouvait soutenir le regard de Montague.

— Mais vous ne pensez pas qu'il savait qui vous étiez ?

— Je ne le crois pas. Il m'a demandé de danser parce que nous nous sommes heurtés l'un et l'autre ; il m'a presque fait tomber.

Elle ne mentionna pas qu'il l'avait tenue, pour un instant, dans ses bras et que cette proximité lui avait fait tourner la tête.

— Bon. Présumons que c'était lui, et que même s'il ne vous a pas reconnue, il sait que vous êtes à Dublin. Maintenant, qu'avez-vous appris de Lyons ?

La servante entra avec le plateau du petit déjeuner de Montague, alors Alex attendit qu'elle le place et quitte la pièce avant de parler.

— Monsieur Lyons a dit qu'il avait parlé avec mes parents. Je ne sais pas de quelle façon ils ont réussi à lui parler, car il ne voit personne et parle dans un murmure que je pouvais à peine entendre, mais d'une façon ou d'une autre, ils ont réussi.

— Ils sont pleins de ressources, vos parents.

Montague lui fit un clin d'œil tandis qu'il mettait du beurre sur un biscuit.

— Ils me font penser à une certaine jeune dame que je connais.

Alex prit une bonne inspiration, contente, et continua.

— Il a dit qu'ils avaient entendu parler d'un manuscrit disparu de la collection de Sloane.

— Alors, c'est un manuscrit. Savait-il de quel genre de manuscrit ?

— Non.

Alex s'appuya sur le dossier de la chaise, ses sourcils arqués par l'excitation.

— Mais il savait où il avait été vu pour la dernière fois. Et où allaient mes parents par la suite.

Montague fit une pause au milieu de sa bouchée.

— Et où est-ce ?

— Un endroit nommé *Dimmu borgir* : les châteaux noirs d'Islande.

Montague s'appuya contre ses oreillers.

— Seigneur !

— En avez-vous déjà entendu parler ?

— Humm, juste un peu. Nous avons navigué près de la côte est de l'Islande, une fois. Ce n'est pas comme son nom le dit. Du moins, pas au moment de l'année où nous étions là. C'est plus reconnu pour ses volcans. Il y a eu une grosse éruption il y a environ vingt ans. Je ne peux imaginer pourquoi un manuscrit disparu d'une telle importance atterrirait là.

— Peut-être que c'en est la raison ; personne ne penserait à regarder par là.

— Pensez-vous que vos parents sont allés là par la suite ? Directement en Islande ?

— Mon plan est de rendre visite à la maison des douanes de Dublin aujourd'hui, et voir si je peux trouver des registres avec leurs noms disant qu'ils sont allés en Islande. Puis je planifie acheter mon passage pour y aller.

— Alexandria. Je ne suis pas assez remis pour voyager, et Baylor pense repartir pour Belfast très bientôt. C'est trop dangereux. Je ne vous permettrai pas d'y aller seule.

Alex s'assit plus droit.

— Je n'ai pas le choix. Le duc est ici et s'il devait… me mettre la main dessus, je crois qu'il me traînerait jusqu'à Londres. Je dois quitter Dublin immédiatement.

Montague poussa un soupir.

— Peut-être que le duc a raison. Pensez-y. Vous serez en sécurité chez lui. Il a promis d'engager autant d'enquêteurs que vous voudrez pour suivre vos indices. Pensez à ce qui pourrait vous arriver dans un pays inconnu, aussi loin, seule, avec les Espagnols vous poursuivant ? Ce n'est pas possible !

Alex demeura silencieuse et réfléchit. Si elle argumentait avec lui, il pourrait faire quelque chose, comme de trouver le duc et lui dire où elle est. Elle ne pouvait laisser cela arriver. Elle se leva, alla près du lit et posa un baiser sur sa joue.

— Laissez-moi y penser. Je vais voir ce que je peux trouver à la maison des douanes, et nous en reparlerons.

Il étudia ses yeux, et elle ressentit un soupçon de frayeur à la pensée de le décevoir. Elle devait le convaincre d'être de son côté.

Quelques heures plus tard, John l'accompagnait au pupitre principal dans la majestueuse maison des douanes. Ils dirent leurs noms à l'homme et furent dirigés vers l'un des comptoirs secondaires. Un homme aux favoris roux bien fournis et aux yeux bleus amicaux s'est présenté comme étant monsieur McQueen.

— S'il vous plaît, asseyez-vous. Que puis-je faire pour vous, lord Lemon, lady Featherstone ?

Alex s'inclina et s'assit en face de lui, John à côté d'elle.

— Lady Featherstone est venue de sa résidence à Holy Island à la recherche de ses parents disparus, Ian et Katherine Featherstone. Nous savons qu'ils sont venus à Dublin il y a environ un an.

— Monsieur, j'ai des raisons de croire, ajouta rapide ment Alex, qu'ils ont pris le bateau de Dublin jusqu'à l'Islande. Y a-t-il des bateaux qui partent d'ici vers l'Islande ?

— Oh ! oui. Nous avons des bateaux qui vont partout dans le monde à partir de Dublin, dit l'homme avec fierté.

— Pourriez-vous vérifier la liste des passagers de l'automne de l'année dernière ?

— Vos parents ont disparu ? Comme c'est hors du commun !

— S'il vous plaît, monsieur. Je sais que ce n'est pas une requête courante, mais leur vie est peut-être entre nos mains.

Monsieur McQueen s'éclaircit la gorge.

— Bon, ce ne serait pas difficile de vérifier les registres, je suppose. Veuillez attendre ici.

John s'avança et pressa la main d'Alex au moment où l'homme se dirigeait vers une pièce à l'arrière.

— Mon oncle a raison, vous savez.

Alex se tourna vivement vers le visage de John.

— Vous avez entendu notre conversation ?

— Juste la fin. Vous ne pouvez pas voyager seule. C'est trop dangereux. Particulièrement après l'attaque. Qu'importe ce que vos parents recherchaient…

— *Recherchent.*

— Oui, bon, qu'importe ce que c'est, nous savons que c'est un article de grande valeur. Valant possiblement une fortune. Il semble qu'il y en ait d'autres qui soient prêts à tout pour mettre la main dessus.

— Je ne prête pas attention à tout cela. Je veux seulement retrouver mes parents.

— Vous devriez y porter attention. Ils pourraient vous capturer, vous torturer, même vous tuer, si vous ne leur êtes plus utile. Mais si vous le trouvez la première… pensez-y, Alex. Alors, vous auriez quelque chose entre les mains pour marchander. Alors, s'ils sont encore vivants, vous pourriez payer une rançon avec ce manuscrit.

Alex eut le souffle coupé.

— C'est vrai. Je n'avais pas réfléchi à la façon de les sauver une fois que je les aurais retrouvés. John, vous êtes brillant.

Il sourit et haussa une épaule.

— J'ai une autre idée brillante. Une idée avec laquelle mon oncle sera d'accord, je pense.

Alex se tourna dans sa chaise pour être encore plus près de lui.

— Qu'est-ce que c'est ?

Son sourire illumina son beau visage.

— Je vais vous accompagner.

Alex baissa le regard. Voyager seule avec un homme était presque aussi pire que de voyager seule.

— Je serais heureuse de votre compagnie, mais nous ne pouvons voyager ensemble, seuls tous les deux. Vous devez savoir cela.

Montague agissait comme un père envers elle, et c'est probablement ce à quoi il ressemblait en voyageant avec elle, mais John était jeune et beau, très beau.

— Nous le pourrions si nous étions mariés.

Il le dit si vite et à voix basse qu'elle releva sa tête d'un coup ; elle n'était même pas certaine d'avoir bien entendu.

— Je… Est-ce que vous me proposez le mariage ?

Le visage de John rougit, mais ses yeux bleus étaient honnêtes.

— Je vous demande pardon. Ce n'est pas là le geste romantique que j'avais planifié. J'aurais dû attendre, mais, Alexandria, depuis notre première rencontre, je crois que j'attendais le moment pour vous demander de devenir ma femme. Et maintenant, tout arrive si vite… vous êtes sur le point d'embarquer sur un bateau pour aller au loin... j'ai peur de vous perdre pour toujours.

— C'est seulement que... c'est une telle surprise. Je ne sais que dire.

John lui prit la main et la pressa.

— Pensez-y. Si vous vous mariez, vous n'aurez plus besoin d'avoir un tuteur. Le duc ne sera plus en mesure de vous dominer.

Elle ou sa fortune. Si elle se mariait, et elle n'était même pas certaine que ce fut possible sans le consentement de son tuteur, à moins qu'ils ne s'enfuissent, mais si elle se mariait, sa fortune deviendrait sienne, ou plutôt... — elle regarda les yeux bleus et honnêtes de John... — leur. Elle tenait à lui. Elle appréciait sa compagnie — énormément. Elle pourrait apprendre à l'aimer, elle en était certaine. Mais pourrait-elle lui faire confiance ?

« Mon Dieu, si je n'ai jamais eu besoin que Vous éclairiez mon chemin, maintenant, j'en ai besoin. Aidez-moi à connaître Votre volonté pour mener ma vie. »

Alex n'eut pas la possibilité de répondre, car monsieur McQueen revenait, se dirigeant vers eux avec un épais volume dans les mains.

— Ah ! voici ce que j'ai trouvé.

Il ouvrit le livre à une grande page, le tourna pour qu'ils le voient, et pointa son doigt vers une signature.

Le nom du bateau était inscrit au haut de la page : *Achille*. Il y avait ensuite des colonnes de noms. Alex scruta les noms, son coeur battant la chamade. Là, aux lignes trente-deux et trente-trois, il y avait les noms : lord Ian Featherstone et lady Katherine Featherstone. En date du 1er décembre 1817.

— Ce sont eux, murmura-t-elle.

Elle regarda monsieur McQueen.

— Où se dirigeait ce bateau ?

Il tourna quelques pages et pointa le carnet de route. L'*Achille* était allé à New York, mais avait fait escale à Reykjavik, en Islande.

Alex regarda John, puis regarda de nouveau monsieur McQueen.

— Quand partira le prochain bateau pour l'Islande ?

— J'ai pensé que vous le demanderiez, alors j'ai déjà vérifié cela. Il y a un bateau partant pour Ammassalik, au Groenland, dans deux jours. En y mettant le prix, je crois qu'il serait possible de convaincre le capitaine de faire escale en Islande, qui est sur la route.

Le cœur d'Alex commença à battre plus fort. Elle devait saisir cette chance. Cela pourrait prendre des semaines, si elle attendait une autre opportunité.

— Oui, retenez le passage.

Elle regarda le visage plein d'espoir de John, ses yeux brillants d'amour et d'aventure, et elle pria pour qu'elle soit en train de faire la bonne chose.

— Retenez le passage pour deux personnes.

Alex regardait à l'extérieur de la fenêtre de la diligence, regardant la ville comme une forme indistincte, étourdie par tout ce qui venait d'arriver. Sa vie avait tellement changé. Elle n'avait jamais rêvé de venir à Dublin. Elle n'avait jamais imaginé aller en Islande et ne pouvait pas savoir ce qui s'y passerait. Elle avait déjà pensé au mariage, comme n'importe quelle autre fille arrivant à l'âge adulte. Mais elle n'avait jamais pensé au bel étranger blond à côté d'elle. Son mari imaginaire avait toujours les cheveux foncés, était grand, avec un visage ombragé, quelque chose que seul le temps pourrait révéler, quelque chose qui lui disait qu'elle n'était pas prête.

John devait avoir ressenti son humeur, car il s'assit, silencieux. Il s'était avancé pour prendre sa main au moment où ils s'étaient assis dans le carrosse, mais elle lui permit de la tenir seulement pour un moment, puis elle s'était appuyée contre la fenêtre, regardant à l'extérieur, avec un nouveau regard sur la ville qu'elle pourrait peut-être, un jour, quand tout serait terminé, appeler son chez-soi. Dublin était la ville de cet homme avec qui elle partageait le carrosse. Elle ne pensait pas qu'il aimerait vivre dans la solitude balayée par le vent de Holy Island. Est-ce qu'elle pourrait y vivre encore ? Juste d'y penser lui fit perdre son souffle, essayant d'arrêter ses larmes.

Ils arrivèrent à la jolie maison de ville de John, la demeure qu'ils habiteraient vraisemblablement une fois ses parents retrouvés, et il l'aida à descendre. Elle portait le nouveau bonnet rose qu'il avait choisi pour être assorti à sa robe de jour. Le bonnet faisait de l'ombre sur son visage et elle était cachée de la vue, un fait qui la réconfortait, car elle se sentait gênée et avait peur.

Il s'avança, prit son menton dans un geste tendre et le souleva pour qu'elle le regarde.

Elle le lui permit… le regardant longuement dans les yeux.

— Je vous aime, Alexandria.

Ses lèvres tremblaient en les pressant ensemble dans un sourire triste. Elle ne pouvait le lui dire en retour, pas encore. Elle ne savait pas qui elle était, en ce moment. Elle se sentait balayée par une vague de la marée, comme celles qu'elle avait si souvent regardées des berges de Holy Island, souhaitant au moment où elle les voyait qu'elle puisse partir à l'aventure, souhaitant que sa vie commence enfin. Maintenant que c'était arrivé, elle comprit la folie de souhaiter sortir de l'enfance, un fait lui venant soudainement, lui disant qu'elle avait trop essayé de devenir quelqu'un d'important au lieu de profiter de sa vie de petite fille.

Elle grandissait. Et c'était difficile, plus difficile que ce qu'elle avait prévu.

Les lèvres de John s'approchèrent et elle les laissa toucher aux siennes. La sensation était agréable, son pouls s'accéléra, mais d'une agréable façon.

Un bruit soudain les fit se séparer. Baylor descendit l'escalier et se tint de sa hauteur en fronçant les sourcils.

— Je crois qu'il est temps pour la dame et moi d'aller faire une promenade, dit-il d'une voix qui ne tolérait aucune opposition.

John s'inclina devant eux, envoyant un sourire secret à Alexandria, puis entra dans la maison.

Alex mit sa main sur le bras charnu de Baylor et ils descendirent la rue pavée.

— Je suis resté avec vous assez longtemps, ma chère. Ma harpie me manque énormément, et vous ne semblez plus avoir besoin de moi.

Alex savait que cela devait arriver. Baylor n'avait pas assisté au bal, il ne l'avait pas voulu ; au lieu de cela, il avait écouté le murmure des antres de musique de Dublin et était retourné à la maison dans son cœur.

— Je ne peux assez vous remercier, Baylor. Vous avez été un véritable ami.

— C'est tout à fait vrai. J'espère vous revoir un jour, avec vos parents en plus.

Alex le regarda, un grand sourire lui traversant le visage.

— Tout comme moi.

Elle fit une pause, réfléchissant à combien il allait lui manquer.

— Promettez-moi que vous continuerez d'apprendre à lire. Vous avez fait tant de progrès, ces dernières semaines.

Baylor la regarda avec des yeux brillants d'affection et de fierté.

— Ça, je le ferai, lady Alex. Merci beaucoup pour vos excellentes leçons.

Ils marchèrent en silence pendant un moment, puis Alex s'arrêta.

— Baylor, je viens juste d'avoir une idée.

Il grogna en protestant.

— Pourriez-vous faire une dernière chose pour moi avant de partir ?

Il regarda son visage et fit bouger ses sourcils broussailleux.

— Est-ce que c'est dangereux ?

Alex envoya sa tête vers l'arrière et se mit à rire.

— Très dangereux. Vous voyez… cela concerne le duc de St. Easton…

Chapitre 31

Après qu'il eut fait le tour de la salle de bal pour la quatrième fois, Gabriel était trempé de sueur sous son costume. Où était-elle ? Sa tête élançait, ses tempes battaient d'une façon qui lui disait qu'il devait se maîtriser, mais il ne le pouvait pas. La panique, la frustration – *mon Dieu*, l'amour, une étrange sensation qui le rendait malade – l'envahirent. Elle ne pouvait lui avoir glissé entre les doigts encore une fois. Impossible. Elle ne pouvait avoir été ici, entre ses bras, puis disparaître.

Après que Meade et lui eussent questionné pendant une demi-heure les invités et même la vice-reine, qui était très heureuse d'avoir un moment d'attention, il dut finalement admettre sa défaite. Rentrer à la maison. Dormir. Planifier le lendemain.

Ils retournèrent à l'hôtel, et il grimpa dans son lit et remonta jusqu'à son cou le couvre-lit de plumes, mais il ne dormit pas. Il ne pouvait s'endormir.

Le lendemain matin, il fit face aux froncements de sourcils de son valet qui le rasait. Il regarda sa silhouette dans le miroir, se voyant en silence, toujours sans entendre le son du rasoir contre son épiderme. Qu'était-il en train de faire ? Pourquoi n'allait-il pas directement au prince régent en admettant qu'il ne pouvait la trouver ? Qu'elle était plus déterminée qu'eux tous rassemblés ?

Avec un geste irrité du bras, il renvoya son valet. Gabriel prit la serviette chaude et y enfonça son visage.

Il y avait toujours un indice. Une dernière chose qu'il croyait qu'Alexandria allait faire. Il mit cette pensée à exécution en envoyant une note à Meade lui demandant de trouver s'il y avait des bateaux partant pour l'Islande dans les prochains jours ou prochaines semaines. Il ne pouvait imaginer qu'il y en aurait.

Son valet était parti, ce qui était bien. Il avait besoin d'être seul. Il saisit un miroir à main et se regarda encore, voyant des yeux verts qui, pour lui, étaient si normaux, mais qui semblaient étranges pour les autres. Est-ce cela qui lui avait fait peur ?

Jetant un regard à son reflet dans le miroir, la mine renfrognée, il déambulait dans la pièce… réfléchissant… et faisait sortir l'agitation de son corps. Meade serait bientôt de retour avec l'horaire des bateaux. Il attendrait… jusqu'à ce qu'il n'en puisse plus. Alors, il achèterait un passage et embarquerait sur le bateau. Il s'imaginait l'attendre sur le pont, la voyant embarquer et attendant l'instant où elle le verrait.

Gabriel ferma les yeux et se souvint de la sensation au moment où il la tenait dans ses bras, à l'unisson, leur respirations et leur corps se fondant l'un dans l'autre jusqu'à ne devenir qu'un. Il aurait dû savoir dès l'instant où il la prit dans ses bras que c'était elle. *Comment avait-il pu ne pas le savoir ?*

Il arrêta de marcher et s'appuya au cadre de la fenêtre. Peut-être qu'il l'avait su. Une part de lui aurait voulu ne jamais la laisser partir.

La porte s'ouvrit et Meade pointa le bout de son nez. Il savait qu'il ne devait pas frapper à la porte, mais il l'entrouvrait toujours juste un peu pour voir s'il arrivait au bon moment.

Gabriel lui fit signe d'entrer.

— Y a-t-il un bateau qui part pour l'Islande ?

Meade s'avança vers lui et lui tendit une feuille de papier, hochant la tête.

Gabriel la regarda et la lut. C'était un billet. Dans deux jours. Comme c'était commode. Il poussa un soupir tremblotant et passa à la seconde page. C'était une copie du billet d'Alexandria, de sa signature. La familiarité de son écriture le frappa. Il se frotta les yeux, à la fois fatigué et excité.

Il y avait peu d'endroits où se sauver à partir du pont d'un bateau. Non pas qu'elle le voudrait au moment où il lui dirait qu'il est prêt à désobéir aux ordres du prince régent — et de partir avec elle.

« Mon Dieu, je ne Vous en ai jamais demandé autant, je ne peux me souvenir Vous avoir demandé quelque chose avant que tout ceci arrive. S'il vous plaît, aidez-moi à la trouver. »

L'heure était venue.

Gabriel déglutit difficilement, ajusta ses gants de cuir et monta sur son cheval.

Il resta assis un instant dans la lumière du matin, regardant la ville tout autour pendant que ses cavaliers montaient eux aussi et se dressaient à ses côtés, devant et derrière. Ils élevèrent les étendards du duc de St. Easton, Foy pour devoir. Aujourd'hui, il choisissait la foi.

Le soleil se reflétait sur les pierres des édifices en traversant la rue vers la baie de Dublin. Meade chevauchait à ses côtés. Il jeta un regard à son loyal secrétaire et se mit à sourire. Il était vêtu de son nouveau costume, arborant les couleurs de la maison de St. Easton sur sa poitrine, se tenant bien droit, montant à cheval comme s'il l'avait toujours fait.

Ils sentirent l'odeur de la mer avant même de la voir. Une tache bleue qui devenait grise et se déplaçait à l'horizon. Des bateaux de toutes formes et de toutes tailles se balançaient contre leurs amarres, leurs coques aspirant à suivre la marée et la mer.

Gabriel appréhendait le moment d'embarquer sur le bateau. Être sourd et avoir le mal de mer pour les premières semaines qu'il passerait avec elle ? Bon, si elle le voyait de cette façon, alors ils pourraient tout traverser, ensemble. Des larmes lui montèrent aux yeux en pensant à elle. Il les fit cesser instantanément.

Il aspira une grande bouffée d'air marin, vit les mouettes blanches s'envoler de la berge, et accepta le silence des sabots du cheval, le silence des oiseaux, le silence des vagues.

Son cheval frétillait sous lui et il le dirigea sans réfléchir, prenant conscience qu'il était devenu plus sensible au toucher et à la vue. Son esprit était vif et alerte en approchant du quai.

Soudainement, un grand carrosse venait d'une rue secondaire en face d'eux. Gabriel et ses hommes tirèrent sur leurs rênes pour sauver leurs chevaux du danger. Les hommes arrêtèrent derrière lui, leurs chevaux soufflant et sifflant, le regardant pour savoir où aller.

Un géant aux cheveux roux descendit du carrosse et se déplaça d'un mouvement lent avec des pas lourds vers eux. Ses gros bras leur faisaient signe de reculer.

— Que signifie tout ceci ?

Meade avança au-devant sur son cheval, ce qui fit sourire Gabriel. Cette aventure avait fait un homme de lui, c'en était sûr.

Des bras s'agitaient et leurs lèvres parlaient vite en conversant. Ses hommes attendaient pendant que le géant bloquait la rue pour quelques minutes de plus. Alors, dans un mouvement soudain, le géant le regarda, le fixa dans les yeux... ses yeux pleins d'intentions et très conscients.

Tout s'arrêta dans son for intérieur.

Une autre ruse ! C'était une tactique pour les arrêter !

— Allons, venez !

Gabriel essaya de faire tourner son cheval dans l'espace restreint. Il planta ses talons dans sa monture, ce qui fit reculer et ruer le cheval de Meade, et fit sursauter et trépigner les chevaux attachés au carrosse.

Un des chevaux de leur cavalerie prit la rue secondaire, le serviteur incapable de le maîtriser. Le cheval de Meade le suivit. En quelques minutes, ils commencèrent tous à s'enfuir dans le désordre, le long de la rue étroite, tous les chevaux plongeant vers l'avant, heurtant les carrosses et avançant péniblement à travers les marchandises des boutiques dans la rue. Ils parcourèrent les rues au galop en s'éloignant du quai et des bateaux qui attendaient.

Gabriel fut laissé seul avec le géant. Son cœur le martelait comme le cheval sous lui, respirant tous les deux en soufflant l'air de leurs narines, les deux cherchant à aller vers la mer, le bateau… Alexandria…

— Laissez-moi passer ! cria-t-il, clouant l'homme d'un regard de rage.

Le géant fit avancer lentement son carrosse en travers de la rue. Gabriel donna un coup de pied à son cheval pour le faire avancer. Une fois rendu sur les quais bondés, il s'élança vers le bureau maritime. Il courut au comptoir des billets et montra son billet pour son passage vers l'Islande.

— Je suis désolé, monsieur. L'embarquement est terminé pour ce voyage.

L'homme fit un geste de la main vers un grand voilier blanc.

— Comme vous pouvez le constater, il a déjà levé les voiles.

Gabriel se retourna vers le bateau. Il était massif, sa coque s'élevant au moins de vingt pieds dans les airs. Il ne pouvait voir. Une panique l'envahit et l'embrouilla. Ce ne pouvait être possible. Il ne pouvait pas l'avoir manquée.

Il courut. Sentant les battements de son cœur. Voyant l'ombre de sa silhouette courant à côté de lui sur la berge, tout étant trop net et irréel. Il arriva sur le bord et vit que le bateau, son bateau, avait largué les amarres de la côte et était pour s'échapper sur les vagues de l'Atlantique.

— Attendez !

Sa voix semblait rauque et désespérée.

Il s'arrêta au bord, là où la berge se transforme en une mer bleue, et scruta le pont, les passagers se tenant à la rambarde, saluant de la main leurs êtres chers.

Il respirait trop lourdement, il le savait, mais elle était sur ce bateau, elle devait l'être. Son regard balayait le pont du bateau de haut en bas, si près, mais si inatteignable. Un mouvement soudain, le bras d'une femme retenant le capuchon de sa cape, attira son regard. Il se tourna vers le côté sous le vent du bateau et tout s'arrêta à l'intérieur de lui.

Le bateau était assez près pour qu'il voie son visage — sans masque, sans protection, insondable. Elle se tourna vers lui. C'était comme si elle savait qu'il la regardait, pris, complètement défait, hors de lui, avec une anticipation à peine dissimulée.

Elle le regarda directement, son regard le fixant, surprise, puis éprouvant le même choc — la peur et la sensation familière d'avoir trouvé son autre moitié. Elle n'était que de la beauté pour lui. Elle baissa son bras et le vent fit retomber son capuchon, révélant des cheveux foncés, entourant un visage parfaitement doux et déjà familier. Elle était tout pour lui. Sa poitrine trembla en de petites secousses qui le firent cligner fortement des yeux, mais il ne pouvait se détacher de son regard.

La main d'Alexandria s'éleva à sa bouche, puis descendit à sa gorge, puis encore plus bas, où son poing se roula et pressa sur sa poitrine.

Son bras se tendit, involontairement, lui demandant de revenir.

Elle tendit le bras elle aussi..., puis le baissa.

« Non ! » Tout en lui le criait.

Elle baissa le regard.

— Revenez !

« Mon Dieu, pourquoi ne me fait-elle pas confiance ? »

Elle se détournait de lui !

« Seigneur, faites qu'elle me regarde encore ! »

Elle fit une pause, mais ne ne se retourna pas. La respiration de Gabriel s'accéléra quand il aperçut un autre homme, un beau jeune homme aux cheveux blonds, vêtu comme un homme distingué, s'approcher d'elle et glisser le bras autour de sa taille, la détournant de la rambarde, de lui. Son estomac chavira comme s'il venait d'être touché par une arme dont il ne connaissait pas l'existence.

Et à cet instant, il comprit une chose : elle était sa famille. *La sienne. Sa famille.* Et qu'importe ce que cela prendrait, qu'importe ce qu'il aurait à faire dans les prochaines semaines ou les prochains mois ou les prochaines années… il le ferait. L'homme sourd, hanté et brisé qu'il était, il ne s'en faisait guère. Il ne laisserait pas tomber. Jamais.

Elle lui appartenait… *pour toujours.*

Chère lectrice, cher lecteur,

Un duc dévasté.

Une fille en exil, solitaire.

Les deux ont une voie à suivre ; ils ont à trouver le désir au fond de leur cœur et des choix à faire qui pourraient changer leur vie à tout jamais.

Vous êtes-vous jamais demandé si vous étiez sur la bonne voie pour mener votre vie ? Est-ce que vous « suivez vos passions » et avez « trouvé les dons que la vie vous a apportés ? » Ces expressions populaires nous font nous arrêter et réfléchir sur notre vie et sur la direction que nous avons prise. Même s'il n'y a rien de mal à cela, nous devons garder à l'esprit Mathieu 6,33 : « Cherchez d'abord son Royaume et sa Justice, et cela vous sera donné de surcroît. » Ce chapitre complet de Mathieu est étonnant ! Il contient le Notre-Père, des instructions au sujet de nos trésors (nos dons et nos vocations), notre argent, nos besoins, et les soucis venant de ces besoins, puis il se termine dans une exhortation à faire confiance et à rechercher Dieu pour *tout*. Ce chapitre est un vrai projet de vie.

Mais, soyons honnêtes. Pour vivre ici chaque jour, avec toutes les tempêtes et les épreuves, les défis et les distractions ? Ce n'est vraiment possible qu'avec l'aide de Dieu. Et mes personnages, ces merveilleux personnages que j'aime autant que s'ils étaient réels, ne sont pas différents.

Mon héros — l'éclatant duc de St. Easton — voudrait que le mal qui l'afflige guérisse et disparaisse. Et il veut l'amour selon ses conditions. Il veut retrouver la maîtrise, même s'il était misérable au moment où il en avait.

Mon héroïne — la douce et déterminée Alexandria — veut avoir ce qu'elle ne peut obtenir. Et rien ne l'arrêtera quand viendra le moment de s'occuper de son propre cœur.

Leur voyage est comme le nôtre — tiraillé entre aller vers ou contre Dieu — le désir de trouver la liberté et le but de notre présence sur terre à notre rythme et à notre façon, car Sa façon est trop difficile ou effrayante, ou n'a aucun sens.

Chère lectrice, cher lecteur, joignez-vous à moi pour ce voyage avec Gabriel et Alexandria dans leurs luttes pour arriver au bout d'eux-mêmes. Je prie pour que nous le fassions aussi, élever nos vies en sacrifice, et à cet endroit, faire face au Dieu vivant.

En Lui,
Jamie Carie

Questions de discussion

1. L'impensable arrive au duc de St. Easton dans la scène d'ouverture. Cela est si dévastateur qu'il traverse divers stades de chagrin — déni, négociation avec Dieu, colère, confusion, dépression et une forme nébuleuse d'acceptation. Avez-vous déjà vécu, ou un de vos proches a-t-il déjà vécu, quelque chose de semblable ? Qu'est-il arrivé et de quelle façon l'avez-vous surmonté ? Pouvez-vous indiquer quelles étaient les transitions émotionnelles ? Dans quel état êtes-vous en ce moment, et que pouvez-vous faire à ce sujet ?

2. Alexandria Featherstone possède un cœur d'aventurière et l'imagination d'une conteuse d'histoires. Et vous, que possédez-vous ? Je sais que la vie peut entraver un esprit aventurier. Il existe un certain nombre de responsabilités — parents, mariage et enfants, manque de moyens, manque de courage, manque de foi. La vie met des entraves. Sentez-vous que vous vivez votre grande aventure ? Sinon, pourquoi ? Pouvez-vous y changer quelque chose ?

3. Alex possède une famille étendue qui l'aide et la soutient. Au temps de ma jeunesse, mon père était le pasteur d'une petite congrégation. Ces gens sont devenus pour moi une sorte de famille étendue. Et vous ? Sentez-vous que vous faites partie de la communauté ? Et si c'est le cas, que faites-vous ? Si ce n'est pas le cas, est-ce que vous souhaiteriez que ce le soit ? Êtes-vous prêt à vivre toutes les difficultés que comporte le fait de vivre en communauté, ou êtes-vous plus à l'aise de vivre seul ? Discutez.

4. Quel rôle jouez-vous automatiquement quand vous êtes dans un groupe de proches ou d'amis ? (c.-à.-d. pacifiste, conseiller, mère, enseignant, portant facilement des jugements, etc.) Que pourriez-vous changer pour être un meilleur ami ou un meilleur membre de la famille ?

5. Gabriel se tourne vers la musique pour remplir un vide à l'intérieur de lui. « L'effet » ne dure qu'un certain temps, mais même s'il est si fortuné et si intelligent, c'est tout ce qu'il a trouvé pour le garder en vie. Qu'est-ce qui vous fait de « l'effet » ? Les commérages ? Une substance de choix ? Dominer les gens autour de vous ? Le magasinage ? Manger ? Remplissez l'espace libre. Comment pouvons-nous arrêter d'agir ainsi et faire confiance à Dieu pour chaque besoin ?

6. Gabriel s'est attaché à Alexandria d'une façon qu'il ne croyait pas possible pour lui — à travers les lettres. Comment l'amour vous a-t-il trouvé (l'amour de Dieu ou l'amour humain) ? Si ce n'est pas encore arrivé, comment

l'imaginez-vous ? Êtes-vous ouvert à la possibilité de quelque chose que vous n'aviez jamais considéré ? Pensez à toutes les façons que l'amour pourrait se manifester à vous et à partir de vous. Dressez une liste des façons comment vous pourriez aimer les autres d'une nouvelle manière.

7. Vous êtes-vous déjà lancé dans une nouvelle aventure sans avoir assez d'argent ou de ressources, juste avec la foi ? (Pensez aux disciples laissant tout derrière eux pour suivre Jésus !) Qu'est-il arrivé ? Voulez-vous recommencer ? Qu'est-ce qui vous retient ?

8. Alex aspire à devenir une bonne investigatrice et elle possède le talent pour le faire, mais les gens qu'elle aime plus que tout, ses parents, ne l'ont pas encouragée. Est-ce que cela vous est déjà arrivé ? Si vous pouviez faire quelque chose ou devenir quelqu'un, et que vous étiez assuré de la réussite, que feriez-vous ou qui deviendrez-vous ?

9. Gabriel et Alex ont tous les deux permis à des influences extérieures de faire dévier leur mission. Êtes-vous facilement distrait au moment où Dieu vous appelle ? À quoi ressemble le piège ? Est-ce parce que vous ne reconnaissez pas l'appel, ou est-ce trop attirant pour le nier ? Que pourriez-vous faire pour cela ?

10. Un peu comme Mr Magoo ou Forest Gump, Alex trébuche au cours de sa vie, mais tout rentre dans l'ordre. Elle aborde les gens de façon naturelle, ce qui la rend

aimable et lui fait gagner l'amitié et la loyauté de ceux-ci. Pour la plupart d'entre nous, ce n'est pas le cas. Connaissez-vous quelqu'un comme elle, quelqu'un ayant la « touche magique » ? Comment vous sentez-vous par rapport à cela ? Pourquoi semble-t-il que Dieu ait béni certaines personnes et pas les autres, malgré ce qu'ils font ?

11. Gabriel en vient à dépendre de son ami et secrétaire, Meade, de plus en plus, et il se charge de son affliction. Sa fierté en prend un coup dans le processus. Et vous ? Êtes-vous une personne soignante ou pensez-vous le devenir un jour ? Qu'arriverait-il si quelque chose survenait et que vous ayez besoin de soins ? Que pourrait-il se produire et comment vous sentiriez-vous par rapport à cela ? Parlez-vous de ces questions avec votre famille, vos amis ?

12. Gabriel est au début un duc puissant, sage et connaissant qui prend sa vie en main, puis il se change par la suite en une âme brisée, malheureuse, en quête de l'amour de sa vie. Mais il est encore plus vivant qu'il ne l'a jamais été. Quelquefois, les moments difficiles sont les meilleurs pour se sentir vivant. Quel est l'un des moments difficiles dans votre vie où vous vous êtes senti le plus vivant ? Qu'est-il arrivé et où en êtes-vous présentement ?

13. Meade est la force en chair et en os que Gabriel a besoin pendant cette période de mise à l'épreuve, et Montague est le champion d'Alexandria. Est-ce que Dieu vous a

envoyé des « anges en chair et en os » pour vous aider à surpasser les temps difficiles de la vie ? Que s'est-il produit et qui sont-ils ? Avez-vous été l'un d'eux pour quelqu'un d'autre ?

14. Celle-ci est pour le plaisir. Cette série est appelée la série des Châteaux oubliés, car j'aime découvrir des trésors cachés. Avez-vous déjà voyagé outre-mer ? Visité un château ? À quel endroit seraient vos vacances de rêve ?

✤ ✤ ✤

– *Enfin, nous nous rencontrons… face à face… Rien ne pourra jamais nous séparer.*

C'était une promesse en laquelle elle voulait croire.

– Oui, enfin.

Alexandria sentit son pouls marteler dans tout son corps au moment où son regard affamé se posa sur son visage. Elle voulait le croire, mais il y avait encore tant d'entraves sur la route.

Continuez l'aventure de Gabriel, le duc de St. Easton, et d'Alexandria Featherstone au grand cœur au moment où ils voyageront en Islande – la Terre de feu et de glace – dans le deuxième tome de la série des Châteaux oubliés : *La clémence du duc*.

Alexandria refuse de laisser tomber la recherche de ses parents, et Gabriel, ayant maintenant choisi la foi au lieu du devoir, est dévasté par le manque de confiance d'Alexandria. Maintenant déterminé à l'aider – et à l'empêcher de marier le mauvais homme – Gabriel prépare son propre voyage qui présente rapidement des difficultés, du danger et un immense chagrin. La vulnérabilité d'Alexandria est mise à l'épreuve quand ceux de son entourage l'entraînent dans leurs propres volontés et leurs propres besoins, la laissant s'effondrer dans le sombre brouillard du doute et de la trahison.

Au moment où ils se rencontreront finalement, face à face, ils seront forcés de reconnaître leur amour et les barrières qui les gardent séparés. S'abandonner totalement au plan de Dieu est leur seule lueur d'espoir.

Ne manquez pas la suite

Chapitre 1

Dublin, Irlande — novembre 1818

— S'il vous plaît… laissez-moi.

Lady Alexandria Featherstone éloigna le bras de son fiancé encerclant sa taille et s'empressa de retourner vers la rambarde du bateau. Le battement effréné de son cœur monta à son cou alors qu'elle tentait de scruter le brouillard gris-vert flottant au-dessus de la berge de Dublin. Elle regarda de haut en bas, puis elle balaya du regard la plage rocailleuse.

Était-il toujours là ?

Pourquoi lui portait-il autant d'attention ? Était-ce seulement les ordres du prince régent qui le conduisaient vers elle, ou quelque chose de plus ? Quelque chose tiré des lignes mordantes de ses lettres, d'un homme qui semblait à la fois hanté et à moitié amoureux d'elle.

Son regard erra au-dessus des silhouettes sur la berge, ces amis et membres des familles des passagers du bateau qui devenaient de petits points flous. Le brouillard perturbait sa vision, se levant et se déplaçant à travers l'air chargé de sel, et en donnant des formes ondulantes à ces sympathisants inconnus habillés sombrement. Avait-elle seulement imaginé qu'il était là ?

Juste revoir son visage ; encore une fois.

Là. Son regard se posa sur un homme particulièrement grand avec des cheveux noirs. Si elle se concentrait assez fort, elle pouvait presque voir ses fameux yeux verts. Mais il se retourna avec empressement, s'éloignant pour faire quelque chose qu'elle n'osait imaginer. La suivrait-il ?

Son fiancé, John Lemon, s'approcha d'elle pour se tenir derrière. Il entoura sa taille de ses bras et la tira doucement vers lui.

— Que se passe-t-il, mon cœur ? Y-a-t-il quelque chose qui ne va pas ?

Alex tourna son visage vers le sien.

— C'était lui. J'ai vu le duc.

— Votre tuteur ?

Alex hocha la tête.

— J'en suis certaine. Il nous a presque rejoints.

Elle ne mentionna pas le fait qu'elle se sentait rassurée à l'idée qu'il la recherche, la pourchasse; qu'il ne laisserait pas tomber avant de l'avoir retrouvée.

— Eh bien! C'est une bonne chose qu'il ne nous ait pas rejoints. Est-ce qu'il vous a vue?

La voix d'Alex baissa d'un ton, tout en douceur.

— Je ne crois pas.

Mais elle le *savait*. Elle savait qu'il y avait eu ce contact qui l'avait fait vibrer jusqu'aux orteils au moment où leur regard se sont croisés. Elle avait vu la confusion, la dévastation du duc qui se rendait compte qu'elle n'avait pas eu confiance en lui, qu'elle était partie et qu'elle s'était fiancée. Sa vie déviait complètement de la voie si soudainement qu'elle ne savait plus comment lui donner un sens. Mais elle ne pouvait dire cela à John. John avait été sa seule option, une voie claire et évidente pour continuer sa mission sans entraves.

« Mon Dieu, Vous savez que j'ai dû surmonter plusieurs entraves, j'ai besoin d'une voie claire pour trouver la vérité. »

Et la vérité était que John lui avait offert ce que son tuteur lui refusait. Il avait ouvert les bras et lui avait offert le mariage, la protection et de l'aide pour la seule chose qui lui tenait à cœur : retrouver vivants ses parents disparus. Elle tremblota et croisa les bras à l'intérieur de sa cape rouge. Elle devait garder sa mission à l'esprit, peu importe ce qu'elle devrait faire pour l'accomplir.

Dans sa tête, elle dressa la liste des événements depuis le jour où elle avait appris que le prince régent avait déclaré ses parents présumés morts et avait appointé le puissant duc de St. Easton pour être son tuteur. Elle ne les avait pas crus morts au moment où le secrétaire du duc était venu la voir à sa demeure sur l'île balayée par le vent de Holy Island pour lui apporter ces nouvelles, et elle ne le croyait toujours pas. La plupart du temps. Ce n'était pas possible. Ses parents avaient voyagé à travers le monde, d'aussi loin qu'elle puisse se souvenir, résolvant des mystères et retraçant des trésors de toutes sortes. Ils étaient reconnus pour cela. Mais le fait qu'Alex n'eut pas entendu parler d'eux depuis presque un an maintenant était préoccupant. Ils étaient en danger. Et elle était la seule personne qui y croyait, la seule personne qui pouvait les retrouver et les sauver.

Depuis les derniers mois, elle avait retrouvé chaque indice que ses parents avaient laissé, suivant leur piste à travers l'Irlande alors qu'ils étaient à la recherche du manuscrit disparu de la fameuse collection de Hans Sloane. Elle avait reçu de l'aide tout au long de sa route, de la part de nouveaux amis, et aussi de la main de Dieu qui la guidait. Et John ? Elle n'aurait pu continuer seule en Islande. En plus, elle avait vingt ans, l'âge pour penser au mariage, et John ferait un très bon mari.

Sa mâchoire se raidit à sa détermination. Le duc voudrait seulement la ramener à Londres. Il avait été très clair dans ses lettres ; il suivrait les ordres du prince régent et il la ramènerait chez lui pour la protéger. Elle savait qu'il voulait seulement qu'elle soit en sécurité. Elle passerait une saison à Londres, sa première, puis on lui présenterait des prétendants. Et avant qu'elle ne s'en aperçoive, ils l'auraient lentement convaincue de vivre sa vie comme n'importe quelle personne normale le ferait et d'oublier cette absurdité à propos de ses parents qui pourraient être toujours en vie et qui auraient terriblement besoin de son aide.

Non. Elle devait se battre contre ces sensations étranges et puissantes qu'elle avait pour le duc. Elles réussiraient seulement à briser son cœur d'une façon qu'elle ne connaissait pas encore.

— Pensez-vous qu'il nous suivra ? demanda Alex, incapable d'échapper à l'espoir qu'il le fasse.

— Je ne le sais pas. Mais aussitôt que nous serons réellement mariés, il n'aura plus aucune autorité sur vous.

Elle devrait en ressentir du soulagement, mais c'est une pointe d'angoisse qui traversa son cœur. Ne plus recevoir de lettres de lui ? Ne plus jamais le voir ni lui parler ?

Il y avait une légère accusation dans le ton de la voix de John lorsqu'il avait prononcé les mots « réellement mariés », ce qui fit reculer Alex. Il avait fait sa proposition seulement quelques jours plus tôt, et il n'y avait pas eu assez de temps pour la publication des bans, ou pour s'enfuir et trouver un ministre du culte pour célébrer la cérémonie en même temps que tous les préparatifs du voyage en Islande. Montague, l'oncle de John et son bon ami, avait conseillé de ne pas se hâter. La blessure subie lors de la terrible attaque des Espagnols qui la pourchassaient à travers l'Irlande guérirait dans quelques semaines, et Montague avait promis de les rejoindre en Islande aussitôt qu'il pourrait voyager. Il l'avait déjà aidée à suivre la trace de ses parents en Irlande et était déterminé à continuer. Ils pourraient toujours avoir une petite cérémonie une fois qu'il les aurait rejoints. Alex avait sauté de joie à cette idée.

— Je n'aime pas plus que vous prétendre que nous sommes mariés, John, mais je n'aime pas non plus me précipiter. Quand Montague arrivera, ce sera le moment de faire des arrangements.

— Et que se passera-t-il si le duc arrive avant mon oncle ? Que se passera-t-il alors ?

— Nous l'avons tenu à l'écart jusqu'à maintenant. Ce bateau se rend à New York. Peut-être qu'il ne sait pas que nous ferons escale à Reykjavik. Peut-être qu'il est déjà sur la mauvaise piste.

— Hum, c'est possible.

Les lèvres de John s'attardaient à son oreille, la chaleur de sa respiration lui donnant la chair de poule. Il ajouta :

— C'est juste que je suis un peu… empressé — ses lèvres touchaient un point sous son oreille — de vous faire… mienne.

Alex se retourna sur elle-même.

— John, vous ne devriez pas faire cela.

Mais elle avait un sourire dans la voix. Heureusement, les seules autres personnes sur le pont étaient loin et ne portaient pas attention à ce couple présumé de nouveaux mariés.

John eut un petit rire.

— J'ai quelque chose pour vous.

Alex se tourna vers lui, les sourcils relevés.

— Ah oui ?

Il fouilla dans une poche et en ressortit un petit sac de velours avec un cordon de soie. Alex le regarda avec curiosité et fascination ouvrir le sac. Il en sortit quelque chose et avança d'un pas vers elle en prenant sa main.

— Si nous sommes mariés, et même si nous le prétendons, pour l'instant, vous aurez besoin de ceci.

Il prit sa main gauche et y passa une bague sur le troisième doigt. Sa respiration arrêta au moment où elle aperçut le gros diamant étincelant entouré de saphirs bleus foncés.

— C'est si beau.

— Elle appartenait à ma mère. Elle aurait approuvé mon choix.

Alex regarda dans les yeux gris-bleu de John.

— Le pensez-vous ? Je souhaiterais l'avoir connue. Elle devait avoir un grand amour des bijoux.

— Oh ! oui. Elle en avait toute une collection. J'ai dû vendre quelques-unes des meilleures pièces, mais il en reste encore un peu que j'ai gardé pour ma future femme. Ils seront tous à vous, mon cœur.

Alex tenait sa main droite et regardait les pierres briller à chacun de ses mouvements.

— Je ne sais que dire. Cela ne semble pas être la bonne chose à faire.

John l'attira près de lui, pressa sa joue contre sa tempe et murmura à son oreille :

— C'est parfait. Vous êtes parfaite.

Alex releva la tête. Les yeux de John étaient si épris d'elle, si intensément qu'elle ressentit une vague de nausée.

— Merci.

Il se pencha pour l'embrasser, mais elle détourna le visage.

— John... jusqu'à ce que nous soyons réellemen mariés... Vous comprenez ?

Il ne put rien promettre de la sorte, car un hom d'équipage en costume de matelot vint vers eu s'inclina.

— Lord Lemon, lady Lemon, le capitaine m'a demandé de vous annoncer que votre cabine est prête. Il a pris des mesures spéciales pour voir à votre confort.

— Cabine ?

Il n'avait mentionné qu'une cabine. Son visage se mit à brûler au moment où elle prit conscience qu'en tant que couple marié, ils partageraient, évidemment, la même cabine. Son regard se posa sur John qui semblait effectivement très heureux. Cela serait encore plus compliqué que ce qu'elle avait imaginé.

— Si vous voulez bien me suivre, je serai heureux de vous voir installés.

Le jeune homme releva les sourcils.

— Merci.

John se tourna vers Alex avec un sourire taquin.

— Nous avons bien hâte de nous… installer.

Alex lui lança un avertissement du regard et prit son bras.

Elle entra dans la pièce, clignant des yeux dans la noirceur pendant que le matelot allumait la lanterne. Il la tint au-dessus d'eux pour qu'ils voient la disposition de la bine. Le regard d'Alex se posa sur l'ameublement épars. petite table avec une lampe. Une garde-robe où seraient ment suspendus ses trois robes et les vestons de offre au pied du lit. Un lit simple. Alex vit un e au-dessus du premier, attaché au mur. Elle et regarda John avec des yeux interroga- rfait.

en s'adressant au matelot.

Le pauvre homme, rougissant, murmura des excuses aux nouveaux mariés. Alex haussa les épaules avec un sourire. Une réponse à sa prière. Elle n'avait pas été enthousiaste à l'idée de devoir coucher par terre à tour de rôle.

Le matelot s'en alla et ferma la porte derrière lui. Alex se tint bien droite au moment où John s'approcha d'elle.

— Nous ne sommes pas encore mariés, lui rappela-t-elle d'une petite voix.

— Je sais.

Il dit ces mots, mais il l'attira dans ses bras. Il pencha son visage vers ses cheveux, ses joues et ses lèvres.

— Vous ne devez pas.

— Je sais.

www.ada-inc.com
info@ada-inc.com